Aurore Drécourt

LA FOLLE DESTINÉE DES KERDELEC

UN MYSTÈRE À SAINT-MALO

**

Roman

Calmann-Lévy

Avertissement :

Certains lieux, personnages ou faits ont été librement adaptés pour répondre aux besoins de l'histoire.

À l'homme de ma vie, car les histoires d'amour n'existent pas que dans les romans ou dans les films.

1

Un doux contact contre sa joue éveilla le faux Étienne. Lentement, ses yeux s'ouvrirent pour se poser sur le visage d'un jeune homme. Ses cheveux blond foncé, retenus en une queue-de-cheval, retombaient sur son épaule alors qu'il demeurait penché au-dessus de lui. Quant à ses iris, d'un bleu si pur…, ils lui évoquaient l'océan, un océan magnifique où Étienne aurait pu se perdre avec joie.

— Vous voilà réveillé.

La sensation contre la joue d'Étienne s'intensifia. Le vicomte caressait sa peau du bout des doigts… Le cœur du jeune homme fit un salto dans sa poitrine et il n'osa plus bouger.

— Votre sœur m'a tout expliqué, ajouta son compagnon. Sophie, vous avez été tellement courageuse de prendre la place de votre frère ! Si j'avais su… Je vous aurais encore plus soutenue. Permettez-moi de rester désormais à vos côtés. Je…

Le vicomte s'humecta les lèvres, avant de poursuivre :

— J'ai des sentiments pour vous.

La chaleur monta jusqu'au crâne d'Étienne, ou plutôt de Sophie. Celle-ci était complètement perdue, mais un sentiment de félicité l'enveloppait et, lorsque le jeune homme se pencha encore plus, elle ne le repoussa pas. La bouche de Mathieu se déposa sur la sienne. Un feu d'artifice éclata dans son ventre. Ainsi, le vicomte l'aimait ? Et ce, malgré tout ce qu'elle lui avait caché ? Glissant son bras autour de son cou, elle l'attira davantage vers elle. Ses lèvres avaient le goût du miel.

Une main se posa sur la taille de Sophie et elle eut envie de se rapprocher de lui. Toutefois, une pression dans son dos l'en empêchait. Elle se retrouvait désormais bloquée entre deux corps.

— Sophie… Étienne…, murmura une voix rauque contre son oreille, au fond qu'importe votre sexe.

La jeune femme mit fin au baiser de Mathieu. Cette voix… Elle tressaillit. Carnac ! Les avait-il entendus ?

— La conclusion ne diffère pas : vous vous perdrez de plaisir entre mes doigts.

Le comte se pressa contre elle et elle le sentit fondre dans son cou.

— Attendez… que… ?

Bon sang ! Les lèvres de Carnac l'embrassaient sur la partie la plus fine de sa peau. Surprise, elle ouvrit la bouche, et Mathieu revint s'en emparer. Sophie aurait voulu lutter, les repousser tous les deux, mais de délicieux frissons envahissaient son corps.

— Non, souffla-t-elle.

Ni l'un ni l'autre ne l'écoutaient. Un gémissement lui échappa et elle répéta un peu plus fermement :

— Non !

D'un coup, Sophie se retrouva assise dans l'herbe, seule. Hagarde, elle dut cligner des yeux à plusieurs reprises pour reprendre ses esprits. Le vent soufflait dans les branches de l'arbre sous lequel elle se trouvait. Sur le sol à côté d'elle, elle discerna un sac en bandoulière.

Un rêve… Dieu merci !

Elle ramena ses jambes contre elle et soupira de soulagement. Ses vêtements masculins toujours bien en place la rassurèrent : culotte, bas et bottes, son travestissement demeurait secret.

— Étienne, vous allez bien ? Vous gémissiez…

La voix de Mathieu de Chevigné la fit sursauter. Les joues de la jeune femme s'empourprèrent tandis que son compagnon s'accroupissait face à elle. Le regard de Sophie dévia aussitôt sur ses lèvres… et elle détourna la tête.

— Oui, un cauchemar.

Une main froide se posa alors sur son front.

— Vous êtes chaud, il est possible que vous ayez de la fièvre, annonça une seconde voix.

Sophie rejeta le bras du comte de Carnac en un réflexe, puis se releva, avant de s'adosser au tronc de l'arbre. La tête lui tournait.

— Désolé, vous m'avez surpris.

Le comte de Carnac ne semblait pas se formaliser de son mouvement d'humeur. Le vicomte et lui se dévisageaient désormais avec froideur. Ils recommençaient… Depuis leur départ de Rennes ce matin, ils s'étaient bornés à n'échanger que des informations factuelles sur le voyage. Sophie ne supportait plus la tension qui émanait d'eux. Et voilà qu'elle faisait ce genre de rêve totalement déplacé ! Non, cela n'allait vraiment pas.

— Il y a un relais à deux heures d'ici, expliqua Antoine de Carnac d'une voix neutre. Nous pourrons nous y arrêter pour la nuit.

— Ne vaudrait-il pas mieux atteindre Saint-Malo le plus tôt possible ? objecta le vicomte. Votre proposition nous impose un détour.

— Mon illustre dos ne supportera pas une nuit à la belle étoile, déclara Carnac en s'étirant d'un air nonchalant. Si nous sommes partis tôt, c'est justement pour avoir le loisir de nous arrêter. L'aubergiste du village possède deux bonnes chambres…

— Et nous sommes trois.

— N'ayez crainte, vous n'aurez pas à me supporter. Je partagerai la chambre de monsieur de Kerdelec.

La chaleur remonta aux oreilles de Sophie. Hors de question de passer la nuit avec lui ! Heureusement, le vicomte intervint :

— Si quelqu'un doit dormir dans la même pièce qu'Étienne, ce ne sera pas vous, mon cher comte.

— Oh ! Tenez-vous tant que ça à passer la nuit avec monsieur de Kerdelec ? J'ignorais que vous étiez de ce bord-là.

Le ton monta et Sophie s'éloigna vers les taillis. S'interposer ne servirait à rien, ils le lui avaient bien prouvé ces dernières heures. De plus, elle se sentait encore troublée par son rêve et surtout… tiraillée par sa vessie. Ils s'étaient arrêtés près d'un sous-bois, ce qui lui garantissait enfin un peu d'intimité : elle devait profiter de leur inattention.

Vite, elle s'enfonça dans la végétation, puis s'accroupit dos à un arbre, son manteau le plus bas possible pour dissimuler son corps. Lorsque le liquide commença à couler, un profond sentiment de soulagement l'envahit. Elle se retenait depuis si longtemps, elle avait eu de la chance que sa vessie ne se relâche pas durant son sommeil !

Peu à peu, les brumes de son esprit s'estompèrent et tout lui revint : la possibilité de retrouver l'original de l'acte de baptême dans une paroisse de Saint-Malo, acte qui prouverait la légitimité des Kerdelec dans un héritage important, tante Rosaline qui l'avait enfermée pour l'empêcher dans cette entreprise... Sophie n'avait pas encore eu le temps de digérer toutes ces nouvelles, mais la peine serrait son cœur. Sa famille comptait sur elle pour retrouver le document. Ils comptaient sur elle pour sauver leur avenir.

Un étau glacé lui comprimait désormais la poitrine. Et si elle n'y arrivait pas ? Et si elle décevait tout le monde ? Philippe deviendrait prêtre, Héloïse serait enfermée dans un couvent et Louise mariée à un homme qui ne l'aimait pas...

— Étienne ?

Le prénom de son frère jumeau la ramena au moment présent. Vite, elle remonta son bas. Ses muscles la brûlèrent et elle faillit trébucher : elle n'avait plus chevauché toute une journée à califourchon depuis des mois et cela s'en ressentait. Des crampes envahissaient ses fesses, ses cuisses et ses mollets. Pire, la blessure à son flanc l'élançait, mais pour rien au monde elle ne se serait plainte.

Elle ressortit du sous-bois le port haut. Le vicomte la cherchait tandis que Carnac sellait les chevaux.

— Vous avez disparu sans prévenir, je m'inquiétais.

Les traits soucieux du jeune homme ne mentaient pas. Sophie, ou plutôt Étienne (il fallait vraiment qu'elle se repense en homme), se sentit aussitôt rougir.

— J'avais besoin d'un peu d'intimité.

— Bien sûr, mais vous ne devriez pas vous éloigner seul. On ne sait jamais.

— Votre sollicitude me touche. Je vous assure que vous n'avez pas à vous faire du souci pour moi.

Il continua d'avancer, mais le vicomte s'était arrêté. Surpris, Étienne se tourna vers lui. Mathieu fixait Carnac d'un regard peu amène.

— De grâce, n'acceptez pas de dormir avec lui.

Sa demande parut tellement incongrue à Étienne qu'il ne sut quoi dire. Mathieu secoua la tête et soupira :

— J'ignore jusqu'où va sa réputation de libertin.

Étienne faillit s'étrangler avec sa salive. Mathieu sous-entendait-il que Carnac aimait les hommes ? Il eut l'impression de ressentir le contact de ses lèvres dans son cou… Trêve d'imagination ! De toute façon, Étienne ne dormirait ni avec Carnac ni avec Mathieu. Il serait inflexible sur ce point.

— Il est là pour aider, murmura Étienne.

— Peut-être, concéda Mathieu en se rapprochant. Il se peut aussi que ses intérêts coïncident avec les vôtres. Du moins, pour le moment. Restez sur vos gardes.

— C'est la raison pour laquelle vous nous accompagnez ? Car vous ne lui faites pas confiance ?

— Non, je vous accompagne car je m'inquiète pour vous.

Étienne baissa la tête. Mathieu s'inquiétait pour lui… Cette idée le rendait tellement heureux !

— Et je ne suis pas le seul. Louise ne m'a pas fourni de détails, elle m'a dit que c'était à vous de m'en donner ou non. Quoi que vous décidiez… sachez que je vous soutiendrai.

Mathieu le fixait désormais avec intensité. Le cœur de Sophie manqua un bond, et elle ne parvint pas à se décrocher de ce regard si envoûtant. Elle avait envie de tout lui révéler et de l'embrasser. Mathieu comprendrait-il ? Est-ce qu'il oserait enfin franchir ce mètre qui les séparait en apprenant qu'elle n'était pas un homme, mais bien une femme ?

— Kerdelec, avez-vous attrapé un coup de soleil pour rester ainsi planté là ?

La voix de Carnac la ramena au personnage qu'elle était censée jouer. Le comte les fixait tous les deux avec les paupières plissées. Il semblait encore de très mauvaise humeur. Étienne se ressaisit et monta sur son cheval, bientôt imité par ses deux compagnons de voyage.

— Attendez, objecta Mathieu alors qu'ils se dirigeaient vers l'ouest. La route la plus rapide pour Saint-Malo est dans cette direction.

— La plus rapide pour le relais est dans celle-ci, contra Carnac, la mâchoire crispée.

Chacun des jeunes hommes engagea son cheval sur le chemin qu'ils venaient d'indiquer. Étienne, lui, demeura immobile, à les regarder l'un et l'autre par intermittence.

— Monsieur de Kerdelec, vous venez ? l'intima Carnac.

— Étienne ? l'interpella Mathieu encore plus fort.

Étienne ferma très fort les paupières. Ce qu'ils étaient insupportables !

— À combien de temps sommes-nous du château familial ? éclata-t-il alors d'une voix forte, pour couvrir les nouvelles invectives qu'ils se lançaient.

Carnac se tut et… son regard dévia vers Mathieu de Chevigné. Forcément, il ignorait où se trouvait le domaine des Kerdelec. Le vicomte esquissa un sourire satisfait et désigna un point entre l'ouest et le nord.

— À quatre heures de cheval environ. Cependant, cela engendrerait un détour…

— Et quatre heures ne sont pas deux, objecta Carnac. Le voyage est long…

Étienne leva les yeux au ciel et lança son cheval au galop, ne leur laissant pas l'occasion d'argumenter.

La perspective de retrouver la demeure de sa famille était bien trop tentante. De plus, blessé et n'ayant pas dormi de la nuit, Étienne avait besoin d'un vrai lit où se reposer. Bien sûr, il ne pouvait pas l'avouer à Mathieu, car cela aurait été reconnaître son combat à l'épée avec les amis de celui-ci. Pourquoi diable tout devait être aussi compliqué !

Oui, le manoir des Kerdelec constituait la meilleure des solutions. Ses vieilles pierres étaient peut-être froides, mais, pour Étienne, elles seraient aussi chaudes que le sourire des siens.

2

La nuit obscurcissait déjà le ciel lorsqu'ils atteignirent le manoir ancestral des barons de Kerdelec.

Quand il distingua l'ombre épaisse du château de son père, Étienne talonna son cheval. Fatigué, celui-ci ne démarra qu'au petit trot.

— Étienne, soyez prudent !

La voix de Mathieu de Chevigné lui parvenait dans son dos. Néanmoins, il ne l'écouta pas. Il posa pied à terre dans l'arrière-cour, et, une fois face à la porte de la dépendance, toqua à trois reprises. Très vite, une lumière brilla à travers une meurtrière et une grosse voix s'éleva :

— Qui va là ?

C'était la voix de Louis !

— So… (Le jeune homme se tut, manquant de se trahir.) Seulement Étienne !

— Monsieur de Kerdelec ? s'exclama la voix.

— Louis, dépêche-toi ! Le jeune maître est rentré ! Vite, vite !

Étienne ne put s'empêcher de sourire. Jeannette, en bonne gouvernante, distribuait déjà ses ordres. La porte s'ouvrit enfin, inondant d'un rai de lumière l'extérieur. Un grand sourire éclairait la figure de la domestique, et l'amour gonfla le cœur d'Étienne. Que cela faisait du bien de rentrer chez soi !

Un vieux peignoir en laine au-dessus de sa chemise de nuit blanche, bonnet sur la tête, Jeannette le détailla comme si elle avait vu un fantôme.

— Oh, monsieur, que vous êtes pâle ! Vous…

Elle se tut soudain, ses yeux courant derrière lui. Par réflexe, le jeune homme se tourna et découvrit ses amis, pied à terre. Louis apparut alors à côté de sa femme, et quand Étienne le détailla, ses guêtres à peine enfilées, il s'en voulut de les avoir réveillés.

— Jeannette, Louis, je vous présente mes compagnons de voyage : le comte de Carnac et le vicomte de Chevigné.

— Par la Sainte Vierge ! Avez-vous fait le voyage depuis Rennes ? s'exclama la gouvernante. Vous devez être morts de faim et de fatigue ! Louis, occupe-toi de leurs chevaux. Allez, entrez.

D'un geste rude, elle poussa son mari à l'extérieur, qui eut tout juste le temps d'attraper son manteau. Il esquissa une révérence maladroite, avant de saisir les rênes. Mathieu et Antoine observèrent la scène de manière un peu étonnée. Peut-être leurs domestiques se comportaient-ils autrement…

— Vite, monsieur, venez vous réchauffer.

Jeannette le tira par le bras et Étienne obtempéra, suivi de ses compagnons.

— Il fait encore bon dans la cuisine, commença la gouvernante. Installez-vous pendant que je prépare le salon.

— Jeannette, commença Étienne.

— Puis je vous apporterai à manger et je chaufferai les chambres.

— Jeannette…

— Néanmoins, nous n'en avons qu'une pour les invités.

— Jeannette ! s'exclama plus fort Étienne, attendri.

La vieille femme se figea, toute surprise.

— Inutile de préparer le salon. Nous allons manger ici, et nous nous coucherons.

— Mais ce n'est pas…

— Ma chère Jeannette, l'interpella le vicomte avec bonne humeur. Il fut un temps où vous n'hésitiez pas à me houspiller.

La servante devint toute rouge tandis qu'il se rapprochait.

— Vous rappelez-vous le jour où deux garnements vous ont volé un poulet ? Et ont tenté ensuite de faire croire qu'ils l'avaient eux-mêmes chassé ?

— Vous… Vous… (Jeannette ouvrait des yeux ronds) vous êtes l'ami de monsieur Charles ?

Le vicomte de Chevigné confirma d'un signe de tête et le visage de Jeannette s'illumina.

— Que vous êtes devenu grand et fort, mon seigneur ! Installez-vous, je vous apporte tout de suite de quoi vous sustenter !

La petite bonne femme virevolta dans la cuisine, pleine de gaieté. Mathieu se tourna alors vers Étienne.

— Jeannette est toujours aussi merveilleuse.

Étienne acquiesça. Qu'il faisait bon de se remémorer d'aussi doux souvenirs !

— Allons-nous asseoir, proposa-t-il.

Ils s'avancèrent vers la table où se réunissaient les domestiques. Carnac, chapeau et manteau retirés, y prenait déjà ses aises. Affalé contre le dossier d'une chaise en bois, il croquait dans un fruit laissé dans une corbeille. Son air ennuyé trahissait à quel point la situation lui déplaisait. Étienne serra les mâchoires. Pourquoi Carnac réagissait-il ainsi ? Espérait-il quelque chose de plus luxueux ? Peut-être était-ce seulement dû à la fatigue de la journée…

En silence, ils mangèrent un bouillon de légumes, du pain et un reste de poulet froid. Les maîtres ayant abandonné le manoir, les domestiques se contentaient de peu, et Étienne dut insister pour que Jeannette ne se mette pas aux fourneaux. À la place, elle se dépêcha de se rendre à l'étage, sans doute pour allumer les cheminées dans les chambres.

— Vous aviez vraiment volé un poulet ? interrogea Étienne pendant le repas.

— Oui…, reconnut Mathieu, la tête basse, avec un léger amusement. Nous avions découvert un jeune chien errant et nous voulions le nourrir.

Étienne reconnaissait bien là Charles et Mathieu ! Le cœur sur la main !

— Pourquoi je ne m'en souviens pas ?

— C'était notre secret.

Mathieu lui fit un clin d'œil et Étienne faillit avaler sa soupe de travers.

— Et qu'est-il devenu ? Je veux dire, le chien ?

— Votre père nous a surpris. Il se trouve qu'il ne s'agissait pas d'un chien, mais d'un loup.

La main d'Étienne se figea à mi-chemin entre la table et sa bouche. Le visage de Mathieu s'était assombri. Le jeune homme n'avait pas besoin de l'interroger plus avant pour comprendre la suite des événements. Soudain triste, il souffla :

— Le baron n'avait pas le choix…

— On a toujours le choix, déclara le comte de Carnac, en reposant sa cuillère.

Son air insolent agaça Étienne. Et il n'appréciait pas ce que la remarque de son invité sous-entendait au sujet de son père.

— Le baron a fait ce qu'il estimait juste pour notre sécurité et celle des troupeaux alentour, objecta Mathieu.

Ciel ! Étienne ne s'attendait pas à ce que ce soit lui qui défendît le baron.

— Les loups ont le droit de vivre, le contredit Carnac. Les hommes empiètent sur leur territoire et détruisent les forêts. Il est bien normal qu'ils cherchent…

— Allez dire ça aux mères qui ont perdu des enfants ! Charles et moi avons eu de la chance, mais ce n'est pas le cas de beaucoup de paysans.

— Alors cet animal méritait de mourir à cause des actes perpétrés par ses pairs ? Pour ce qu'il aurait *possiblement* accompli ?

Carnac posa ses mains bien à plat sur la table. Chevigné le fusilla du regard et articula :

— Une bête reste une bête. Qu'elle soit animale ou humaine…

Carnac se leva de sa chaise, Mathieu l'imita.

— Suffit ! s'exclama Étienne avant que la dispute dégénère. Nous sommes tous fatigués, allons nous coucher.

Mathieu et Carnac continuaient à se fixer, comme, c'était le cas de le dire, deux loups prêts à se sauter dessus.

— Les chambres sont prêtes, annonça Jeannette en faisant irruption dans la cuisine. Il… Il y a un problème ?

— Non, tout va bien, nous avons juste besoin d'une bonne nuit de sommeil (il leva la voix), n'est-ce pas ?

— Oui, répondit en premier le vicomte.

Son visage se décontracta. Avec une expression aimable, Mathieu rejoignit la domestique.

— Je vous ai préparé la chambre de monsieur Charles, lui dit-elle. Comme vous la partagiez enfants, j'ai pensé que cela vous rappellerait de bons souvenirs.

Un ricanement leur parvint depuis la table. Par réflexe, Étienne tourna la tête et vit Carnac lever les yeux au ciel. Il était vraiment temps que cette journée finisse !

Louis revint sur ces entrefaites, alluma deux chandeliers et en tendit un à son épouse. Celle-ci ouvrit la marche et ils gagnèrent les pièces principales du château. Des draps recouvraient les meubles pour éviter à la poussière de s'y infiltrer. La lumière des bougies donnait un aspect fantomatique au lieu. Comme il l'avait escompté, la température était glaciale, mais une agréable chaleur se répandait dans le cœur d'Étienne. Il se sentait chez lui.

— Vous vous souvenez lorsque nous jouions à cache-cache dans la bibliothèque ? lui chuchota Mathieu.

Ses yeux brillaient de nostalgie. Pour lui aussi, les souvenirs chargeaient ces pièces.

— Vous étiez particulièrement doué pour rester silencieux, reprit le vicomte. En revanche, il était tellement facile de retrouver Sophie !

— Pourquoi ?

Ils gravirent les marches de granit de l'escalier hélicoïdal.

— Car elle était tellement enthousiaste qu'on l'entendait glousser à plusieurs mètres.

— Ah... Ma sœur aimait bien jouer avec vous.

Ils débouchèrent sur un long couloir, et le vicomte se tourna vers Carnac qui conservait un visage ennuyé.

— Sophie était une fabuleuse corsaire. Toujours prête à affronter le danger ! Mon cher Louis, vous souvenez-vous des trois épées en bois que vous nous aviez façonnées ? Je crois qu'Étienne n'a jamais touché à la sienne, n'est-ce pas ?

En effet, Sophie avait toujours accaparé la fausse arme de son jumeau. Alors, Mathieu se souvenait également de cela ?

— C'est exact…

— Voilà qui expliquait les bleus et les genoux écorchés de Mademoiselle !

Jeannette s'immobilisa et posa une main sur sa bouche :

— Oh, pardonnez…

— Vous pouvez parler librement, la tranquillisa Étienne.

— Mademoiselle Sophie est à présent une charmante demoiselle, renchérit la domestique en relevant la tête. Sa beauté rivalise avec celle des plus belles dames de la cour.

Étienne retint une grimace. Il était reconnaissant à Jeannette de vouloir défendre Sophie – de la défendre elle –, mais ce n'était pas vraiment ce qu'elle souhaitait qu'on dise sur sa personne.

— C'est bien vrai, Jeannette, acquiesça le vicomte. Elle a gagné en beauté et en sagesse.

Pourvu qu'il fasse assez sombre pour qu'on ne voie pas la rougeur d'Étienne ! Le jeune homme faillit percuter la domestique qui s'était arrêtée et tournée vers eux. Elle dévisageait désormais Mathieu avec une tendresse et une curiosité qui auraient pu le mettre mal à l'aise. Puis, son regard se tourna vers Carnac. Les sourcils de la gouvernante se haussèrent comme pour poser une question muette.

— Oh, vous ne l'avez peut-être pas encore rencontrée…, tenta-t-elle alors avec un léger sourire.

— Si, prononça le comte d'un ton détaché.

— Ne la trouvez-vous pas magnifique, vous aussi ?

Cette fois, Étienne tombait des nues ! Il saisit le bras de Jeannette et l'encouragea à avancer. La réponse de Carnac ne traîna cependant pas :

— Cela ne m'a jamais frappé.

Les doigts d'Étienne se crispèrent. Par chance, la domestique ne s'en rendit pas compte, ses yeux lançaient des éclairs.

— Alors je crains que vous ayez des problèmes de vue. Vous devriez consulter un chirurgien dès que possible.

La tête haute, Jeannette recommença à marcher. Étienne contracta les mâchoires, contrarié par les propos de Carnac. Il entendit derrière lui :

— Voilà un conseil que vous devriez suivre…

Mathieu avait murmuré ses propos d'un ton un peu sec.

— J'abhorre les mensonges.

Carnac abhorrait les mensonges ? Certes, Sophie ne se savait pas spécialement jolie, mais elle l'était quand même un peu. Et si elle n'était pas belle, pourquoi Carnac l'avait-il courtisée ? Quel fat !

— Votre chambre, monsieur le comte.

Jeannette ne prit pas la peine de lui ouvrir la porte, elle poursuivit sa route. Étienne coula un regard vers Carnac, qui disparut sans un mot dans l'espace dédié. Et, pour combler le tout, il ne leur souhaitait pas bonne nuit ?

Ils tournèrent à l'angle où se situaient les chambres de Charles et d'Étienne.

— Bonne nuit, annonça le vicomte, tout sourire, à Étienne.

— Bonne nuit.

Mathieu entra avec Louis dans la chambre, et Étienne gagna la sienne, suivi de Jeannette. La pièce était encore fraîche, mais la cheminée aurait tôt fait de tout bien réchauffer. De vieilles tapisseries usées et décolorées ornaient les murs, et un grand lit simple reposait au centre. Des étagères remplies de livres constituaient la seule décoration, avec un vieux secrétaire recouvert de bric-à-brac. Une chambre qui ressemblait comme deux gouttes d'eau au véritable Étienne.

— Monsieur… Me permettez-vous de parler librement ?

Le jeune homme contempla sa vieille gouvernante. Ses traits semblaient soucieux.

— Oui, Jeannette.

— Ne vous laissez pas faire par ce monsieur imbu de sa personne !

Étienne la dévisagea. Jeannette, les joues rouges, semblait fort énervée. Sans un mot supplémentaire, elle alla taper sur les coussins du lit pour leur redonner une forme, puis récupéra la brique placée sous le matelas.

— Pas remarqué… Pas remarqué ! bougonna-t-elle. Si j'avais su, je ne lui aurais pas chauffé son lit !

Le jeune homme n'y tint plus, et l'enlaça soudain.

— Merci, Jeannette.

La domestique ne bougea plus, puis elle murmura :

— Sophie et vous êtes comme mes enfants. N'hésitez pas si vous avez besoin de quoi que ce soit.

Les larmes montèrent aux yeux d'Étienne, mais il parvint à les retenir.

— Merci, merci de tout cœur.

3

Étienne demeura un instant immobile dans la chambre. Son cerveau était vide et la fatigue l'envahissait. Pourtant, il ne trouvait pas la force de bouger. Il s'inquiétait pour sa famille. Il ne faisait aucun doute que leur tante avait compris l'implication de son frère et de ses sœurs dans son évasion. À moins que Louise ait échafaudé un plan pour les mettre à l'abri ?

Était-il également possible que Rosaline de Verteuil ait envoyé des hommes à ses trousses ? Ou qu'elle ait révélé son travestissement ? Cette femme était capable de tout, même du pire… Étienne soupira. Était-ce vraiment une bonne idée de se rendre à Saint-Malo ? Il ne connaissait rien à cette ville. Que ferait-il si sa tante prenait de l'avance sur lui et contactait des amis pour contrecarrer ses plans ? Loin de sa famille, il perdait tous ses repères.

Il se laissa tomber sur le lit lorsqu'on toqua à la porte.

— Oui ?

Le battant s'ouvrit, révélant Mathieu de Chevigné. Il avait retiré veste et gilet, et semblait s'être déjà fait un brin de toilette, ce qui n'était pas le cas d'Étienne.

Bien vite, Étienne se redressa, mais un vertige le saisit, si bien qu'il dut se rasseoir.

— Hé là, doucement.

Mathieu gagna son chevet et le jeune Kerdelec sentit une main contre son épaule.

— Vous permettez que je m'assoie ?

Étienne se contenta d'acquiescer. Peu à peu, sa vue redevenait stable. Néanmoins, il n'osait pas tourner la tête. Mathieu était tellement proche que leurs cuisses se touchaient presque. Il sentait la chaleur de son corps, ou bien était-ce le sien qui avait soudain gagné en température ?

— Nous sommes tous les deux fatigués, alors je serai bref. Que se passe-t-il, Étienne ? Pourquoi Louise m'a-t-elle parlé de vie ou de mort concernant votre famille ?

De vie ou de mort ? Elle était allée jusqu'à lui raconter cela pour que Mathieu l'accompagne ? Des papillons s'envolèrent dans le ventre d'Étienne. Il n'avait jamais pensé que sa sœur le soutiendrait autant.

— Pardonnez-moi. Je m'étais promis de vous laisser le temps et voilà que je vous mets au pied du mur.

Un jour, Mathieu lui avait dit qu'ils ne se connaissaient pas assez pour se déclarer « amis ». Que le temps les lierait, ainsi que les épreuves. Était-ce une de ces fameuses épreuves ? Oui, sans doute. Malgré tout, Sophie savait qu'elle désirait plus qu'une simple amitié.

Son regard se perdit vers le foyer de la cheminée. Le vicomte, patient, ne prononça pas le moindre mot. Ce silence soulagea Sophie. C'était un silence sans solitude. Un silence où il n'y avait nul besoin de parler pour se sentir bien, comme cela pouvait être le cas avec le vrai Étienne, Héloïse ou Nanou.

— Je vais vous laisser vous reposer. N'hésitez pas à frapper à ma porte si besoin.

Le vicomte posa ses doigts sur son épaule et la pressa. Sans réfléchir, Étienne le retint par la main.

— Attendez…

Mathieu se figea. Étienne le relâcha, gêné. Néanmoins, il ne pouvait plus reculer :

— Il manque un acte à ma famille pour pouvoir réclamer l'héritage de l'armateur de Saint-Malo.

— Un acte ?

Mathieu se rassit.

— Oui, un acte de baptême qui lie notre famille à celle du défunt. Cet acte a disparu la nuit de notre arrivée à Rennes.

Étienne ajouta en un murmure :

— Les finances de ma famille sont au plus mal, nous avons besoin de cet argent.

Le vicomte, raide comme un piquet, fixait lui aussi la cheminée. Étienne poursuivit, une boule au ventre :

— J'espère retrouver l'original à Saint-Malo, d'où mon départ précipité.

— Pourquoi ne pas m'en avoir parlé ? J'aurais pu vous aider.

— Vous m'avez aidé. Et puis, je ne voulais pas vous déranger.

— Charles a toujours été un frère pour moi, vous ne m'auriez pas dérangé.

Étienne baissa la tête, mal à l'aise.

— Pardonnez-moi, soupira Mathieu de Chevigné. À votre place, ma dignité m'aurait aussi empêché d'en parler. Sans compter l'état de santé de votre père… Mon cher Étienne, je suis tellement désolé pour ce que vous avez dû endurer.

— Merci.

Le jeune homme ne reconnaissait plus sa voix tellement elle était contractée. Il sentait les larmes lui monter aux yeux, mais il refusait de craquer devant Mathieu. Avouer tout lui aurait fait un bien fou. Oh, certes, Carnac et son ami Kaerell connaissaient la situation. Mais c'était différent. Si, plus tôt ce matin, Étienne avait pu les considérer comme des « amis », la froideur dont faisait désormais preuve le comte le déstabilisait.

Avec Mathieu, en revanche… Même s'ils s'étaient perdus de vue et que Sophie se cachait sous les traits d'Étienne, elle savait qu'elle pouvait lui faire confiance, voire se reposer sur lui. Toutefois, c'était dangereux. Dangereux, et terriblement tentant…

— C'est à moi de vous demander pardon, avoua le faux Étienne. Vous vous êtes engagé sans savoir de quoi il retournait.

— Je ne le regrette pas.

Étienne coula un regard vers le vicomte. Ses traits exprimaient une sincérité déconcertante. Avec les ombres qui dansaient sur son visage, Dieu qu'il était beau !

— J'ai encore une question, l'informa son camarade.

— Dites-moi.

— Est-ce que… Comment dire… Pour l'héritage, et votre départ…

Les rôles semblaient inversés : cette fois c'était le vicomte qui semblait gêné. La curiosité piqua Étienne et il demeura silencieux, dans l'attente que son compagnon exprime enfin son inquiétude.

— Par rapport à Carnac…, poursuivit Mathieu.

— Oui, le comte de Carnac est au courant. Il l'a appris de manière imprévue. Et lorsque nous avons rencontré le notaire chargé de l'héritage, il a prétendu avoir égaré ses propres documents. Depuis… eh bien, depuis, il attend que je retrouve l'acte.

— Je suis désolé, Étienne, je ne saisis pas.

Mathieu fronçait les sourcils si fort que ceux-ci se rejoignaient.

— Pourquoi attendre que vous retrouviez votre document, au risque de perdre l'héritage ?

Oui, cela était étrange, mais Carnac ne raisonnait pas comme la plupart des personnes.

— Pour le réclamer à la loyale.

Mathieu laissa échapper un rire sans joie.

— Sérieusement ? Vous y croyez ?

Étienne baissa les yeux.

— Quelle autre raison aurait-il, sinon ?

— Étienne…

La main du vicomte se posa derechef sur son épaule. Des frissons l'envahirent, il ne parvenait plus à soutenir le regard de son compagnon.

— Regardez-moi, Étienne.

Les doigts de Mathieu accentuèrent leur pression, et Étienne n'eut d'autre choix que de relever la tête.

Hélas, il ne voyait désormais que les lèvres du jeune homme. Des tambours jouaient dans sa poitrine. Sa bouche était si proche de la sienne. Si proche…

— Il vous fait du chantage, chuchota le vicomte. Il vous a promis de ne pas réclamer l'héritage tant que vous céderiez à ses caprices ? Et passer du temps avec Sophie faisait partie de ceux-ci. N'est-ce pas ?

Étienne ne sut quoi répondre. Oui, Mathieu voyait juste, mais la vérité était tellement plus compliquée. Il se détourna.

— Peut-être au début… Cependant, je crois que notre sort l'intéresse vraiment.

— Étienne…

La main sur son épaule lui semblait de plus en plus chaude. C'était comme si un brasier avait pris possession de son corps. Comment Mathieu ne le sentait-il pas à travers sa peau ?

— Carnac est un professionnel de la manipulation. J'ai mené mon enquête : selon un de mes amis, il aurait joué de la même manière avec une famille, à Vannes. Il prend et, quand cela ne l'amuse plus, il jette. Ne vous laissez pas berner par ses faux airs de sympathie…

Son interlocuteur sembla alors se rendre compte de leur proximité. Il se releva en douceur. Étienne parvint à respirer de nouveau, mais un terrible vide avait gagné son cœur. Il désirait que Mathieu reste, il le désirait plus que tout.

Le vicomte fuyait son regard, pour mieux admirer de petits objets posés sur une commode. Lui aussi semblait gêné.

— Je tiens vraiment à votre famille, Étienne. Et ce soir, d'être de nouveau dans cette demeure…

Il ne termina pas sa phrase. À la place, ses doigts jouèrent avec une petite sculpture en bois difforme. Il avait eu beau s'éloigner, un profond malaise avait envahi Étienne, en même temps qu'une terrible envie de franchir les mètres qui les séparaient et de tout lui avouer.

Qu'il n'était pas Étienne, mais Sophie.

Que jamais elle ne se laisserait séduire par le comte de Carnac. Qu'il n'avait pas d'inquiétude à se faire. Que tout rentrerait bientôt dans l'ordre.

Mais est-ce que le fait de retrouver l'acte de baptême de leur ancêtre avait véritablement ce pouvoir ? En toute franchise, elle l'ignorait.

— C'est Sophie qui vous l'a donnée ?

Le faux Étienne cilla, attiré par son vrai nom. Un fin sourire sur les lèvres, Mathieu tournait la petite pièce en bois dans sa main. Le jeune Kerdelec resta un instant muet. Ce jouet… Enfant, le vicomte l'avait confectionné pour elle, afin d'apaiser sa tristesse lorsqu'il était reparti au pensionnat avec Charles.

— Un jour d'orage, elle me l'a confié, me disant qu'il me protégerait. Qu'un valeureux guerrier le lui avait offert comme talisman.

Elle se rappelait encore la terreur du véritable Étienne. Cette vieille histoire ressortait du plus profond de sa mémoire.

— Elle m'a également fait promettre de ne jamais m'en séparer.

Et le véritable Étienne avait tenu sa promesse, même si elle ne l'avait pas remarqué.

— Votre sœur est vraiment formidable…

Étienne demeura coi. Le visage de Mathieu avait retrouvé de sa lumière. Était-ce à cause de ce souvenir ? Ils étaient si jeunes… Est-ce que, lui aussi, même enfant, avait ressenti des sentiments à son égard ?

— C'est donc vous qui le lui avez offert ? prononça-t-il très bas, même s'il connaissait déjà la réponse.

— Oui, je ne voulais surtout pas qu'elle soit triste. J'ai toujours beaucoup aimé Sophie.

Ses doigts se refermèrent soudain sur la sculpture et Mathieu ajouta d'une voix plus ferme :

— Raison de plus pour ne pas laisser un homme qui ne la mérite pas s'approcher d'elle.

Le cœur d'Étienne fit un bond dans sa poitrine. Une telle détermination brillait dans ses yeux…

Ses mains tremblèrent. Elle avait mésestimé la force de son affection pour Mathieu. Ses sentiments n'étaient pas de l'ordre de l'affection fraternelle, mais bien de l'amour.

Si elle lui disait la vérité, est-ce qu'il la prendrait dans ses bras ? Est-ce qu'il… l'embrasserait ? Ils étaient seuls dans cette chambre, il n'y aurait aucun témoin. La présence du lit sous ses jambes la fit encore plus frissonner. C'était tellement inconvenant ! Non, elle ne pouvait pas. Et pourtant…

— Reposez-vous, Étienne. Demain, une longue route nous attend.

Mathieu de Chevigné reposa la sculpture sur la commode, puis gagna la porte sous le regard perdu de Sophie.

— Merci de vous être confié. Et, c'est horrible à dire, mais je suis soulagé que Carnac vous fasse du chantage (Sophie fronça les sourcils, encore plus perdue), cela signifie que vous ne l'avez pas suivi de votre plein gré dans ses travers.

Ses travers…

Il fallait que Sophie réagisse, et vite.

Oui, mais pour dire quoi ?

Elle ouvrit la bouche, mais, déjà, Mathieu refermait la porte derrière lui.

Dépitée, Sophie retira son veston. Ses vêtements d'homme, pour la première fois, l'étouffaient. Pourquoi n'avait-elle rien dit, l'instant était idéal ! Ils ne pourraient sans doute plus avoir un tel tête-à-tête de sitôt. Oui, Sophie devait tout lui avouer. Maintenant elle en était sûre.

Elle se relevait lorsqu'on toqua de nouveau à la porte.

— Entrez ! déclara-t-elle le cœur battant.

Avait-il lui aussi ressenti cette alchimie qui les liait ? Avait-il pris conscience qu'il ne pourrait jamais dormir s'ils ne franchissaient pas les derniers mètres qui les séparaient ? Rassemblant tout son courage, elle ajouta :

— Je dois vous avouer quelque chose de très important. Vous risquez d'être choqué et…

Le battant s'ouvrit tout à fait, révélant l'individu derrière.

— Me choquer ? déclara Carnac avec un petit sourire en coin. Oh, mon cher Kerdelec, qu'auriez-vous donc à m'apprendre qui risquerait de me choquer ?

4

L'étonnement frappa Étienne si violemment qu'il ne réagit d'abord pas.

— Alors ? insista le comte, en appuyant son dos contre la porte qui se referma.

Son regard s'était assombri et son sourire moqueur avait disparu. Des frissons remontèrent sur l'échine d'Étienne.

— Rien qui vous concerne.

Étienne se leva du lit pour saisir la statuette offerte par le vicomte.

— Vous devriez mieux cacher votre déception.

Étonné face à sa voix pleine de fiel, Étienne tourna la tête vers le comte. Les bras croisés contre son torse – il remarqua seulement qu'il ne portait plus qu'une simple chemise –, Antoine de Carnac n'avait plus rien de l'homme qui lui proposait son aide hier encore.

— Je ne suis pas déçu de vous voir.

Ses propres propos l'étonnèrent, mais il s'agissait de la vérité. Même si Carnac pouvait se montrer odieux, il lui avait montré qu'il se souciait de ses problèmes. Certes, les paroles de Mathieu planaient dans son esprit. Toutefois, après toutes ces semaines passées en compagnie du comte, Étienne ne pouvait-il pas lui accorder le bénéfice du doute ?

— Le voyage m'a épuisé, annonça-t-il, et de nombreuses préoccupations hantent mon esprit.

Carnac haussa un sourcil, puis soupira d'un air exagéré :

— Vous m'agacez, Étienne, vous n'imaginez pas à quel point. Venez. Retirez votre chemise et mettez-vous à l'aise.

Étienne le dévisagea cette fois avec de grands yeux.

— Je suis très bien où je suis pour vous écouter. Qu'aviez-vous à me dire ?

Carnac le fixa quelques instants, le regard dur, puis, d'un coup, éclata d'un rire sans joie.

— Étienne, Étienne…

Le jeune homme se crispa. Carnac ressemblait plus que jamais à l'homme qu'il avait rencontré au tout début de son séjour à Rennes, à celui qui se jouait de lui et qui lui avait lancé un duel. D'une démarche féline, le comte s'avançait vers lui.

— Le voyage vous a ramolli l'esprit ! Votre blessure, je veux voir à quoi elle ressemble.

Sa blessure… Étienne avait eu de la chance que Carnac ne découvre pas son vrai sexe quand ce dernier l'avait recousu en prison.

— Cela va beaucoup mieux, mentit-il effrontément.

La paume de Carnac vint se poser sur son flanc, à l'endroit exact des points de suture. La douleur élança Étienne. Les dents serrées, le jeune homme retint un juron. Ses yeux fusillèrent son vis-à-vis, qui… Oh, le traître ! Il souriait.

— Beaucoup mieux ? répéta Carnac avec un haussement de sourcil frondeur.

— Oui, insista Étienne, en plaçant son bras en rempart de sa blessure. À présent, je vous prierai de quitter ma chambre.

— Pas sans vous avoir examiné.

— Sortez de ma chambre !

— Si je sors de votre chambre sans obtenir satisfaction (le comte se rapprocha encore, un étau glacé comprima la poitrine d'Étienne), j'irai voir… comment s'appelle-t-elle… Jeannette ?

Étienne déglutit.

— Je l'informerai de votre blessure. C'est elle qui vous soignera, mais elle risque aussi de vous poser de très, très nombreuses questions.

Bon sang, qu'est-ce qu'Étienne n'aurait pas donné pour lui faire ravaler ce petit air triomphant !

— Vous êtes le diable incarné !

— Je prends ça comme un compliment.

Étienne leva les yeux au ciel et se détourna pour arracher les pans de sa chemise hors de sa culotte. Il la releva juste assez pour révéler la blessure.

— Pourquoi n'avez-vous pas bandé la plaie ? gronda son importun visiteur.

— Je vous rappelle que j'étais en fuite. Ce n'était pas ma préoccupation première.

Étienne risqua un coup d'œil. Un genou à terre et un reste de bougie dans la main, Carnac fixait sa blessure sans la toucher. La préoccupation marquait son visage.

— Ne bougez pas.

Le comte se redressa et gagna la table basse posée à côté du lit où il récupéra une bassine remplie d'eau, ainsi qu'un linge propre.

— Gardez votre chemise relevée.

Malgré ses remontrances intérieures, Sophie ne parvenait plus à se penser comme Étienne. Carnac était bien trop tactile… Elle pencha la tête et découvrit son visage à quelques centimètres de son ventre. À l'aide du linge mouillé, il nettoyait la blessure, du centre vers l'extérieur. Il agissait avec une délicatesse qui la perturba, et elle détourna le regard.

— J'ai bientôt fini.

Le souffle de Carnac, incroyablement chaud, ricocha contre son ventre. La respiration de Sophie devint plus saccadée. Elle se maudit d'être à ce point troublée ! Était-ce dû à ce que Kaerell lui avait expliqué ? Que le moindre contact du sexe opposé pouvait perturber physiquement une personne sans expérience ? Même si cela blessait son orgueil, elle devait reconnaître l'être tout à fait : une jeune femme sans aucune expérience. Sauf que Carnac était bien le dernier homme avec lequel elle souhaitait expérimenter ce genre de plaisir.

Par bonheur, il s'écarta et elle parvint à mieux respirer. Un couinement métallique lui parvint, celui de quelque chose qu'on dévissait. Carnac se retrouva alors debout face à elle, un sourire narquois sur les lèvres.

— Prêt ?

Elle n'eut pas le temps de répondre qu'il appuya contre sa blessure le linge imbibé d'alcool. La douleur explosa dans le flanc de Sophie, violente et cruelle. Sa main essaya de repousser le poignet de Carnac, mais celui-ci passa son bras sur ses reins et la plaqua contre lui. Un gémissement de douleur lui échappa, et le souffle du comte lui chatouilla l'oreille.

— Ne faites pas de bruit, votre voisin de chambre pourrait se méprendre sur l'origine de vos plaintes.

La peste soit de cet homme ! Et il ne cessait pas d'appuyer ! La tête de Sophie s'enfonça contre le torse de Carnac et elle serra fort les mâchoires pour ne pas craquer. Ciel que ça faisait mal !

— Pourquoi me torturez-vous ? marmonna-t-elle, le souffle court.

— Que voulez-vous ? Je suis d'un naturel rancunier…

— Je n'ai rien fait de mal, objecta Sophie.

— Non, rien de mal, du moins consciemment.

— Vous êtes fou…

— Cela est vrai aussi.

Carnac retira enfin le linge et Sophie colla sa paume contre le torse du comte. Elle voulait se défaire de lui et, en même temps, elle avait l'impression que toutes ses forces la quittaient.

— Partager une chambre avec moi vous indisposait à ce point ?

La voix de Carnac n'avait été qu'un murmure. Néanmoins, il fut suffisant pour lui rendre ses esprits. Quand elle voulut prendre un peu plus de distance, le bras de Carnac sur ses reins l'en empêcha.

Les yeux du jeune homme ressemblaient à deux braises étincelantes.

— Je voulais avoir ma propre chambre, parvint-elle à articuler, la gorge sèche.

Le bras de Carnac quitta enfin son dos, et l'air trouva un chemin plus facile vers ses poumons.

— Trouvez de quoi bander la plaie demain. J'espère que le souvenir de cette douleur vous rappellera de la soigner.

— Merci, lâcha-t-elle sans réfléchir.

Comme il ne bougeait pas, elle poursuivit :

— Merci de m'accompagner, et de vous soucier de ma situation.

Carnac secoua la tête.

— Ne vous méprenez pas sur mes intentions, Kerdelec. Nous sommes rivaux, et si j'ai pu présenter un moment de relâchement, cela ne se reproduira pas.

Sa déclaration, si sèche, la surprit.

— Malgré les intérêts divergents de nos familles, nous pourrions être amis.

— Votre amitié ne m'intéresse pas, cingla-t-il.

Cette déclaration lui fit bien plus mal qu'elle ne le pensait.

— Soit…, grommela-t-elle. Nos chemins se sépareront à Saint-Malo.

— Vous avez tout compris.

— Parfait.

Elle se détourna, les sens à fleur de peau. Elle entendit la porte claquer dans son dos. Comment avait-elle pu croire un seul instant qu'une amitié naissait entre eux ? Mathieu avait raison. Il ne s'agissait encore que de manipulation, de jeux insidieux dans lesquels Antoine excellait. Elle prit une profonde inspiration, et, malgré ses efforts, une larme s'échoua sur sa joue.

Son regard dévia vers la statuette offerte par Mathieu et elle la serra pour obtenir du réconfort. En vain. L'objet avait perdu de sa magie, sans doute parce que Sophie n'était plus une enfant depuis longtemps.

5

Sophie s'éveilla en douceur entre les draps de coton. Il lui fallut quelques instants pour émerger et se souvenir des événements de la veille. Elle avait l'esprit brumeux et le corps plein de courbatures. Pourtant, elle ne souhaitait pas se rendormir.

Dans une grimace, elle se rassit, face à la fenêtre. Il faisait encore sombre, le soleil se levait tard en décembre. Parfait. Elle avait besoin d'un peu de solitude.

Après une rapide toilette, elle chercha de quoi effectuer un bandage. Le nécessaire se trouvait, comme elle l'avait escompté, dans l'ancienne herboristerie de sa grand-mère. La demi-pénombre lui permit de se repérer parmi les pièces du château, et elle déambula tranquillement, laissant la nostalgie l'emporter.

Puis, une fois prête, elle opéra un détour pour subtiliser des pommes dans le cellier – Nanou ou pas, on ne changeait pas les bonnes vieilles habitudes ! – avant de se faufiler à l'extérieur. Elle craignait que

Jeannette et Louis la retiennent, alors qu'elle n'avait qu'une envie depuis son arrivée.

Au petit trot, elle rejoignit l'écurie. Leurs chevaux de voyage s'y reposaient, en compagnie d'une jument à la robe tachetée de gris.

— Électre, chuchota-t-elle.

L'affection éclata dans le cœur de Sophie. Comme Électre était belle ! Comme elle avait grossi ! Avec prudence elle avança. Même si la jument côtoyait Étienne, il ne s'en occupait pas régulièrement. De plus… elles ne s'étaient plus vues depuis près de deux mois.

Elle s'approcha encore et le cheval leva la tête. Ses oreilles bougèrent, et Sophie tendit la main.

— C'est moi, tout doux.

Elle ouvrit la porte du box et s'y glissa, rassurée par la tranquillité de la bête. Celle-ci poussa alors sa tête contre sa poitrine, et Sophie l'enlaça. Les larmes lui montèrent aux yeux. Même ainsi travestie, Électre la reconnaissait ! Et, surtout… elle ne lui en voulait pas de s'être absentée !

— Regarde ce que je t'ai pris.

Elle dévoila les deux pommes, que la jument dévora. Avec douceur, Sophie caressa sa robe, puis posa son oreille contre son ventre. Électre respirait profondément et calmement. Elle semblait en parfaite santé.

— Cela te dit de venir te promener avec moi ? Comme au bon vieux temps ?

La jument gratta du sabot contre le sol et Sophie sourit. Dotée d'un simple licol, Électre la suivit à pied. La jeune femme, emmitouflée dans son manteau, ne se sentait plus de joie. À plusieurs reprises, elle se mit à courir sur le chemin, puis dans les champs, imitée par sa belle jument.

L'espace de quelques heures, Sophie eut l'impression de retourner dans le passé, lorsque rien ne la tracassait. Elle n'était plus qu'une simple jeune fille – certes habillée en garçon – et non un héritier travesti qui devait sauver toute une famille d'un avenir malheureux.

Sans pression sur les épaules, elle virevoltait et se promenait avec sa jument, enfin libre. Hélas, le ciel, rose puis orange, lui rappela qu'elle ne pouvait fuir éternellement la réalité. Le cœur plus léger, elle ramena sa tendre Électre dans son box et la sécha. L'humidité avait couvert sa robe gris pommelé de perles d'eau. Dans son état, elle ne devait surtout pas attraper froid.

Elle frictionna les muscles de l'équidé, lui remit du foin et, enfin, se résolut à la laisser.

— Je te promets que je reviendrai. Très bientôt.

Elle déposa un baiser sur son nez, puis gagna le château. Dans la cuisine, Jeannette s'attelait déjà aux fourneaux.

— Par tous les saints ! Monsieur, regardez-vous ! Votre manteau est trempé ! Retirez-le, je vais le faire sécher…

— Je m'en occupe, lui assura Étienne d'un air fripon.

Jeannette le dévisagea quelques instants, avant de se reconcentrer sur sa marmite. Étienne en profita pour étendre le vêtement sur une chaise. Ses bottes ruisselaient et il grimaça.

— Vous pouvez aller au petit salon, je vous apporte…

— Je vais manger ici, l'interrompit-il. Mes bottes sont pleines de boue, désolé Jeannette.

— Allons, ce n'est pas comme si j'avais beaucoup à faire en ce moment. Comment se porte votre père ? Et vos sœurs ? Est-ce que mademoiselle Sophie s'adapte bien à Rennes ?

La gouvernante déposa un bol de ragoût bien chaud sur la table et le jeune homme s'en saisit. Au lieu de répondre, il se perdit dans l'admiration du liquide orangé et des légumes qui y flottaient. Il avait honte, mais à aucun moment il n'avait pensé à écrire aux domestiques pour les informer de l'état de son père. Et, visiblement, personne n'y avait songé. Il opta pour une demi-vérité :

— Père est fatigué. Je m'occupe de ses affaires pour qu'il n'ait pas de nouveau à voyager.

— J'en suis heureuse, mon garçon. Et cet héritage, vous l'avez obtenu ?

— L'affaire avance doucement…

Jeannette s'installa en face de lui, et il se sentit gêné d'être ainsi fixé en mangeant.

— Vous avez changé.

— Changé ?

— Oui… Vous semblez plus assuré, moins timide.

Sacrebleu ! Jeannette allait-elle découvrir la supercherie ?

— Et Sophie ? (Il sursauta presque.) Vous ne m'avez pas dit si elle s'épanouissait en ville ?

— Sophie est égale à elle-même, marmonna-t-il, en arrachant un morceau de pain.

Sa déclaration fit rire la domestique.

— Je suis heureuse que Rennes ne l'ait pas transformée. Je dois avouer qu'elle me manque. Elle était comme une bourrasque de vie dans ce château… Sans vous deux, et les petits derniers, ces murs me semblent bien vides.

Étienne tendit la main pour serrer celle de la gouvernante. Lui aussi avait hâte de revenir.

— Oh, tant que j'y pense ! J'ai reçu un courrier pour vous, s'exclama-t-elle. Je comptais vous l'envoyer à Rennes, mais puisque vous êtes ici…

Elle se leva et gagna les multiples petits tiroirs qui contenaient herbes et épices.

— Voilà. C'est arrivé il y a deux jours, dit-elle en brandissant un pli cacheté.

— Merci.

Sophie s'en empara avec précaution. Une belle écriture calligraphiée formait le nom de son jumeau. Au dos, les lettres M et B marquaient la cire rouge. De qui cela pouvait-il provenir ? Elle se mordit la lèvre. Avait-elle le droit d'ouvrir un courrier qui ne lui était pas destiné ?

Son rythme cardiaque s'accéléra. Le véritable Étienne avait renoncé à tout droit en désertant. Alors oui, Sophie le pouvait. À l'aide d'un couteau, elle trancha le sceau et déplia le tout. Une belle écriture, qui lui sembla familière, marquait le document, signé « Mathias Boulanger ». Mathias Boulanger. Mathias Boulanger… Mais oui ! Il s'agissait d'un de leurs maîtres !

Mon cher monsieur de Kerdelec,

Je suis ravi d'apprendre que vous vous consacrez toujours autant à l'écriture et à la lecture des grands classiques de notre royaume. Comme vous me l'avez demandé, voici quelques titres susceptibles d'enrichir vos connaissances…

Sophie sauta les différentes références. Il y en avait une vingtaine, principalement des ouvrages historiques ou des traités de philosophie. Enfin débarrassé de leurs maîtres, le véritable Étienne leur demandait déjà plus de devoirs ? Son jumeau était fou !

Il me tarde d'avoir votre avis sur ces quelques ouvrages,

Amitiés,

Mathias Boulanger

P-S : Monsieur Valais est très satisfait de l'apprenti que vous lui avez recommandé.

Sophie soupira. Non, cette correspondance ne lui servait à rien !

— Une mauvaise nouvelle ? le questionna Jeannette, la mine soucieuse.

— Non.

Le faux Étienne s'efforça de sourire.

— J'espérais juste une autre lettre.

La porte donnant sur l'extérieur s'ouvrit alors en grand. Étienne sourit pour accueillir Louis, mais découvrit Carnac à la place.

— Monsieur le comte, déclara Jeannette en se levant. Voulez-vous manger autre chose avant votre départ ?

— Non, merci, répondit-il, quelque peu décontenancé de trouver Étienne en cuisine. En revanche, si vous aviez l'amabilité d'aller réveiller le vicomte… Il serait bon de ne pas différer davantage notre départ. La route est longue jusqu'à Saint-Malo.

— Oui, bien sûr.

Jeannette enleva son tablier et rejoignit l'intérieur du manoir. Étienne ouvrit la bouche pour saluer son compagnon de voyage, mais celui-ci fit volte-face et ressortit. Un soupir agacé lui échappa, et le jeune Kerdelec rangea la missive avant de se concentrer sur la fin de son bol.

*

— Je suis navré de me lever si tard, souffla Mathieu à Étienne, dans la cour.

Un sac sur l'épaule, le vicomte rejoignit son cheval et commença à y accrocher ses affaires. Le soleil s'était levé depuis plusieurs heures, mais Étienne n'allait pas s'en plaindre : cela lui avait permis de passer du temps avec Électre et de se restaurer.

— Alors, vicomte, on lambine ? ricana Carnac, déjà en selle.

Étienne se retint de lever les yeux au ciel. Ces enfantillages étaient épuisants.

— J'ai une dernière chose à faire avant de partir, décréta le vicomte.

Le comte haussa un sourcil.

— Vous nous faites attendre votre illustre réveil, et voilà que nous devons encore patienter ? Votre affaire est-elle donc si urgente ? Plus urgente que celle de notre cher monsieur de Kerdelec ?

L'ironie dans sa voix était presque insultante. Certes, Mathieu aurait peut-être dû se lever plus tôt. Néanmoins, Carnac n'avait pas à le rabrouer de la sorte. Si le comte était déjà agaçant dès le matin, qu'en serait-il le reste de la journée ?

— Étienne, vous permettez ? S'il vous plaît…

Le regard implorant de Mathieu lui fit perdre contenance et il acquiesça sans même comprendre.

— Merci.

Sans remarquer son trouble, le vicomte lui abandonna les rênes de son cheval et se rendit à l'écurie. Les minutes passèrent. L'impatience de Carnac se propageait à leurs montures.

— Calmez-vous, le pria Étienne, agacé lui aussi.

— Et si nous partions en tête ? Le vicomte nous rattrapera.

— Ce ne serait pas respectueux.

— Cela ne l'est pas de faire attendre des compagnons de voyage. On dirait qu'il se moque bien de l'urgence de votre affaire.

La mâchoire d'Étienne se crispa.

— Partez devant si cela vous chaut. Je l'attends.

Carnac grommela des propos incompréhensibles. Enfin, Mathieu revint vers eux, le visage rayonnant. Sans un mot, il gagna le dos de son cheval.

— Drôle d'endroit pour soulager ses intestins…, siffla Carnac.

— Mes intestins vous remercient, ils vont très bien. Je voulais saluer Électre avant mon départ, et m'assurer de sa bonne santé.

Le cœur de Sophie bondit dans sa poitrine. Mathieu se souvenait donc à quel point elle aimait sa jument ? Heureusement, les deux hommes se mesuraient trop du regard pour faire attention à la soudaine roseur sur ses joues.

— Vous batifoliez donc avec une demoiselle ? se moqua Carnac.

— Électre est la jument de mademoiselle de Kerdelec. Elle s'inquiétait pour elle, comme elle doit mettre bas au printemps. Je suis certain qu'elle sera ravie de savoir qu'elle va bien.

Le visage de Carnac s'assombrit.

— Oh, vous ne le saviez pas ? minauda le vicomte. Elle ne vous l'a peut-être jamais dit ? Ou plutôt… vous ne le lui avez jamais demandé ?

— Désirez-vous voir Électre ? s'interposa Étienne, qui se sentait de plus en plus mal à l'aise.

Carnac plongea ses yeux noirs dans les siens, puis détourna la tête.

— Un cheval est un cheval. Je n'en ai que faire.

Il talonna sa monture et s'engagea sur le petit chemin, sans même un regard pour Jeannette et Louis. L'énervement gagna Étienne. Il avait tenté d'être poli et… et… oh, mais pourquoi continuait-il ses efforts ?

Étienne et Mathieu saluèrent chaleureusement les domestiques et s'engagèrent à leur tour au petit trot. À bonne distance du manoir, le vicomte murmura :

— Désolé de m'être montré insolent. Hier, Carnac m'a assuré que vos domestiques nous réveilleraient tous à six heures du matin. Moi qui vous conseillais de vous méfier, je suis tombé comme un enfant dans son piège.

Étienne le dévisagea. Mathieu n'osait pas le regarder dans les yeux, honteux de sa confession. Un soupir lui échappa. Carnac… La sournoiserie incarnée ! Étienne ralentit son cheval et Mathieu l'imita.

— Ne voulez-vous pas le rattraper ?

— S'il veut bouder, qu'il boude dans son coin.

Mathieu haussa les sourcils devant son mouvement d'humeur. Étienne toussota, à son tour gêné.

— Merci pour Électre, ma sœur sera ravie d'avoir de ses nouvelles.

— J'espère que nous rentrerons bientôt…, prononça Mathieu en regardant l'horizon. Rendre visite à vos sœurs me manque déjà.

Étienne faillit avaler de travers, et tenta de cacher le fin sourire que cette déclaration lui avait provoqué. Le cœur léger et de nouveau rempli de courage, il était prêt à affronter cette dernière journée de route. Rien ne pourrait altérer son enthousiasme. Rien, pas même Carnac. Étienne ne se laisserait plus manipuler par lui. Il avait changé. Désormais, il ne sous-estimerait plus jamais son adversaire.

6

Étienne passa les heures qui suivirent sur un petit nuage avec Mathieu à ses côtés. Ils discutaient de nombreux sujets, comme de leur enfance, d'équitation et aussi du séjour à Paris du vicomte. Celui-ci se révélait être un excellent conteur et Étienne tombait d'admiration pour toutes les choses qu'il avait vues : les théâtres immenses, les gigantesques opéras, sans compter le roi et le faste de la Cour. Il découvrait également que Mathieu possédait un certain sens de l'humour, bien qu'il ne se moquât jamais de quiconque.

Étienne buvait ses paroles comme du petit-lait. Il en oublia sa douleur au flanc ainsi que ses courbatures et, avouons-le, Carnac.

La conversation l'absorbait tellement que le jeune Kerdelec ne prêta pas attention aux paysages qui changeaient, ni même au vent qui devenait plus fort et charriait sur son passage un air de plus en plus salé.

Lorsque le comte de Carnac arrêta son cheval, il remarqua enfin ce qui l'environnait.

— Nous arrivons. Voici le « Sillon ».

Étienne immobilisa à son tour sa monture et ouvrit de grands yeux impressionnés. En cette fin d'après-midi s'étendait devant eux une large chaussée qui traversait l'eau jusqu'à une majestueuse citadelle entourée par la mer.

Carnac talonna son cheval pour gagner la digue.

— Nous avons de la chance, annonça Mathieu avec le sourire. La marée est basse. Dépêchons-nous avant que l'eau remonte.

Étienne hésita, peu rassuré. Il savait que la mer engloutissait par période le chemin, mais il ignorait combien de temps cela lui prenait. Cependant, Mathieu s'était engagé. Le jeune Kerdelec ne pouvait pas rester en retrait. Et puis, ne rêvait-il pas depuis des années de visiter Saint-Malo ? À son tour, il encouragea son cheval. Son regard dériva vers l'eau et, étrangement, sa peur se dissipa pour laisser place à une intense fascination.

Les mouettes et les goélands criaient au-dessus de leur tête, comme autant de déclarations de bienvenue aux voyageurs qui se dirigeaient vers la ville. Les jeunes gens ne traversaient pas seuls. Des mules, conduites par des paysans ou des meuniers, transportaient beurre, lait et sacs de farine. D'ailleurs, cette digue n'était pas déserte comme il s'y était attendu : une dizaine de moulins avaient été construits aux points les plus exposés au vent et il découvrit même des chantiers navals. Les gens qui les accompagnaient ne prêtaient plus attention au paysage, sans doute trop habitués. Mais pour Étienne, il s'agissait d'une pure merveille. Deux impressions contradictoires le taraudaient : celle de n'être qu'un point insignifiant face à ce prodige, et une autre, de toute-puissance. Lui, Étienne, ou plutôt Sophie, allait gagner la plus grande cité corsaire de tous les temps !

Arrivé à l'extrémité du Sillon, Étienne dévora des yeux le château qui marquait l'entrée de Saint-Malo, ainsi que la magnifique plage qui entourait les fortifications. Déjà, ils s'engageaient à l'intérieur des remparts. Et son devoir se rappelait à lui. Il ne pouvait pas se laisser distraire par la beauté du lieu, même si, au fond, il en mourait d'envie.

— Nous dirigeons-nous vers l'église paroissiale ?

— Nenni, répondit Carnac.

— Ne différons pas plus longtemps…

Carnac arrêta son cheval et le contempla de haut en bas.

— Avez-vous vu dans quel état nous sommes ? Voulez-vous faire peur au pauvre bougre qui nous recevra ? De plus, vous oubliez les priorités. Nos chevaux ont besoin de se reposer, et nous aussi.

Étienne contracta les mâchoires. Mathieu, qui demeurait à ses côtés, posa une main apaisante sur son bras.

— Le comte a raison. Autant rassembler les meilleures conditions pour votre demande. Je vous accompagne jusqu'à votre logis.

— Vous passerez donc la nuit avec nous ? s'enquit Carnac, reprenant la route.

— Pas cette fois, répondit Mathieu, au grand désarroi d'Étienne. Des affaires m'attendent ailleurs.

— Alors pourquoi ne pas partir maintenant ? Nous nous rendons à l'auberge de *Qui Qu'en Grogne*, si jamais vous nous cherchez.

Les yeux du vicomte se plissèrent tandis qu'il fixait le dos de Carnac.

— J'ai encore du temps devant moi.

Leurs chevaux avancèrent encore un bon quart d'heure dans les rues de la ville. Très étroites, elles rendaient la circulation compliquée. Comme à Rennes, les femmes balayaient leur trottoir, les enfants jouaient, mais il y avait peu de gentilshommes et encore moins de dames. Les marins les remplaçaient et Étienne tenta de ne pas trop les fixer, bien que sa curiosité débordât. Enfin, une enseigne en bois représentant un pot peint en jaune et percé d'une épée attira son attention. De l'extérieur, l'établissement semblait propre et, surtout, convenable.

— Gardez mon cheval, je vais vérifier qu'il leur reste des chambres.

Antoine de Carnac descendit et tendit la bride à Étienne, puis entra dans l'établissement sans se retourner.

— Où allez-vous, si ce n'est pas indiscret ? demanda Étienne à Mathieu.

— Dinan.

— Dinan ? Mais n'est-ce pas à plus d'une heure de cheval d'ici ? Et ne sommes-nous pas passés...

— Étienne.

Le vicomte rapprocha son cheval pour se trouver bien en face de lui. Ses magnifiques yeux bleus plongèrent dans les siens, et Étienne s'en sentit tout chamboulé.

— Je n'ai pas été tout à fait franc avec vous.

Mathieu, malhonnête ? Étienne avait du mal à y croire. La porte de la taverne s'ouvrit, et le vicomte se laissa distraire, avant de reprendre :

— Quand je vous disais que je me sentais bien auprès de votre famille, je ne mentais pas. Plus encore... je... diantre, que cela est difficile à dire !

— De grâce, parlez, Mathieu. Qu'avez-vous de si difficile à m'apprendre ?

Le jeune homme ferma les yeux, inspira, puis se lança :

— Je me soucie beaucoup de votre famille, de vous, et également de vos sœurs. D'une en particulier.

Le cœur d'Étienne bondit dans sa poitrine. Il était suspendu aux lèvres du vicomte.

— Vu l'état de santé de votre père, c'est à vous que je dois faire ma demande…

Sa demande ? Le rythme cardiaque d'Étienne s'emballa. Mathieu semblait torturé, incapable d'aller droit au but.

— Que voulez-vous me faire comprendre ? insista Étienne.

— Je vous promets que mes intentions sont des plus honorables, et que mes sentiments sont réels. Étienne, m'autorisez-vous à courtiser…

— L'affaire est réglée ! annonça Carnac en ouvrant en grand la porte de la taverne.

Mathieu écarta son cheval, l'air gêné. Étienne, lui, n'en croyait pas ses oreilles. Ses rêves prenaient enfin vie sous ses yeux. Mathieu avait des sentiments pour Sophie. Il… Il l'aimait !

— Ai-je manqué quelque chose ? siffla Carnac d'un ton méfiant.

— Du tout, bredouilla Étienne. Messire de Chevigné, faites bon voyage et sachez que vous avez ma bénédiction.

Jamais prononcer de tels mots ne l'avait autant rempli de joie. Mathieu lui adressa un hochement de tête.

— Me permettez-vous de déposer vos chevaux au relais à la sortie de la ville ? Ainsi vous pourrez plus vite vous reposer, proposa-t-il.

— Merci, répondit Étienne avant que Carnac ne trouve une réplique insolente.

— Non, c'est moi qui vous remercie. Vous n'imaginez pas à quel point je vous suis reconnaissant.

Étienne toussota, et essaya de reprendre contenance en descendant de selle. Il occupa ses mains en décrochant ses sacs, incapable de soutenir plus longtemps le regard du vicomte. Toutefois, il se sentait heureux. Mathieu venait de lui insuffler tout le courage nécessaire pour affronter les épreuves qui risquaient de se présenter.

Ils se quittèrent avec les salutations d'usage, et Mathieu s'éloigna avec les chevaux.

— Que me cachez-vous ? questionna Carnac, avec une expression toujours aussi suspicieuse.

— Rien qui vous concerne.

Le mensonge lui chauffa les oreilles. Même si le comte jouait avec Sophie, il avait ouvertement marqué son intérêt pour elle. Néanmoins, lui apprendre qu'il possédait désormais un rival officiel risquait de nuire encore plus à leurs relations. Pour le moment, il avait trop besoin de lui pour se le permettre.

Étienne ajusta la bandoulière de son sac sur l'épaule et s'avança vers la porte de la taverne. Il avait hâte de s'asseoir et de manger quelque chose de consistant.

— Où pensez-vous donc aller ?

Il se tourna vers Carnac, appuyé contre la façade de l'établissement.

— N'avez-vous pas dit que nous devions être présentables avant d'aller chercher l'acte ?

— Oh, mes excuses. Ils n'ont plus de chambres.

— Pardon ? s'étrangla Étienne. Mais vous venez de dire…

— Oui, que l'affaire était réglée. Une connaissance nous hébergera.

Étienne écarta les bras, ébahi. Carnac, lui, arborait son habituel sourire moqueur. Chevigné parti, voilà qu'il retrouvait sa bonne humeur ! Et lui avoir fait croire qu'ils dormiraient ici devait certainement accentuer sa joie.

— Vous l'avez fait exprès !

Étienne pointa un index accusateur vers son interlocuteur, qui leva les mains en signe d'innocence.

— Allez donc demander si vous ne me croyez pas.

— Oh, je vais faire mieux, cracha Étienne. Dormez où ça vous chante. Moi, je vais louer une chambre.

Il poussa le battant et entendit derrière lui :

— Avec quel argent ? Allez-vous donc vendre votre corps pour gagner votre subsistance ? Si oui, je connais déjà un potentiel client…

Juste ciel ! Étienne laissa tomber sa tête en arrière. À l'intérieur de l'établissement, une femme l'observait d'un air perplexe, des chopes à la main. Embarrassé, il lui adressa un sourire, puis fit demi-tour. Il se maudit une nouvelle fois de ne pas avoir pensé à prendre une bourse dans sa fuite. Et dire que le tiroir de sa chambre était rempli de l'argent de monsieur Lambert ! Même s'il s'était promis de ne pas toucher aux dons de son « futur beau-père », il ruminait.

— Alors ? questionna Carnac en admirant ses ongles.

— Vous savez que vous êtes insupportable ?

Carnac éclata d'un rire étudié, puis laissa tomber sa main sur la tête d'Étienne. Celui-ci tenta de s'en défaire, mais les doigts de son compagnon se resserrèrent autour de son crâne, et le comte rapprocha son visage du sien.

— Et vous n'avez obtenu qu'un aperçu, monsieur de Kerdelec. Je peux être pire. Franchement pire.

7

La nervosité d'Étienne crût lorsque Carnac s'arrêta devant une des grandes demeures situées aux abords des remparts. Le quartier différait de celui d'où ils venaient. Des hôtels particuliers, semblait-il assez récents, s'alignaient les uns à côté des autres. Des façades de granit sombre et bien taillé, dotées de trois étages et de fenêtres très hautes, se terminaient par des toitures à la Mansart. Certaines ouvertures des étages donnaient sur de minuscules balcons, fermés par des balustrades. Une impression de richesse émanait du lieu.

Quelque peu essoufflé par la cadence endiablée que lui avait imposée son compagnon, Étienne reprit sa respiration tandis que son guide frappait à une double porte en bois.

— Carnac, haleta-t-il, allez-vous enfin…

Il n'eut pas le temps de finir sa question qu'un homme en perruque et livrée ouvrait la porte.

— Antoine de Carnac, déclara le visiteur avec un léger sourire.

— Oh, monsieur ! Nous ne vous attendions pas, entrez !

Carnac était donc un habitué. Hésitant, Étienne regarda autour de lui comme si on l'espionnait. Était-ce vraiment une bonne idée de le suivre ? Et si Mathieu… ?

Une exclamation de surprise lui échappa. Carnac l'avait empoigné par ses vêtements et l'entraînait à l'intérieur. La porte se referma alors derrière eux. Trop tard, Étienne ne pouvait plus opérer un demi-tour. Il demeura un instant perplexe dans ce vestibule exigu, serti d'un grand escalier de pierre à la rambarde en fer forgé. Il n'y avait pas de dorures ni d'immense lustre comme chez sa tante… On aurait plutôt dit une demeure médiévale.

— Oscar, excusez mon ami, il est parfois un peu lent d'esprit.

Étienne se ressaisit tandis que le domestique le dévisageait avec curiosité.

— Madame espérait bien que vous viendriez lui rendre visite. Hélas, elle traite actuellement plusieurs affaires.

Étienne fronça les sourcils. Madame ? Des affaires ? Juste ciel ! Carnac l'aurait-il emmené chez une maquerelle ?

— Ne la dérangez pas, Oscar, déclara Carnac avec une chaleur peu habituelle. Nous ne repartons pas avant plusieurs jours.

— Plusieurs jours ? répéta Étienne, de plus en plus méfiant.

Ce n'était pas ce qu'il avait en tête ! Retrouver l'acte, le présenter au notaire de Saint-Malo et rentrer. Voilà quel était le plan ! Carnac réitérait ses maudites intrigues !

— Oui, plusieurs jours, insista le comte, en lui adressant un regard dénué cette fois de toute chaleur.

— Souhaitez-vous loger à demeure, monsieur de Carnac ? Madame a expressément indiqué que vous êtes ici chez vous, ainsi que vos amis… masculins.

Le regard du domestique se tourna vers Étienne et le détailla étrangement. Celui-ci dut se faire violence pour ne pas reculer. Qu'était-ce que ce regard scrutateur ? Se doutait-il de son travestissement ?

— Mon cher Oscar, je vous présente Étienne de Kerdelec, deuxième fils du baron de Kerdelec. Remerciez votre maîtresse pour son hospitalité que nous acceptons.

Le domestique s'inclina, avant de demander :

— Monsieur Kaerell vous rejoindra-t-il ?

— Hélas, je crains que non.

— Madame sera déçue, votre ami la distrayait fort.

Le comte laissa échapper un rire franc, qui déstabilisa encore plus Étienne. D'habitude froid et méprisant, Carnac se révélait ici sous un tout autre jour. Quel lien l'unissait donc à la maîtresse de maison ?

— Venez, je vais vous montrer vos chambres.

Le domestique s'engagea dans l'escalier en pierre, tout de suite suivi par Carnac. Étienne hésita. Il se sentait perdu. Tout ce qu'il désirait était de rendre visite au curé de la paroisse et lui demander l'acte. Pourquoi Carnac différait-il à ce point leur affaire ? Mathieu avait peut-être raison, le comte tramait quelque chose… Sinon, pour quelles raisons cacherait-il au vicomte où ils logeaient réellement ?

— Monsieur de Kerdelec, avez-vous besoin d'aide pour monter les marches ?

La voix du comte claqua comme un fouet. Une main posée sur la rambarde, il fixait Étienne d'un air exaspéré. Carnac pensait-il vraiment qu'en le mettant au pied du mur, il coopérerait comme un vulgaire toutou ? Non, il en avait assez de ce genre de comportement !

— Je vous remercie de votre hospitalité, mais je vais la décliner.

Étienne s'inclina et gagna la porte, le cœur battant. C'était idiot, il le savait. Il n'avait pas d'argent ni d'endroit où aller. Néanmoins… quelque chose dans ses entrailles lui interdisait d'accepter cette offre.

Lorsque la porte se referma, la rue lui sembla soudain beaucoup plus large et bruyante. Et surtout, plus oppressante. D'un geste nerveux, il ajusta son chapeau et commença à marcher. Il ignorait la direction à emprunter, mais il ne voulait pas que Carnac voie son hésitation. Étienne attendrait le retour de Mathieu de Chevigné au *Qui Qu'en Grogne*. La logeuse accepterait peut-être de lui faire crédit. Il avait d'avance honte de solliciter la générosité du vicomte, mais celui-ci aiderait bien son futur beau-frère. Futur beau-frère… Cette idée lui réchauffa le cœur et affermit son pas.

— À quoi jouez-vous ?

Des doigts autour de son poignet l'obligèrent à se retourner. Les traits contractés, Carnac le dévisageait avec humeur. Étienne lutta pour se libérer, sans succès. Lorsque son vis-à-vis le lâcha, il dut reculer d'un pas pour retrouver son équilibre.

— Vous, à quoi jouez-vous ?

Le comte croisa les bras et, sourcils haussés, le toisa.

— Je nous assure un logement gratuit.

— Je ne veux pas loger là !

— Vous y logerez car vous n'avez pas le choix, siffla son interlocuteur avec une expression perfide.

Étienne se rapprocha, encore plus énervé :

— Ah oui, et comment allez-vous m'y obliger ? Vous allez me porter ?

— C'est un défi ?

Carnac franchit le dernier pas qui les séparait, le sourire aux lèvres. Étienne se renfrogna.

— Vous n'oseriez pas.

— Vous pariez combien ?

Carnac posa soudain ses mains sur ses bras. Le jeune homme ouvrit grand les yeux tandis qu'il se sentait déjà soulevé de quelques centimètres.

— Si vous le faites, je partirai ensuite si loin que…

Ses pieds regagnèrent les pavés. Étienne prit alors conscience qu'ils attiraient l'attention. Le comte ne recula pas pour autant. Quoique Carnac l'ait lâché, il ne comptait pas en rester là.

— Que se passe-t-il ? Vous ne me faites plus confiance ?

Son regard sombre et son expression accusatrice troublèrent Étienne. N'était-ce qu'une impression ou avait-il l'air… blessé ?

— C'est vous, je ne vous reconnais pas, parla tout bas le jeune homme pour éviter les oreilles indiscrètes. Vous vous montrez agressif sans aucune raison.

— Agressif…

Carnac détourna le regard et ses mâchoires se crispèrent.

— Pas ici.

Il lui attrapa le bras pour gagner une intersection moins fréquentée. Le jeune homme le suivit, bien décidé à se faire entendre.

— Je n'ai pas fini. Nous avons dû supporter votre mauvaise humeur durant tout le voyage, et maintenant, vous annoncez au majordome que nous allons rester plusieurs jours, comme si vous aviez échafaudé des plans me concernant, sans même m'avertir ! Chaque jour qui s'écoule, ma tante fait vivre un enfer à ma famille. Dieu sait si elle n'a pas d'ailleurs déjà contacté le curé de la paroisse pour que je ne retrouve jamais le document. Pourquoi repousser encore notre visite alors que tout pourrait être réglé ce soir ?

— C'est…

— Et vous manœuvrez pour que le vicomte me croie dans une autre auberge, alors qu'il n'a fait que proposer son aide.

— Bon sang, allez-vous m'écouter ?

Quelques passants tournèrent la tête vers eux et Carnac se plaça de profil par rapport à Étienne. Il serra les poings. Étienne ne l'avait jamais vu aussi agité. Carnac, d'habitude si maître de lui, sortait de ses gonds.

— Je pensais commencer à vous connaître, mais là je suis perdu, conclut Étienne.

Comme Carnac ne prononçait toujours pas le moindre mot, Étienne déclara :

— Je me débrouillerai.

Il s'écarta, lorsque la voix du comte tonna :

— Restez là !

Le jeune Kerdelec secoua la tête, désabusé. Et en plus, il lui donnait des ordres !

— S'il vous plaît, ajouta le comte plus bas.

Cette fois, le jeune homme s'immobilisa.

— Pourquoi ?

— Laissez-moi juste une minute. Je vous l'ai dit, j'ai tendance à faire des choses que je regrette lorsque je suis en colère.

Étienne baissa les yeux sur les pavés. Au lieu de poursuivre son chemin, il se laissa aller contre la façade et croisa les bras. Carnac faisait les cent pas et ce comportement accentua son trouble. Qu'est-ce qui le mettait ainsi hors de lui ? Qu'on lui résiste ?

— J'ai parlé de plusieurs jours au domestique, car votre affaire ne peut être réglée si vite.

Surpris, Étienne releva la tête. Carnac ne le regardait pas. Ses traits demeuraient crispés.

— L'information est dissimulée dans de vieilles archives, ce serait un miracle que le prêtre la retrouve immédiatement. Et même si c'était le cas, il ne laisserait pas le registre sortir. Il faudrait alors prendre rendez-vous chez un notaire pour copier l'acte, puis contacter maître Dartois afin de lui exposer les documents de l'héritage. Toutes ces formalités prendront du temps.

Étienne n'avait pas pensé à cela. Ses sœurs et son petit frère…

— Votre tante a peut-être du pouvoir, mais elle ne peut pas décider du destin de votre famille. Du moins, pas tant que votre père ne sera pas rétabli, ou que vous soyez de retour.

Ah, si seulement il savait que le véritable Étienne avait disparu ! Présente ou pas à Rennes, Sophie ne disposait d'aucune autorité.

— Et pour l'auberge… Je reconnais avoir joué un vilain tour.

Ces mots coûtaient à Carnac, comme le signifiait la contraction des muscles de son visage.

Étienne conserva le silence, avant de rétorquer :

— Je vais vous poser une question, et jurez sur la Vierge et tous les saints que vous me direz la vérité.

Carnac leva des yeux aussi sombres qu'une nuit sans lune. Étienne, intimidé, poursuivit malgré tout :

— Me cachez-vous la véritable raison qui vous pousse à m'aider ? Avez-vous un but que j'ignore ?

— Cela fait deux questions ! s'esclaffa son vis-à-vis.

Étienne décroisa les bras et se redressa.

— Très bien, grogna Carnac. La réponse est oui, à vos deux questions.

La déception s'abattit sur Étienne comme une pluie glacée. Alors, Mathieu avait raison… Carnac dissimulait son jeu depuis le début ! Et malgré la méfiance que le comte lui avait inspirée lors de leurs premières rencontres, Étienne s'était laissé berner. Une profonde lassitude l'envahit et son dos percuta la façade. Il en avait assez de tout cela, de ces faux-semblants. Il avait cru en Carnac. Vraiment.

— Cela ne signifie pas que vous ne pouvez pas me faire confiance.

Étienne secoua la tête. Voilà que le comte recommençait avec ses tentatives de manipulation. Étienne voulut s'écarter, mais la paume de Carnac s'appuya sur le mur juste à côté de sa joue. Son regard s'accrocha au sien. Le jeune homme aurait pu se dégager, mais ces yeux l'emprisonnaient.

— Si j'essayais vraiment de vous manipuler, pourquoi vous aurais-je répondu avec sincérité, au risque que vous doutiez de moi ?

— Car vous êtes rompu à ces jeux, ce qui n'est pas mon cas ?

Sa voix n'avait été qu'un murmure à peine audible. Carnac se mordit la lèvre et soupira.

— Je jure sur la Sainte Vierge et tous les saints que je ferai tout pour que vous retrouviez l'acte que vous recherchez, et pour que vous puissiez réclamer cet héritage.

— Pourquoi ? gémit Étienne.

Carnac le fixait avec une tension qui lui crispa le ventre.

— Je révélerai mes secrets lorsque vous aurez assez confiance en moi pour me révéler les vôtres.

Étienne se sentit cloué au mur. Ses jambes se ramollirent. Le visage de Carnac se trouvait si proche du sien… Il commençait à avoir du mal à respirer.

— Je ne veux pas loger dans un bordel.

C'était la seule phrase qui lui était venue à l'esprit. Carnac s'écarta légèrement puis se mit à rire. Un rire franc, comme celui qu'il avait présenté au domestique. Libéré, Étienne parvint à reprendre son souffle. Il se sentait encore tout engourdi, mais soulagé que la situation ait été désamorcée.

— Je vous promets qu'il ne s'agit pas d'une maison de plaisir, mais d'un hôtel particulier très respecté à Saint-Malo. Par conséquent, accepteriez-vous d'y loger le temps de régler notre affaire ?

Il marqua une pause avant d'ajouter :

— S'il vous plaît ?

La formule de politesse acheva de décontenancer Étienne.

— D'accord.

Carnac soupira bruyamment, puis lui fit signe de le suivre. Le jeune homme n'en revenait toujours pas d'avoir accepté. Le comte venait de lui révéler qu'il avait d'autres plans, et que l'aider y servait clairement, et pourtant… Juste ciel ! Son cerveau devait être malade !

Il était sans nul doute stupide de s'en remettre de nouveau à Carnac.

Celui-ci refusait peut-être son amitié, mais Sophie pouvait se montrer têtue.

La question était : le serait-elle davantage que ce comte qui lui cachait, elle en était sûre, bien des secrets ?

8

Cheminée de marbre, boiseries, lit à baldaquin avec des draps de soie… En découvrant la chambre, Étienne s'en voulut un peu d'avoir méjugé son compagnon et se sentit ridicule. Par chance, le domestique l'avait informé que la maîtresse de maison rentrerait tard, et il put profiter d'une solitude bienvenue. Après un repas frugal, Étienne tenta de s'apaiser et redevint Sophie. Toutefois, elle ne put s'empêcher de déposer une chaise à la boiserie dorée et au siège en velours bleu contre sa porte. Bien qu'elle l'ait verrouillée, elle voulait éviter qu'un domestique ayant un double de clé la surprenne. La jeune femme passa ensuite de l'autre côté d'un grand paravent en bois et fit une toilette minutieuse, accordant une attention toute particulière à sa blessure.

Après avoir enfilé une longue chemise et un bonnet de nuit, Sophie se glissa sous les draps. Ses pensées la ramenèrent aussitôt vers Mathieu et son cœur s'emballa. Combien de temps ses affaires le retiendraient-elles hors de Saint-Malo ? Elle soupira. Le vicomte n'était pas sa priorité, mais elle ne pouvait s'empêcher de désirer sa présence. En définitive, son départ était peut-être bénéfique. Cela lui permettrait de se concentrer sur la recherche de l'acte qui sauverait sa famille de la ruine.

Nerveuse, Sophie mit du temps à s'endormir. Aucun rêve ne vint troubler son sommeil. Lorsqu'un énorme bruit la réveilla en sursaut.

Il faisait nuit noire, Sophie ne parvenait pas à se faire à l'obscurité. Son cœur se mit à battre plus fort, et elle ramena les couvertures contre elle, par peur que quelqu'un entre. Ainsi en chemise, personne ne pourrait plus se tromper sur son sexe. Pourtant, lorsque ses yeux se posèrent sur la porte de sa chambre, la chaise s'y trouvait toujours. Qu'est-ce qui l'avait réveillée ?

Le coup éclata de nouveau, sonore et violent, et un rai de lumière inonda la chambre.

La jeune femme se tourna vers la fenêtre. Ses pieds se posèrent sur le sol froid, et elle se rapprocha de la vitre qui donnait sur les remparts et la mer. Des vagues immenses frappaient la pierre, comme si elles souhaitaient emporter les fortifications.

Elle s'assit contre l'appui de fenêtre. Y avait-il des gens dehors à cette heure et surtout des bateaux qui naviguaient ? Comment était-il possible de survivre à une telle tempête ? Les orages étaient déjà impressionnants dans les terres, mais ici… Un nouveau coup de tonnerre retentit. Le vent répandait désormais une plainte aiguë à travers la fenêtre pourtant fermée.

Elle aurait dû retourner dans son lit, mais le spectacle la fascinait. C'était brutal, et à la fois tellement beau. On aurait dit que l'univers entier déversait sa colère sur les hommes. Sophie se sentit alors minuscule et sa vie lui sembla terriblement insignifiante. Tous ses soucis, ses angoisses, ses peurs… Ils se diluaient dans cet ouragan qui soulevait la mer et hurlait sa rancœur.

Combien de temps s'était-il écoulé ? Sans doute beaucoup. Car lorsqu'elle se réveilla de nouveau, les rayons du jour léchaient son visage. Elle s'était endormie ainsi, adossée au mur, devant la fenêtre. Ses orteils étaient froids, elle se sentait toute courbaturée. La mer s'était apaisée, et elle ne voyait plus qu'une étendue d'eau calme avec quelques points de terre et des vaisseaux qui prenaient le large.

Oui, après la tempête revenait toujours le calme. Et, bientôt, les ténèbres qui s'étaient répandues sur sa vie et celle de sa famille disparaîtraient. Tel un des valeureux corsaires de cette cité, Sophie devait les affronter. Les affronter, et mériter le trésor qui serait sa récompense.

*

Sophie, redevenue Étienne, hésita longtemps sur l'heure à laquelle descendre. L'impatience le taraudait, mais il savait que dans les maisons nobles, on ne se levait jamais très tôt.

Au bout d'une heure à marcher en rond dans sa chambre, il n'y tint plus. N'ayant pas fait le tour du propriétaire, il craignit de se perdre, mais les voix et l'odeur de pain chaud le guidèrent au rez-de-chaussée. Il traversa deux pièces ornementées de boiseries et de marbre, dotées de larges fenêtres qui donnaient sur la mer et les bateaux accostés.

— Monsieur Étienne de Kerdelec.

Le jeune homme sursauta à l'énonciation de son nom. Oscar, le majordome, se tenait dans l'embrasure de la porte, l'empêchant de distinguer qui était déjà debout. La nervosité l'envahit.

« Allez, courage, se rabroua-t-il. Tu joues un peu trop le véritable Étienne, Sophie ne se laisserait pas intimider de la sorte. » Sans doute, mais découvrir un tout autre univers sans avoir ses proches à ses côtés le déstabilisait.

Il inspira et entra. Aussitôt, une boule de poils fondit entre ses jambes : un joli chat aux yeux dorés et au pelage court virant sur le bleu. Il ronronnait en se frottant contre ses bas. Par réflexe, Étienne se pencha pour le caresser, et l'animal poussa sa tête contre sa main.

— Attention, Kerdelec, résonna une voix familière. Cela commence par quelques caresses, et puis cela finit dans un lit.

Avachi dans un fauteuil, Carnac, portant seulement un gilet au-dessus de sa chemise, lisait une gazette avec une tasse en porcelaine en main. Un sourire moqueur flottait sur ses lèvres.

Étienne se détendit, bien qu'un peu agacé. Si Carnac commençait déjà avec de telles âneries, la journée risquait d'être longue ! Le menton relevé, le jeune Kerdelec déclara au petit chat qu'il continuait de caresser :

— Ne l'écoute pas, il est juste jaloux de toi. Tu es vraiment adorable.

— Moi, jaloux ? s'esclaffa Carnac, avant de refermer son journal. Quoique… Si on faisait un concours quant au nombre de femelles que chacun a…

Bonté divine ! Étienne le fusilla du regard et Carnac l'observa avec un grand sourire. Son attention dériva alors derrière le jeune homme accroupi.

— Et vous, ma chère, qu'en pensez-vous ?

Le sang quitta le visage d'Étienne. Carnac n'était pas seul ? Le jeune homme se releva tel un ressort et se retourna. Une femme dans la fin de la quarantaine, habillée d'une longue jupe et d'un caraco orange brodé de fleurs, écrivait, assise à son secrétaire. Ses cheveux châtains étaient attachés en arrière et quelques boucles tombaient sur ses joues légèrement creuses. Elle avait les pommettes hautes, un nez légèrement cabossé et des sourcils redessinés au crayon pour donner une impression d'épaisseur. Aucune mouche n'avait été ajoutée à son teint, ni de ruban ou autre décoration à ses cheveux. Sa mise était simple, mais respirait l'élégance. Elle se tenait droite et un mouchoir d'une blancheur immaculée cachait sa poitrine.

— J'en pense que vous devez être en manque pour aborder directement ce genre de sujet de si bon matin.

Carnac ne put retenir un léger rire, tandis que la maîtresse de maison trempait sa plume dans l'encrier sans relever la tête. Étienne se sentait encore plus décontenancé. Comment devait-il réagir ?

— Toutes mes excuses, madame, dit-il en s'inclinant d'un mouvement un peu raide. J'ignorais que vous étiez déjà levée… Je tenais à vous présenter mes hommages et aussi à vous remercier de votre hospitalité.

La femme releva enfin la tête. Son regard, d'un caramel très clair, sembla alors l'inspecter sous toutes les coutures.

— Vous êtes bien poli, et bien jeune, monsieur de Kerdelec. Quel âge avez-vous ?

— Bientôt vingt ans, madame, répondit-il, la gorge nouée.

Un sourcil haussé, elle fixa Carnac.

— Que veux-tu ? Je les dévergonde de plus en plus tôt…

Pardon ? Étienne ouvrit grand les yeux et se tourna vers son camarade qui ne se départait pas de son sourire.

— Madame, je suis ici pour affaires. J'ignore ce que le comte a pu vous laisser entendre…

Un éclat de surprise passa dans les prunelles de leur hôtesse, qui se redressa. Carnac toussota et, si Étienne comprit qu'il avait commis un impair, il ignorait lequel.

— Soyez le bienvenu chez moi, monsieur de Kerdelec, annonça enfin la dame. Antoine et moi avons l'habitude de nous chamailler, ne prenez pas trop à cœur nos échanges, surtout d'aussi bon matin. Asseyez-vous et déjeunez, vous devez avoir faim.

Étienne était de plus en plus perdu. L'amabilité de la maîtresse de maison tranchait avec le côté détaché qu'elle lui avait d'abord présenté. Il s'installa pour ne pas la contrarier et se servit en pain et en confiture.

Une domestique entra alors dans la pièce, présentant une théière fumante. Étienne faillit en lâcher sa tartine. Jamais il n'avait vu une beauté telle que la sienne : la peau de la jeune femme était bronzée, plus bronzée encore que celle des paysans qui travaillaient tout l'été sans protection. Du noir ourlait ses prunelles et ses traits ne ressemblaient pas à ceux des gens d'ici. Des cheveux noirs et lisses dépassaient légèrement de sa coiffe. Étienne ne la quitta pas des yeux ni quand elle lui servit le thé ni quand elle repartit. Quand il reprit ses esprits, il sentit le regard de Carnac et de leur hôtesse sur lui.

Au lieu de se chercher une justification, il préféra grignoter.

— Mon cher Antoine, avez-vous expliqué les règles de la maison à votre ami ? questionna avec une politesse toute feinte la dame dont Étienne ne connaissait toujours pas le nom.

Pour toute réponse, le comte se replongea dans son journal et esquissa un geste de la main. Voilà qui n'était guère courtois. Étienne se tourna vers la dame du lieu qui précisa :

— Le sexe n'est pas toléré dans cette maison. Vous ne pouvez ramener aucune galante ou gourgandine dans cette demeure ni tenter de séduire la moindre domestique. En cas de désobéissance, je vous émasculerai de mes propres mains.

Étienne devint aussi rouge qu'une tomate. Il attrapa sa tasse pour se donner une contenance, et se brûla la langue. Il reposa la porcelaine par réflexe et le thé déborda sur la nappe. Un bruit étouffé lui parvint. D'un coup d'œil discret, il discerna les épaules de Carnac trembler derrière son journal. Seul Étienne pouvait voir son hilarité, qu'il cachait à leur hôtesse.

— Bien entendu, je ne suis pas un monstre, ajouta celle-ci. En dehors de ces murs, vous pourrez tremper votre queue partout où il vous plaira.

Oh, mon Dieu ! Jamais Étienne n'avait entendu de telles insanités ! Et que celles-ci provinssent de la bouche d'une femme de qualité… Il n'en revenait pas ! Il aurait voulu être partout sauf ici !

— Vous ne répondez pas, car mes conditions vous semblent trop strictes ? ajouta-t-elle d'un air plus froid.

— Non, non, bredouilla Étienne sans oser la regarder. Elles me conviennent tout à fait.

— Bien. Alors amusez-vous durant ce séjour. Et n'hésitez pas si vous avez besoin de conseils.

Des conseils de quel genre, au juste ? Étienne ne voulait surtout pas savoir !

— Je n'y manquerai pas ; mes remerciements, madame.

Il baissa la tête, manquant presque de toucher son assiette, lorsque deux mains s'aplatirent sur ses épaules et le firent sursauter.

— Si vous nous le permettez, Yseult, nous allons prendre congé. Comme l'a dit ce cher monsieur de Kerdelec, nous avons des affaires à régler !

Étienne accueillit cette annonce avec soulagement. Certes, il n'avait quasiment rien mangé, mais après ces déclarations… tout appétit l'avait déserté.

Il se releva et salua la maîtresse de maison, avant de suivre Carnac qui récupérait déjà veste et manteau auprès d'Oscar dans le hall d'entrée. Le majordome apporta ensuite ses vêtements à Étienne. Une fois à l'extérieur, il parvint enfin à respirer.

— Pourquoi ne pas lui avoir précisé que je n'appartiens pas à cette catégorie ? gronda-t-il en se tournant vers Carnac.

Celui-ci arborait un sourire frondeur. Le comte ajusta son chapeau, tandis qu'Étienne resserrait son manteau. Il faisait particulièrement froid ce matin et le vent soufflait déjà fort.

— Pardonnez-moi, mais la manière dont vous dévisagiez Zilia semblait présager le contraire.

— Zilia ?

Étienne s'arrêta, perdu.

— La domestique qui vous a servi du thé. Vous sembliez très intéressé par elle.

— J'étais juste… surpris ! Jamais il ne me viendrait à l'esprit de la séduire ou pire…

— Pourtant, je ne vous ai jamais vu fixer de la sorte la moindre demoiselle.

— Je… Je…

Étienne baissa la tête, incapable d'exprimer son ressenti. Un mal-être profond commençait à l'envahir.

Soudain, son chapeau s'enfonça jusque devant ses yeux et la voix de Carnac, plus proche, résonna :

— Zilia est péruvienne. D'où la couleur de sa peau plus prononcée. Je vous taquinais, je sais bien que vous ne pensiez pas à mal.

Penaud, le jeune homme redressa son chapeau. Il se sentait encore plus ridicule, et suivit Carnac qui avait repris sa marche. Il ignorait ce que cela signifiait d'être « péruvienne ». Venait-elle d'un pays par-delà la mer ? D'Orient ? D'Afrique ? Toutefois, il avait trop honte de son ignorance pour poser des questions.

— Yseult l'a recueillie il y a quelques années lorsque des corsaires ont coulé un navire espagnol. Sa famille a été massacrée sous ses yeux.

— Pourquoi ?

Étienne, choqué, avait murmuré sa question.

— Pour l'or et les richesses de son pays.

— Les Espagnols sont horribles…

— Les hommes sont horribles, précisa Carnac. Saint-Malo est peut-être une grande cité, mais elle a aussi son rôle dans ces horreurs.

— Vous voulez dire que la cité a aussi tué des populations pour s'enrichir ? s'offusqua Étienne.

— Ah, que vous êtes naïf. Même si Saint-Malo ne rivalise pas avec Nantes ou Bordeaux en la matière, de grands noms transportent des humains des Antilles jusqu'aux côtes d'Amérique pour les vendre comme esclaves.

— Comme esclaves ? Mais comment peut-on faire ça à des êtres humains ? Comment le roi peut-il le tolérer ?

Carnac eut un sourire fade et l'observa de longues secondes avant de répondre :

— Au nom d'une simple différence de couleur de peau.

— Je ne comprends pas comment c'est possible.

— Et pourtant, notre société n'est faite que de ça, soupira le comte d'un air sombre. D'inégalités qu'on nous apprend à respecter dès notre plus jeune âge. Pensez à notre propre situation. Pourquoi devrions-nous avoir plus de droits que ces gens autour de nous ?

Il désigna de la main deux marins qui passaient en riant, ainsi qu'une ménagère qui balayait son trottoir.

— Car un jour des personnes ont décrété que certaines naissances valaient plus que d'autres. Pourquoi une femme devrait-elle obéir à l'autorité d'un homme ? Elle est tout aussi intelligente et capable. Naissance, couleur de peau, sexe… Ce ne sont que d'absurdes prétextes pour légitimer une soif de pouvoir et d'asservissement.

Carnac avait presque craché ses derniers mots. Tout ce discours résonnait en Étienne avec force. Antoine lui avait déjà parlé de ce mouvement des Lumières qui se répandait sur la France, qui prônait l'égalité et l'ouverture d'esprit. Et plus il en parlait, plus Étienne se sentait proche de ce libertinage de pensées.

— Pardonnez-moi, déclara-t-il en se frottant la mâchoire, j'ai tendance à m'emballer sur le sujet.

— Non, j'aime vous écouter parler.

Le comte releva brutalement la tête et Étienne détourna la sienne, gêné.

— Je veux dire que vos propos me donnent matière à réflexion. En rentrant, je m'excuserai auprès de notre hôtesse.

— Elle comprendra vite que vous ne souhaitiez pas charmer Zilia.

— Peut-être, admit Étienne, mais ma manière de la dévisager n'était pas respectable. Je lui demanderai l'autorisation de lui présenter des excuses, à elle aussi.

Carnac éclata d'un rire fin, qui fit rosir les joues d'Étienne tandis qu'ils se remettaient à marcher.

— Quoi ? Qu'ai-je dit de drôle ?

— Un noble qui s'excuse auprès d'une domestique, étrangère qui plus est ! Yseult va vous adorer !

Étienne se mordit la lèvre. Il hésitait entre sourire et grimacer.

— Vous ne cessez de l'appeler par son prénom.

— Oui, nous sommes proches.

— Ah.

La poitrine d'Étienne se crispa légèrement.

— Elle est sans doute la seule figure maternelle que j'ai pu avoir. Mais ne le lui répétez pas, elle trouverait que ce qualificatif la vieillit trop. Elle a beau être ouverte d'esprit, elle n'en demeure pas moins coquette.

Le jeune homme ne sut comment accueillir cette confession. Est-ce que cela signifiait que Carnac n'avait jamais connu sa véritable mère ? Ou bien, comme pour Sophie, celle-ci n'en avait eu que le nom sans jamais se soucier de lui ? Au moins « Yseult » n'était pas son amante… Oh, et puis cela ne le concernait aucunement !

— Puis-je connaître le nom complet de notre hôtesse ?

— Comment ? Vous ne l'avez pas encore deviné ?

Carnac semblait très amusé. Avec un grand sourire, il articula :

— Madame de La Pommeraye.

Madame de La Pommeraye… Ce nom lui disait quelque chose. Carnac pouffa tandis qu'Étienne, essayant de ne pas se laisser distancer, mettait de l'ordre dans sa mémoire. Où l'avait-il déjà entendu ?

Il s'arrêta soudain.

— Madame de La Pommeraye ? Celle dont Kaerell conseillait les soirées pour me débaucher ?

Le sourire de Carnac devint plus espiègle et il accéléra le pas.

— Répondez ! le poursuivit Étienne. Est-ce bien elle ?

L'absence de démenti parlait pour lui. Bon sang, dans quoi Étienne s'était-il encore fourré ? Carnac ne l'avait peut-être pas conduit dans un bordel, mais n'était-ce pas pire ? Sous ses règles prudes, madame de La Pommeraye cachait en vérité le diable incarné. Car si elle était la seule figure maternelle qu'Antoine ait connue… Peut-être était-ce elle qui l'avait rendu libertin ?

— Antoine, j'exige que vous me répondiez !

Le comte venait de s'immobiliser.

— Vous allez…

— Chut, le rabroua-t-il d'un air de conspirateur. Videz donc votre esprit de toutes ces pensées coquines, nous allons entrer dans la demeure du Seigneur.

La demeure du… Étienne se tourna et découvrit un gigantesque édifice religieux. Il déglutit. Cela ne pouvait être que l'église paroissiale de Saint-Malo. Mais il ne s'agissait pas d'un petit bâtiment : devant eux se dressait une gigantesque cathédrale au clocher non achevé.

Toutes ses récriminations venaient de fondre comme neige au soleil. Le temps était venu de savoir s'il pourrait sauver sa famille. Et il craignait plus que jamais de découvrir la réponse.

9

Étienne ouvrit la bouche devant la splendeur du lieu. L'intérieur de la cathédrale ressemblait à un large rectangle divisé en trois travées d'égale longueur. Six autels étaient adossés aux piliers formant les travées, chacun dédié à un saint différent. Les grandes orgues et surtout le nombre incalculable de bancs l'impressionnèrent. Combien y en avait-il ? Peut-être cinq cents ? Il tâchait de ne pas regarder les statues des saints, et encore moins la grande croix du Christ qui semblait l'accuser de son imposture.

Tout ça, je le fais pour ma famille, se répéta-t-il. Même si au fond, il savait qu'une part de lui avait toujours rêvé de naître homme. Les Cieux abattraient-ils sur lui toute leur colère ?

— Imaginez quand tous les Malouins sont réunis ici, lui chuchota son compagnon.

Oui, cela devait être très différent de la petite église du village de Sophie !

— Les voir se disputer les bancs est très drôle. À force, les générations successives s'en croient les propriétaires.

Étienne fronça les sourcils. Ils n'avaient pas le même humour.

— Les Malouins sont fiers de leur cathédrale, ajouta Carnac avec un demi-sourire. Ce sont eux qui ont financé les orgues et certains autels. Ils ont également lutté pour conserver la fonction funéraire du lieu. Toutefois, depuis une dizaine d'années, ils sont obligés de respecter l'interdit de sépulture du parlement de Bretagne.

Étienne en avait déjà entendu parler. Il avait été décrété quand son père était encore enfant. Depuis lors, les églises ne pouvaient plus accueillir les corps de leurs paroissiens. Les Malouins devaient être plus qu'attachés à cette fonction pour avoir résisté tout ce temps.

— Venez, je vais vous montrer les fonts baptismaux.

Carnac rebroussa chemin vers les portes principales et l'entraîna vers la travée sur la droite, dans un style Renaissance aux colonnes en ordre dorique. Étienne distingua trois chapelles et reconnut immédiatement le saint qui protégeait celle où Carnac l'entraînait. Saint Mathieu. L'ancêtre de Sophie s'était fait baptiser ici, sous sa protection particulière. Son cœur s'emballa. Le nom du Saint lui insufflait une confiance nouvelle. Oui, elle retrouverait l'acte !

— Oh, je vois un prêtre ! À vous de jouer, l'encouragea soudain Carnac.

— Vous ne venez pas avec moi ?

— Voulez-vous aussi que je vous tienne la main ?

Étienne serra les dents et s'avança, les nerfs à fleur de peau, vers le curé occupé à ramasser un livre de prières oublié sur un banc.

À moins de trois mètres de lui, Étienne se tourna pour vérifier où se trouvait Carnac. Celui-ci allumait un cierge en dessous d'une statue de sainte. Pour qui brûlait-il cette bougie ? Pour lui ? Pour un proche disparu ? Il y avait tellement de choses qu'Étienne ignorait sur lui.

— Puis-je vous aider mon enfant ? Vous me semblez perdu.

Le curé, un homme d'une soixantaine d'années avec des cheveux gris courts seulement sur le côté de son crâne, lui souriait d'un air affable. Étienne prit son courage à deux mains.

— Bonjour, mon père, je suis…

Il allait dire « Étienne », mais se tut au dernier moment. Mentir au sein d'une église, et, qui plus est, à un représentant de Dieu, reviendrait à blasphémer. Son malaise s'accentua et il balbutia :

— Je suis venu au nom de mon père, le baron Charles de Kerdelec, hélas souffrant.

Au moins, il ne s'agissait pas d'un mensonge. Son père ne lui avait pas explicitement ordonné de se rendre à Saint-Malo, mais le fait qu'il soit sorti de son apathie pour réciter l'acte notarié… Oui, Étienne l'interprétait comme un signe du destin.

— Vous m'en voyez navré, mon enfant. Souhaitez-vous que nous organisions une messe pour son rétablissement ?

— Non, merci. Je… je suis à la recherche d'une preuve de baptême datant du siècle dernier. Le baptême d'un de mes ancêtres, qui a eu lieu ici même.

Le prêtre le fixa quelques secondes, puis plaça ses bras dans son dos d'un air ennuyé.

— Je suis désolé, mais une autorisation est nécessaire pour consulter nos archives, surtout aussi anciennes. Vous devriez introduire une demande auprès du vicaire perpétuel ou du chapitre.

Introduire sa demande ? Alors que le document se trouvait ici, quelque part ?

— Et combien de temps cela prendrait-il ?

— Dieu seul le sait.

L'homme de foi leva les yeux vers la croix et Étienne se décomposa.

— Mon père, pardonnez-moi d'insister, mais le destin de ma famille dépend de ce document !

Le curé secoua la tête. Le dos d'Étienne se voûta.

— Monsieur de Kerdelec a oublié, semble-t-il, de vous donner ceci.

Étienne sursauta en entendant la voix forte de Carnac résonner contre les murs de l'église. Le prêtre fronça les sourcils, mécontent, mais accepta tout de même la lettre cachetée.

L'estomac noué, Étienne fixa ce dernier. Ses traits, d'abord neutres, marquèrent de plus en plus la surprise. Quand ses yeux atteignirent la fin du papier, il soupira :

— Jeune homme, la prochaine fois, mentionnez directement le nom de votre protecteur.

Son protecteur ? Étienne ne comprenait pas de quoi il parlait.

— Euh… oui. Mes excuses.

Il coula un regard vers Carnac qui conservait une attitude pleine de désinvolture.

— Hélas, le problème demeure, soupira l'homme en soutane. Nous avons certes conservé nos registres paroissiaux, mais rien n'est inventorié.

— Je me débrouillerai, assura aussitôt Étienne.

L'espoir faisait battre son cœur si fort qu'il résonnait jusque dans ses tempes.

— Nous n'avons personne de disponible pour vous aider…

— J'insiste.

Un nouveau soupir échappa au curé.

— Suivez-moi.

Le jeune Kerdelec ne se le fit pas dire deux fois. Il emboîta le pas au prêtre qui les mena jusqu'à une petite porte en bois dérobée, et ils franchirent une sacristie avant de descendre un escalier hélicoïdal fort sombre. Leur guide ne disposait que d'une lampe à huile pour les éclairer. La pierre sous leurs pieds était glissante. Plus ils descendaient, plus l'humidité imprégnait les lieux. Il faisait froid, et Étienne se félicita d'avoir gardé son épais manteau.

— Pouvez-vous me tenir ceci ?

Le prêtre tendit sa lampe à Étienne. Il ne put s'empêcher de détailler les alcôves et les sortes de tombeaux autour d'eux. Étaient-ils en dessous d'un cimetière ? Le prêtre cherchait une clé sur son large trousseau, et le temps qu'il la trouve sembla très long au jeune homme.

Quand la porte s'ouvrit, elle grinça si horriblement sur ses gonds que les poils se dressèrent sur la nuque d'Étienne. Le curé récupéra la lumière.

— Attention où vous posez les pieds.

Une forte odeur de renfermé refluait de la pièce. Peu à peu, Étienne s'habitua à l'obscurité et son cœur faillit s'arrêter. Des centaines et des centaines de gros livres à la reliure de cuir remplissaient des alcôves à même le mur. Un fin duvet blanc recouvrait la pierre par endroits, et des moisissures circulaires se déployaient sur les étagères en bois qui soutenaient également des liasses ou des ouvrages reliés. La place manquait, des piles à l'équilibre précaire s'élevaient jusqu'à la taille d'Étienne. Il n'y avait aucune fenêtre permettant une quelconque aération, ou à la lumière d'entrer.

— De quel côté se trouvent les registres paroissiaux de 1641 ?

Le curé leva les deux bras, paumes en l'air, pour exprimer son ignorance.

— Signalez-moi quand vous repartirez, je viendrai verrouiller. Je vous laisse la lampe, je connais ces lieux par cœur. Et saluez madame de La Pommeraye de ma part.

Les pas de l'homme de foi résonnèrent dans la crypte puis dans l'escalier. Quand le silence revint, le jeune Kerdelec soupira :

— Pourquoi ne pas m'avoir prévenu pour la lettre de recommandation ?

Carnac circulait entre les rayons – du moins, si on pouvait appeler ainsi l'espace entre les alcôves, les étagères et les piles au sol – d'un air distrait.

— Vous êtes un grand garçon. Ne m'auriez-vous pas reproché de prendre l'initiative à votre place ?

— C'est ce que vous avez fait en requérant ce document.

— Ai-je eu tort ? questionna Carnac.

Il sortit un mouchoir de son manteau et le posa sur son nez. L'odeur de moisissure qui imprégnait l'atmosphère devenait de plus en plus dérangeante.

— Yseult compte parmi les donateurs de la cathédrale, j'ai pensé…

— Pardonnez mon aigreur, soupira Étienne. Vous avez eu raison. C'est juste…

Son regard lécha une nouvelle fois la masse énorme face à eux. Il secoua la tête. Il ignorait par où commencer. Cependant, il refusait de laisser le découragement l'envahir !

Carnac s'étira les bras et la nuque et offrit un large sourire à Étienne. Le comte semblait d'humeur joyeuse, ce qui était étrangement rassurant.

— Cherchons d'abord s'il y a la moindre logique dans ce… rangement. Nous n'avons qu'une source de lumière. Nous allons donc investiguer par zone, d'accord ?

Étienne acquiesça. Que Carnac ne renonce pas devant l'ampleur de la tâche le motivait d'autant plus.

— Bien, par là. Ces documents ont l'air plus anciens.

Concentrés, ni Étienne ni Carnac ne prononcèrent le moindre mot durant les heures qui suivirent. Les conditions de travail ne facilitaient pas leur entreprise. L'éclairage de la lampe à huile était irrégulier, mais indispensable pour pouvoir lire les documents, et chacun devait attendre que l'autre ait fini pour étudier une nouvelle liasse.

Les livres reliés n'offraient aucun répertoire ou inventaire, ou même un simple titre. Pire, l'écriture se révélait petite, complexe, et pas du tout soignée. Sans compter tous les documents en latin dont Étienne ne comprenait pas le moindre mot. Si son jumeau lui laissait volontiers ses cours d'escrime, jamais Sophie n'avait dû le remplacer dans ses cours de langue. Le véritable Étienne aurait sans doute été ravi de se retrouver là, à des dizaines de mètres sous terre, en compagnie de vieux documents à moitié moisis.

— Pensez-vous que le baptême ait été inscrit en latin ? chuchota le faux Étienne, inquiet que son manque de connaissance nuise à leur recherche.

— Vous avez lu la copie du notaire, n'est-ce pas ? Tout était en français ?

Carnac souffla sur un vieux volume. Une fine pellicule blanche s'envola alors et il se tourna pour ne pas l'inhaler.

— Oui, confirma Étienne en reculant prudemment.

— Un notaire est censé retranscrire mot pour mot le document qui lui est présenté. Et, s'il le traduit, il le précisera. Vous pouvez donc éliminer les textes en latin. Cependant, prenez garde, j'ai remarqué des ouvrages qui commençaient dans une langue et qui finissaient dans une autre.

— À la bonne heure…

C'était une véritable torture. Plus il avançait, plus sa confiance de trouver enfin ce qu'il cherchait déclinait. Il repéra certes des mentions de baptêmes, mais jamais de la période qui l'intéressait. De plus, ces volumes se trouvaient parmi d'autres qui n'avaient rien à voir, comme des registres de décès, des inventaires ou des comptes de la chapelle. Il dénicha même une vieille liste de donateurs datant de 1549.

Les heures défilaient, longues et douloureuses. Les yeux d'Étienne le brûlaient, son nez le chatouillait et une gêne tenace lui prenait la gorge.

— Je crois que nous allons arrêter pour aujourd'hui.

— Mais nous n'avons pas encore trouvé le document ! objecta Étienne.

Il inspira un peu trop fort et se mit à tousser.

— Il ne disparaîtra pas. Et j'ai faim, conclut Carnac.

— Alors, allez-y sans moi, gronda-t-il, têtu.

— D'accord.

Étienne faillit faire une remarque, mais au fond… En quoi ces recherches concernaient-elles Carnac ? Il avait déjà eu de la chance qu'il l'aide durant tout ce temps.

— Hé ! s'écria-t-il alors que le comte sortait de la pièce avec leur seule source de lumière. Attendez ! La lampe ! Laissez-la-moi.

— Non.

— Carnac !

Étienne gagna l'escalier, mais le comte gravissait déjà les marches. Quel fat ! Il lui emboîta le pas, le dos et la nuque douloureuse d'être resté trop longtemps crispé. Quand il émergea dans la sacristie, la différence de luminosité lui piqua les yeux.

Il battit des paupières, puis avança sa main pour les frotter. Une poigne se referma alors sur son bras.

— J'éviterais si j'étais vous.

Carnac avait abandonné la lanterne, et sa main libre s'agita devant le visage d'Étienne. La pulpe de ses doigts était aussi noire que le charbon, comme le bout des manches de sa chemise. Une fine pellicule verte s'y ajoutait. Dégoûté, Étienne esquissa une grimace et avisa ses propres vêtements. Ils étaient dans le même triste état.

Carnac le relâcha et soupira :

— Allons respirer de l'air non vicié, nous laver et manger.

Étienne reconnaissait la pertinence de ces propos. Pourtant, il ne parvenait pas à se résoudre à abandonner déjà les recherches.

— Nous allons trouver votre document sans que nos recherches altèrent votre santé. Pensez-vous vraiment que vos sœurs seraient heureuses que vous rentriez avec l'héritage, mais malade ?

Non, en effet… Le jeune homme baissa la tête, trop fier pour reconnaître que le comte avait raison, lorsque son estomac gronda si fort qu'il eut l'impression que le bruit se répandait dans toute la cathédrale.

— Je prends ça pour un signe d'assentiment, ricana Carnac.

10

— Vous êtes répugnants ! Et… Grand Dieu ! Avez-vous fumé quelque drogue pour avoir les yeux aussi rouges ? les houspilla madame de La Pommeraye à leur retour.

Sans s'encombrer de manières, elle se rapprocha de Carnac et tira sous son œil. Celui-ci avança sa main vers le visage de la dame, et elle recula comme s'il avait la peste.

— Mieux encore, il s'agit de la nouvelle arme des culs bénis contre les libertins dans mon genre !

Madame de La Pommeraye éclata d'un rire clair et si spontané qu'Étienne en demeura coi. Leur hôtesse ne tentait même pas de se maîtriser. Jamais, à Rennes, une dame de noble condition ne se serait permis un tel comportement. Son rire franc ressemblait davantage à celui des paysannes, ou encore de Nanou, débarrassée de tout filtre. Un élan d'affection l'emporta et, quand la maîtresse de maison s'apaisa, Étienne décréta :

— Merci pour votre recommandation. J'espère qu'un jour je trouverai un moyen de vous rendre la pareille.

— Vous êtes mignon, monsieur de Kerdelec.

Étienne s'empourpra, ce qui accentua l'amusement de madame de La Pommeraye.

— Allez vous laver, la table est prête.

Carnac ne se le fit pas dire deux fois et emprunta l'escalier, bientôt suivi d'Étienne. Celui-ci procéda à une rapide toilette derrière le paravent – on n'était jamais trop prudent – et changea de chemise. Il n'en revenait toujours pas à quel point il rentrait dégoûtant de cette escapade. C'était comme si son inconscient l'alertait d'un danger. Le même genre de danger qui l'empêchait de boire une eau vaseuse.

Il se retrouva à dévorer le repas, tandis que madame de La Pommeraye parlait avec une certaine gaieté. Étrangement, la table dressée était ronde, empêchant de marquer la moindre hiérarchie entre les personnes assises. Zilia, la jeune domestique péruvienne, mangeait également avec eux. Madame de La Pommeraye ne semblait pas se soucier d'étiquette, ce qui était déstabilisant et rafraîchissant à la fois. Mieux, elle accepta les excuses d'Étienne sans se fâcher, tout comme Zilia qui lui accorda un sourire bienveillant.

— Je vous fournirai plusieurs lampes à huile pour demain, déclara leur hôtesse. Monsieur le curé s'est montré ouvert, mais il n'appréciera pas de dépenser son argent en éclairage. Nous allons également prévoir des linges parfumés pour vous aider à respirer dans ce cloaque.

— Merci, madame.

— Et si je vous faisais découvrir la ville cet après-midi ? proposa le comte.

— Vous ne pourriez rêver meilleur guide, affirma Yseult de La Pommeraye.

— Je pensais plutôt retourner à mes recherches.

— Laissez le temps à vos poumons de récupérer, le tança Carnac. Nous nous rendrons à la cathédrale demain, à la première heure.

Que répliquer à ça ? Et puis, avait-il vraiment le choix ? Il n'était qu'un invité en ces lieux…

— Alors c'est d'accord.

— Très bien. Partons dès maintenant dans ce cas !

Le comte quitta la table. Son entrain si soudain avait de quoi laisser perplexe. La jeune Zilia s'esclaffa et madame de La Pommeraye se leva à son tour avant de quitter la pièce avec le sourire.

— Je… Est-ce que vous me laisseriez juste cinq minutes pour écrire une lettre à mes sœurs ? J'aimerais les rassurer sur le fait que nous sommes bien arrivés.

Le sourire du comte s'élargit et la méfiance gagna Étienne.

— À condition que vous écriviez à Sophie que je pense à elle.

Le jeune homme déglutit, et acquiesça. Même à une centaine de kilomètres, le comte continuait de s'accrocher à elle ! Il faudrait bien qu'à un moment donné, ils mettent leur relation au clair… Mais pas maintenant. Il prit congé et se dépêcha de gagner sa chambre. Du papier se trouvait dans un beau secrétaire en bois blanc, et il eut l'embarras du choix entre les encres.

Ma chère mère,

Pardonnez mon départ si soudain de la maison. Je suis à Saint-Malo pour régler l'affaire dont vous vous doutez. N'ayez crainte, et surtout prenez soin de mes cadets le temps que je rentre.

Je compte sur vous,

Avec tout mon amour,

Étienne

Il s'appliqua pour imiter la belle écriture ronde de son jumeau. Sophie avait tendance à écrire plus penché et de manière plus nerveuse, il fallait être pointilleux. Le faux Étienne déposa la feuille sur le côté pour la laisser sécher, puis se saisit d'un nouveau feuillet.

Ma chère Louise,

J'espère que cette lettre te parviendra en mains propres. Je suis bien arrivé à Saint-Malo et je n'oublie pas ma mission. Ne t'inquiète pas pour moi, je ne suis pas seul et j'ai la chance de pouvoir compter sur un protecteur bienveillant.

Sois forte et gagne du temps.

Embrasse fort Héloïse, Nanou et Pilou de ma part.

Ton frère,

Étienne

P-S : Peux-tu dire à Sophie qu'elle manque au comte de Carnac et qu'il pense à elle ?

P-P-S : Si tu veux me contacter, écris-moi à l'auberge du Qui Qu'en Grogne.

Étienne ne put s'empêcher de lever les yeux au ciel en écrivant les post-scriptum. Mais si madame de Verteuil s'emparait de la lettre… il préférait prendre ses précautions et ne pas lui livrer le lieu exact de son séjour. Pareillement, il s'était limité dans son message par crainte des regards indiscrets. Il brûlait de poser à Louise un tas de questions : comment allait leur père ? Est-ce que Nanou demeurait calme et mangeait bien ? Il s'inquiétait aussi des ennuis qu'aurait pu leur causer monsieur Lambert s'il revenait bientôt de Paris, ou encore de ce maudit monsieur de Rougemont.

Le jeune homme inspira et tenta de chasser ses inquiétudes. Quoi qu'il se passât à Rennes, il n'avait aucune emprise dessus et devait l'accepter.

Il fit fondre de la cire sur les lettres repliées puis, ragaillardi à l'idée de se dégourdir les jambes, descendit l'escalier. Carnac se trouvait déjà là, en manteau et bottes. Étienne lui sourit et le comte l'observa avec des yeux brillants.

À cet instant, on frappa à la porte. Oscar apparut si vite qu'Étienne eut l'impression qu'il avait traversé le mur.

— Bonjour, je cherche monsieur Étienne de Kerdelec. Au *Qui Qu'en Grogne,* on m'a dit qu'il séjournait…

Le cœur d'Étienne bondit dans sa poitrine. Malgré son hostilité envers le vicomte de Chevigné, Carnac avait donc laissé leur adresse à l'auberge ? Le domestique ouvrit la porte, et Mathieu apparut, aussi beau qu'un ange. La surprise marqua son visage en découvrant Étienne, puis un merveilleux sourire l'illumina.

— Vous vous apprêtiez à sortir ? Peut-être à visiter la ville ? Si je ne suis de trop, puis-je vous accompagner ?

— Bonjour, bégaya quasiment Étienne. Oui, j'allais sortir…

Il se tourna vers Carnac qui demeurait en retrait, invisible à l'œil du vicomte. Ses traits s'étaient rembrunis et, sans un mot, il dépassa Étienne.

— Carnac, salua sèchement le vicomte.

— Chevigné, répondit celui-ci avec une expression insolente avant de gagner la rue.

— Monsieur de Carnac ! l'interpella alors Étienne.

Celui-ci se contenta de lui faire un geste de la main, avant de disparaître à une intersection et de le laisser en plan.

— Je peux donc vous accompagner ? questionna Mathieu, qui avait retrouvé toute sa bonne humeur.

Étienne secoua la tête, perturbé. L'animosité entre ses deux compagnons n'allait pas en s'arrangeant.

— Euh, oui, allons nous promener.

Oscar lui tendit son manteau nettoyé ainsi que son chapeau et Étienne s'engouffra dans la valeureuse cité en compagnie de Mathieu de Chevigné.

En compagnie de l'homme qui aimait Sophie et qui ignorait encore combien il était aimé par elle.

11

Sophie flottait sur un petit nuage de bonheur. Elle éprouvait des difficultés à se rappeler qu'elle devait jouer le rôle d'Étienne. La présence de Mathieu de Chevigné chassait tous ses soucis. Elle buvait ses paroles, que ce soit le descriptif de la vieille ville ou ses histoires sur la cité corsaire. Elle faisait son possible pour conserver ses distances, alors qu'elle mourait d'envie de lui prendre le bras et de se coller à lui.

— Vous êtes souvent venu ici ? questionna Sophie, ou plutôt Étienne. Vous semblez bien informé.

— À plusieurs reprises, oui. Même si le port a perdu de sa superbe après le traité de Ryswick, il a gagné des ouvertures avec le Nouveau Monde. Ma famille y a toujours quelques affaires.

Étienne s'efforça de garder son sourire. Il n'avait rien retenu de ce que ses professeurs lui avaient appris du traité de Ryswick, excepté qu'il mettait fin à la guerre entre Louis XIV et une coalition de royaumes comme l'Angleterre et l'Espagne.

— Mais je dois reconnaître que ce qui m'attire le plus est l'aspect stratégique du lieu.

Ils marchaient dans les rues d'un pas léger, s'arrêtant çà et là pour admirer quelques vieux bâtiments du xve siècle, notamment une belle tour ronde, au sommet octogonal.

— Une minuscule citée engoncée dans de formidables remparts, déclama Mathieu en tendant le bras. Les marées qui engloutissent la baie et qui l'isolent sur son rocher. Une cité dont le seul lien avec la terre est ce Sillon que la mer a bâti au fil des siècles… N'est-ce pas fabuleux ?

— Si, reconnut Étienne, avec bonne humeur.

— Ah, nous arrivons !

Mathieu de Chevigné lui attrapa le bras et l'entraîna à sa suite. Étienne ouvrit alors grand les yeux. Il l'avait vu en arrivant, mais depuis le sommet des remparts, le château d'allure médiévale qui s'étendait devant eux avait l'air encore plus majestueux ! De hautes tours bordaient les murs.

— Est-ce d'ici qu'on tirait sur les Anglais ? questionna Étienne d'une voix impatiente.

— Même si vous ne jouiez pas aux corsaires avec nous, je me doutais que cela vous impressionnerait.

Étienne rougit. Son enthousiasme allait-il le trahir ?

— Mais non, ajouta Mathieu, apparemment ravi d'être utile. Ce château a été construit contre les Malouins.

— Contre les Malouins ? Pourquoi ? Ça n'a aucun sens.

— Oh si. Si vous pensiez que les Bretons étaient déjà fort indépendantistes, ce n'est rien en comparaison des habitants de Saint-Malo. On est malouin avant d'être breton, et breton avant d'être français. La reine Anne de Bretagne a construit ce fort pour mater toute rébellion. Vous voyez la plus grosse des tours, là ?

Ils se rapprochèrent.

— On la nomme Quic-en-Groigne. Voyez son sommet qui domine toute la ville. La reine y avait installé des canons. Non tournés vers l'extérieur, mais bien vers l'intérieur.

— Elle se méfiait tant que ça de Saint-Malo ?

— Oui, ce n'est pas pour rien que les Anglais surnomment la cité le « nid de frelons ».

Étienne retint une expression d'admiration. Que n'aurait-il pas donné pour monter sur ces remparts et visiter ces tours !

— Et, à présent, il s'agit juste d'un lieu de défense ?

Mathieu, tout sourire, plaça ses bras dans son dos avant de répondre :

— Vauban et Garangeau l'ont modifié afin de pouvoir y installer des pièces d'artillerie. Des casernes ont également été ajoutées. Je suppose qu'on y enferme aussi les Bretons un peu trop récalcitrants.

Étienne frissonna. Il n'était plus aussi sûr de vouloir visiter les lieux. Il repensa au baron de Kerdelec, et à sa trahison envers la Couronne. S'il n'avait pas joué de chantage, son père croupirait sans doute dans une prison.

Mathieu éclata soudain de rire.

— Vous a-t-on déjà dit qu'on lisait en vous comme dans un livre ouvert ?

Étienne se renfrogna. Carnac avait déjà sous-entendu la même chose. Il devait arrêter de laisser ses pensées le tourmenter !

— Excusez-moi, il ne s'agissait pas d'une critique, précisa Mathieu, d'un ton plus doux. Vous me mettez en confiance, Étienne. Avec vous, je ne me sens pas obligé de rester sur mes gardes. J'aurais adoré avoir un petit frère comme vous.

Un petit frère ? Voilà qui n'arrangeait pas trop ses sentiments. Même si, à la réflexion, ce serait bien pire si Mathieu tombait amoureux de celui qu'il prenait pour Étienne.

— Je meurs d'envie d'aller sur la plage ! déclara alors Étienne. Avez-vous encore du temps devant vous ?

— Tout le temps que vous voudrez.

Étienne essaya de ne pas rougir et se dirigea vers la baie qui se trouvait non loin d'eux. Ils dépassèrent l'abri des remparts et se retrouvèrent sur le sable. D'abord, le jeune Kerdelec hésita à avancer. C'était stupide, mais il n'était encore jamais allé sur une plage de sa vie. Son premier réflexe fut de regarder la mer qui se retirait petit à petit. Des individus se pressaient autour d'eux : marins, enfants, Malouins avec ânes ou chevaux chargés de paniers vides. Sur les rochers révélés par la marée basse, des individus pêchaient déjà ce qu'Étienne crut identifier comme des crabes et différents crustacés.

Le vent, l'odeur de la mer, le soleil qui réchauffait son visage… sans oublier la présence de Mathieu. Étienne n'aurait pas pu rêver meilleur moment. Le vicomte aussi gardait un beau sourire plaqué sur les lèvres. Il ne parlait plus, comme s'il voulait laisser Étienne profiter du moment présent. Celui-ci ne savait plus où regarder entre tous ces gens qui s'agitaient, la faune, la mer qui semblait disparaître à des kilomètres, ou encore les gros troncs élimés plantés en lignes, perpendiculaires au rivage.

— Je n'ai pas pu vous le demander en arrivant, mais qu'est-ce ? questionna-t-il en s'en rapprochant.

Ces fameux rondins étaient enfoncés de manière régulière et l'impressionnaient fort. Il y a quelques années, il aurait certainement essayé de les escalader.

Une mousse verte recouvrait la base, et des inscriptions marquaient le bois par endroits, comme autant de souvenirs offerts aux flots. Le dessus, sec, se révélait plus clair.

— Ce sont des brise-lames, expliqua Mathieu. Ils permettent de ralentir les vagues, ce qui diminue leur puissance quand elles frappent la digue. Ainsi les impacts sont moins forts et Saint-Malo n'est pas fragilisé.

— Oh…

Impressionné, Étienne les détailla d'un peu plus près. Ici, deux noms avaient été gravés ensemble : *Marie et Pierre.* Il ne put s'empêcher de rêvasser en pensant aux amoureux qui se réfugiaient sur cette plage. Est-ce qu'un jour Mathieu lui proposerait de graver leurs prénoms dans le bois ? Non, avant ça, il devrait se déclarer… Et ce n'était pas à un homme qu'il allait avouer ses sentiments.

12

Étienne avait passé un fabuleux moment en compagnie de Mathieu de Chevigné. Le soir venu, celui-ci l'avait raccompagné à l'hôtel de La Pommeraye et lui avait promis de le retrouver le lendemain. Tout à son bonheur, Étienne avait oublié de remettre les lettres pour sa famille à un relais, aussi demanda-t-il à Oscar de les envoyer pour lui.

Une légère ombre planait toutefois sur son bonheur. En rentrant, Étienne craignait la réaction de Carnac. Après tout, il s'était proposé de lui faire visiter la ville, et voilà que Mathieu s'était substitué à lui.

— Monsieur de Carnac, l'arrêta-t-il peu avant le repas.

— Monsieur de Kerdelec ?

Le comte avait répondu d'un air neutre, très différent de l'irritation à laquelle s'était attendu Étienne.

— Je suis désolé pour tout à l'heure. Vous vouliez me faire visiter et…

— Mon cher Kerdelec, l'interrompit Carnac avec un fin sourire. Détrompez-vous. J'ai pu goûter les délices d'un ami de longue date. De plus, ne pas devoir vous chaperonner m'a retiré une épine du pied.

Le comte s'inclina, avant de monter l'escalier menant aux chambres. Étienne l'observa, confus. Au dernier moment, son camarade s'arrêta et ajouta avec moquerie :

— Hélas pour vous, monsieur le vicomte n'a pas mon talent de guide. Quoi qu'il ait pu vous montrer et vous raconter, cela devait être bien fade.

Étienne ne put s'empêcher de sourire, rassuré. Il se contenta de saluer le comte d'un signe de tête, qu'il lui rendit. Tout s'arrangeait, et il en était heureux. D'ailleurs, il se félicita d'avoir pu parler avec Carnac avant le repas, car celui-ci passa la soirée ailleurs. Étienne n'osa pas interroger madame de La Pommeraye, qui se révéla cette fois encore une hôtesse charmante. Peut-être que tous deux savaient où les goûts de Carnac le poussaient la nuit… et ne souhaitaient pas y penser.

Trois jours passèrent de la sorte. Chaque matin, Étienne retrouvait Carnac pour poursuivre leurs laborieuses recherches à la cathédrale. Si leur travail restait infructueux, il était toutefois facilité par les lampes et les linges parfumés mis à leur disposition par madame de La Pommeraye.

Et chaque jour, après le déjeuner, Mathieu venait chercher Étienne pour lui faire visiter la ville. Au départ, saisi par la culpabilité, le jeune homme avait tenté d'y inclure Carnac. Cependant, l'orgueil de celui-ci avait douché tous ses remords. Apparemment, Étienne monopolisait déjà ses matinées et Carnac avait « d'autres affaires à régler ». Alors, seul avec Mathieu – le jeune Kerdelec n'allait pas s'en plaindre –, il découvrit ainsi le marché, les différents quartiers pleins de vie et il put flâner le long de la plage à marée basse.

La seule ombre au tableau, mis à part les heures infructueuses passées dans les archives, était l'absence de réponse de Louise. Avait-elle reçu sa lettre ? Se montrait-il trop impatient ? Après tout, il ignorait combien de temps les relais prenaient pour distribuer le courrier.

— Monsieur de Kerdelec, un mot ? l'attrapa madame de La Pommeraye un soir alors qu'il allait se coucher.

Leur hôtesse l'invita à la rejoindre dans son petit salon et, aussitôt, son chat sauta sur les genoux d'Étienne. Celui-ci ne se fit pas prier pour le caresser.

— Comment avancent vos recherches ?

— Lentement, madame…, avoua le jeune homme.

Il se mordit la lèvre. Depuis une semaine, il abusait de l'hospitalité de madame de La Pommeraye. S'il avait eu au départ peur de sa réputation, il devait reconnaître qu'il l'avait mal jugée. Pas un seul moment, du jour ou de la nuit, il n'avait vu d'individus louches dans sa demeure. Il savait qu'elle tenait salon, mais ses sorties avec le vicomte ne lui avaient jamais permis d'y assister. Heureusement, car, à Rennes, il avait déjà pu constater à quel point rester sans bouger dans une pièce l'ennuyait. Il n'avait plus à supporter la « bonne société » pour faire plaisir à sa famille, et il savourait cette liberté.

— Je vous remercie pour tous vos bienfaits, commença-t-il. Si je peux faire quoi que ce soit…

— Oui, vous pouvez.

Madame de La Pommeraye, debout devant une étagère remplie de livres, caressa les couvertures, l'air songeur. Cette dame qui n'avait, semble-t-il, jamais de difficultés à dire le fond de sa pensée, semblait hésiter. Elle esquissa un sourire, mais celui-ci n'atteignit pas ses yeux.

— Pourquoi monsieur de Carnac a-t-il l'air si… mélancolique ?

— Pardon ?

Carnac, mélancolique ? C'était bien le dernier qualificatif qu'il aurait utilisé pour le désigner !

— Oui, enchérit-elle. Il a beau rendre visite régulièrement à un ami qui lui est pourtant cher, dès qu'il rentre, son regard s'éteint. Je ne l'avais plus vu de la sorte depuis longtemps…

Ses doigts se figèrent sur un ouvrage. Ses yeux, vides, indiquaient qu'elle n'était plus dans cette pièce. Où ses souvenirs la ramenaient-ils ? Étienne garda quelques secondes le silence avant de déclarer :

— Peut-être avez-vous raison. Pourquoi ne pas interroger l'ami en question ?

La curiosité l'avait saisi au sujet de cet individu. Qui était cet homme pour que Carnac lui consacre tous ses après-midi ? Pas qu'il fût jaloux – cela n'aurait eu aucun sens –, mais, à l'exception de Kaerell, le comte ne semblait apprécier personne de la gent masculine.

— C'est à vous que je pose la question.

Étienne haussa les épaules.

— Je ne suis pas assez proche de lui pour être en mesure de vous répondre.

— N'êtes-vous pas son ami, monsieur de Kerdelec ?

Le mot étonna Étienne. Son ami… Il y a peu, oui, il avait espéré l'être, mais l'attitude ambiguë du comte lui avait fait comprendre qu'il s'agissait d'une illusion.

— Antoine est complexe, poursuivit la maîtresse de maison. Il peut se montrer borné, prétentieux, blessant, mais il est fidèle. Jamais il ne vous aurait conduit ici s'il n'attachait pas une certaine valeur à votre relation.

Étienne se sentit honteux. Toute cette semaine, il n'avait pensé qu'à lui. Chercher son acte et passer du temps avec Mathieu. Se pouvait-il que Carnac ait des ennuis ? Et qu'avait fait Étienne ? Lui reprocher sa mauvaise humeur !

— Mais il se peut que je me fourvoie et que rien ne le tracasse particulièrement. Saint-Malo est riche en souvenirs pour lui. Sa mélancolie n'a peut-être aucune autre origine.

Madame de La Pommeraye saisit enfin un livre et s'installa dans un fauteuil.

— Autre sujet, aborda-t-elle. J'ai pu remarquer que votre ami et vous rentriez de plus en plus tard le soir.

— Mes excuses…

— Vous êtes libres de faire ce que vous voulez. Toutefois, je vous rappelle les règles de la maison. Et si jamais vous vouliez vous récréer… ailleurs, ce que je ne blâme absolument pas (elle sourit de manière étrange), je vous demande de bien rester à l'intérieur des remparts après que la cloche du couvre-feu a sonné. Après cette heure, ne vous retrouvez jamais, ô grand jamais, sur la baie.

— Oui, balbutia Étienne, perdu et embarrassé de ce qu'elle pouvait bien sous-entendre par ces éventuelles sorties nocturnes.

— Bien, c'est tout ce dont je voulais vous entretenir. Si vous êtes fatigué, n'hésitez pas à vous coucher.

— Merci, madame.

Il s'inclina, des pensées plein la tête. Il avait déjà entendu à plusieurs reprises cette fameuse cloche sonner, mais il ne s'était jamais inquiété de sa signification. Voilà que madame de La Pommeraye titillait sa curiosité.

— Madame, puis-je vous demander ce qu'il se passerait pour quelqu'un qui se retrouverait à l'extérieur des remparts après le couvre-feu ?

La dame haussa les sourcils sans quitter des yeux son livre.

— Mon cher monsieur de Kerdelec…

Étienne frissonna face au ton grave de son interlocutrice.

— Croyez-moi, vous ne voulez vraiment pas le savoir.

13

Plus les heures passaient dans la petite pièce humide et sombre, plus Étienne avait du mal à se concentrer. Ce n'était pourtant pas faute d'essayer. Il forçait sur ses yeux, et devait se rapprocher des lignes pour déchiffrer les différentes écritures.

Il avait fini par acquérir certains automatismes : les documents débutaient tous de la même façon, et il apprit bien vite à repérer les dates. Mieux, quand le scribe était le même sur une longue période, lire son écriture devenait plus aisé. Hélas, les efforts recommençaient à chaque nouvelle graphie.

— Que faites-vous cet après-midi ? tenta-t-il sur le ton de la conversation.

Carnac et lui étaient capables de rester des heures dans ces archives sans prononcer le moindre mot. Le comte prenait à cœur sa mission, ce qui accentua encore le sentiment de culpabilité d'Étienne. Carnac avait beau se montrer ambigu, il tenait parole, il l'aidait à chercher la preuve de baptême de son aïeul, alors que celle-ci pourrait le spolier de son propre héritage. Il méritait davantage de considération de la part d'Étienne.

N'ayant pas obtenu de réponse, le jeune Kerdelec répéta, un peu plus gêné :

— Si vous n'avez rien de prévu, voulez-vous vous promener un peu en ma compagnie ?

— Le vicomte de Chevigné vous aurait-il abandonné ?

Son ton, à la fois léger et distant, embarrassa Étienne.

— Non, avoua-t-il. Je me disais juste que, depuis notre arrivée, nous n'avons pas passé beaucoup de temps ensemble…

— Pourtant nous partageons les matinées et les débuts d'après-midi ici.

Carnac continuait de lire comme si de rien n'était, alors qu'Étienne se retenait de se balancer d'un pied sur l'autre.

— Certes, certes… Mais ce n'est pas pareil.

— En effet, reconnut Carnac. Avec le vicomte, vous paraissez en ville sans aucun embarras. Tandis que nous… Nous passons notre temps dans une pièce sombre, à l'abri des regards, là où personne ne peut témoigner de ce que nous faisons réellement.

Carnac releva la tête et plia sa nuque d'un côté puis de l'autre pour l'étirer.

— Seriez-vous en train de me suggérer de nous livrer à d'autres occupations que la lecture dans cette crypte ?

Étienne se retint de répliquer. Voilà que Carnac recommençait avec ses pensées audacieuses sinon outrageantes !

— Ce que je veux dire…

Le comte se rapprocha de lui telle une ombre. Son manteau se fondait dans l'obscurité de la pièce, lui octroyant une dimension spectrale. Étienne déglutit tandis qu'il se penchait vers lui :

— Est-ce que la présence du vicomte vous ennuie ? Un mot de vous et je nous en débarrasse.

Étienne ouvrit grand les yeux de surprise et dévisagea Carnac. Celui-ci n'affichait plus l'ombre d'un sourire. Était-il sérieux ? Oui, il semblait l'être !

— Non, surtout pas ! objecta le jeune homme, peut-être de manière plus véhémente qu'il ne l'aurait voulu. Le vicomte de Chevigné est mon ami, je...

— Alors quel est le problème, monsieur de Kerdelec ?

— Je... (Pourquoi Carnac devait-il toujours rendre les choses aussi compliquées ?) Oh, vous m'agacez ! Je souhaitais simplement me livrer à une autre activité avec vous. Nous pourrions monter à cheval, ou, encore, vous pourriez m'infliger une nouvelle déculottée à l'épée.

Flatter l'ego du comte lui sembla soudain une excellente idée. Même si son orgueil en prenait un coup, il s'agissait d'une bonne approche. Car Étienne ne pouvait pas d'emblée lui demander : « Monsieur de Carnac, vous semblez fort soucieux. Confiez-vous à moi. Ce n'est pas parce que je préfère la compagnie du vicomte à la vôtre que vous ne pouvez pas compter sur ma personne. » Non, cela aurait été d'un très mauvais goût.

— Vous faire humilier vous manque donc à ce point ?

La voix moqueuse de Carnac faillit lui faire réévaluer sa décision. Il s'engouffrait directement dans la brèche ! Étienne toussota :

— Je suppose qu'une leçon d'humilité ne fait jamais de mal à personne.

— Vous humilier devant le vicomte ne me paraît pas approprié. Il me déteste déjà, n'allons pas jeter de l'huile sur le feu. Quoique en réalité, je m'en contrefiche.

Le comte ricana d'un air noir et Étienne soupira :

— Juste vous et moi.

Formuler cette phrase provoqua en lui un étrange sentiment. « Vous et moi », voilà qui sonnait assez incongru et beaucoup trop personnel. Néanmoins, il ne revint pas sur ses propos.

— Étienne, le vicomte vient vous chercher tous les jours.

— Je lui dirai que j'ai un empêchement.

Il tourna le dos à son compagnon, faisant mine de s'intéresser à un autre livre. Dieu que cette décision lui coûtait ! Son cœur réclamait la présence de Chevigné. Mais Carnac… Carnac méritait qu'il lui accordât de l'attention.

— Rien que pour pouvoir savourer son expression quand vous le lui annoncerez, je serais bien tenté d'accepter.

Étienne leva les yeux au ciel. Un souffle contre son oreille le fit alors sursauter :

— Puis-je choisir comment nous allons nous amuser ?

Sa voix, devenue d'un coup suave, faillit le faire frissonner. D'un geste nerveux, Étienne tourna la page de l'ouvrage pour se donner bonne contenance.

— Oui, mais pas de bordel.

— Pas de bordel, répéta Carnac avec une voix un peu plus rauque.

— Ou un quelconque endroit qui implique de retirer des vêtements.

— Quel dommage ! Moi qui allais vous proposer une baignade…

Étienne tourna une nouvelle page. Maintenant, il se rappelait pourquoi il détestait passer du temps avec Carnac à Rennes. Celui-ci se montrait imprévisible et dangereux. L'appréhension commença à le gagner et, d'une voix qu'il voulut ferme, il déclara :

— Ne comptez pas sur moi pour me baigner dans une eau si froide.

— Tant pis, vous resterez sur la plage et garderez mes vêtements pendant que je m'amuserai.

D'un pas léger, Carnac recula et Étienne parvint à respirer. Du moins, un court instant. Comment ça, « garder ses vêtements » ? Carnac ne nageait tout de même pas nu dans la mer ?

— Vivement cet après-midi.

Avec un sourire taquin, le comte regagna son ouvrage. Les mâchoires crispées, Étienne voulut répliquer quelque chose, mais à le voir ainsi… avec cette insolence nonchalante qui le caractérisait à Rennes… Il se sentit rassuré. Non, madame de La Pommeraye devait se tromper. Rien ne tourmentait Carnac. Et, si c'était le cas, il découvrirait vite quoi.

*

Ils rentrèrent à l'hôtel de madame de La Pommeraye de nouveau bredouilles. La tension tordait de plus en plus les entrailles d'Étienne tandis que les minutes s'écoulaient.

Comment renvoyer gentiment le vicomte lorsqu'il se présenterait, comme à l'accoutumée ? Prétexter une urgence aurait été facile, mais Étienne connaissait suffisamment Carnac pour savoir qu'il risquerait de provoquer Mathieu et de faire tomber son plan à l'eau. Or, Sophie, sous le masque d'Étienne, refusait que l'homme de sa vie pense qu'elle se moquait de lui.

Dès lors, que dire ? La vérité ? Qu'Étienne s'inquiétait pour Carnac ? Mathieu de Chevigné ne comprendrait pas. Il était tellement persuadé que le comte le manipulait. Mentionner son inquiétude ne ferait que renforcer sa méfiance et le regard dur qu'il portait sur leur relation. Ah, que c'était complexe !

Lorsqu'on frappa à la porte, Étienne sursauta si fort dans son fauteuil qu'il attira l'attention de Zilia et de madame de La Pommeraye. Fort heureusement, Carnac se trouvait à l'étage. Étienne tendit l'oreille. Bien vite, il reconnut la voix de Mathieu de Chevigné.

Cette voix douce et pleine de chaleur qui emportait son cœur dans une danse à chaque fois qu'il l'entendait.

— Pardonnez-moi.

Il abandonna là son hôtesse et sa domestique, pour rejoindre le hall.

— Bonjour, monsieur de Kerdelec, dit le vicomte avec un sourire moins jovial qu'à l'accoutumée.

Étienne remarqua alors le sac autour de son épaule.

— Je vais devoir m'absenter plusieurs jours. Des affaires urgentes que je ne peux plus différer.

— Oh, je comprends.

Une terrible déception envahit le jeune homme.

— Néanmoins, je ne pars pas avant plusieurs heures. Allons nous promener et profitons encore un peu ensemble de Saint-Malo.

Ciel ! Pourquoi le destin s'acharnait-il ? Le cœur d'Étienne saignait, mais il ne pouvait aller contre son engagement.

— Malheureusement (il avala sa salive, ces paroles lui coûtaient) je ne pourrai pas…

— Ah, monsieur le vicomte !

La voix de Carnac éclata en haut de l'escalier, et le comte apparut en trottinant gaiement sur les marches.

— Monsieur de Carnac, le salua Mathieu d'une révérence raide.

Le comte, un grand sourire hypocrite sur les lèvres, gagna leur niveau.

— Je suis navré de ne pas pouvoir m'attarder auprès de vous, mais une superbe journée m'attend…

Étienne se décomposait de plus en plus. Ne pouvait-il pas se taire ? Carnac appuya son bras sur l'épaule d'Étienne d'un geste nonchalant, et de l'autre fit quelques moulinés en l'air, comme Kaerell lors d'une représentation théâtrale. Étienne aurait dû réagir, mais il n'y parvenait pas. Avec Chevigné et Carnac dans la même pièce, il se sentait complètement désarmé.

— J'en suis ravi pour vous.

— N'est-il pas ?

Carnac tourna son visage malicieux vers Étienne, avant de se redresser, puis d'un coup… de les dépasser.

— Je rentrerai tard ce soir, dites à madame de La Pommeraye de ne pas m'attendre !

Il gagna la porte, sous le regard ahuri d'Étienne.

— Carnac ! le retint-il par réflexe.

Celui-ci s'immobilisa, puis esquissa un quart de tour pour le regarder.

— Une lettre de dernière minute reçue. Une connaissance de retour pour peu de temps… Vous me connaissez, Kerdelec, je ne dis jamais non à… un peu de plaisir.

Il attrapa son chapeau tendu par Oscar, puis sautilla vers l'extérieur. Étienne n'en croyait pas ses yeux. Carnac le laissait tomber pour aller folâtrer ? Alors qu'il était sur le point de sacrifier sa dernière journée avec Mathieu ? La colère gronda dans son ventre.

— Que vouliez-vous me dire ?

Le vicomte le fit presque sursauter. Face à son visage de nouveau inquiet, il sentit son énervement fondre.

— Rien, mentit-il. Allons-y, je suis heureux de pouvoir passer un peu de temps avec vous avant votre départ.

*

Un merveilleux après-midi. Oui, c'est ainsi qu'Étienne qualifierait ces dernières heures si on le lui demandait. Savoir qu'il ne reverrait pas le vicomte avant longtemps ajoutait encore plus d'intensité à chaque moment, à chaque réaction.

Lorsque le soleil commença à descendre bien bas, ils se promenaient tranquillement sur la plage. Le vent se levait, menaçant d'emporter le ruban qui maintenait les cheveux du vicomte en arrière. Il était beau ainsi, droit et noble aux côtés d'Étienne. Celui-ci évitait toutefois de trop le fixer. Il ne voulait pas le gêner et encore moins trahir ses propres sentiments. À la place, il détaillait les coquillages au sol et se retenait de les ramasser, craignant de paraître trop puéril. Déjà qu'il avait poussé le vicomte à l'attraper sur la plage… Non, pour cette dernière journée, il devait être sérieux.

— Nos promenades vont me manquer, avoua son ami.

Une douce chaleur monta dans le ventre d'Étienne.

— À moi aussi, répondit-il, avec un demi-sourire. Je vous remercie d'être resté tout ce temps.

— Je reviendrai dès que possible.

La voix pleine de détermination de Mathieu lui réchauffa le cœur.

— Il va falloir que j'y aille.

— Je sais.

Ils conservèrent le silence quelques secondes, marchant toujours côte à côte dans le sable fin, lorsque Mathieu ajouta :

— Nous n'avons pas reparlé de ce que je vous ai dit, la dernière fois. Mais maintenant que je repars à Rennes… Préférez-vous que j'attende votre retour avant de rendre de nouveau visite à votre famille ? Pas que je me déclare en votre absence, je veux que votre sœur soit certaine que je vous ai demandé la permission.

Le rythme cardiaque d'Étienne augmenta. Ciel ! Il n'avait pas pensé que, lui ici, Mathieu ne pourrait voir Sophie à Rennes. Si madame de Verteuil avouait son imposture, le vicomte lui en voudrait terriblement. Mais peut-être, aussi, comprendrait-il son dilemme. Et si… Et si le moment de tout lui révéler était venu ? Après tout, il valait mieux qu'il apprenne la vérité de la bouche de celle qu'il aimait. Oui, cela semblait plus honnête. En même temps… son sens de l'honneur ne l'obligerait-il pas à différer ses affaires ? Et si, à cause des secrets de Sophie, il négligeait sa propre famille au point d'avoir lui aussi des problèmes ? Le prix de la vérité lui sembla soudain bien trop lourd à porter. Même si Sophie désirait qu'il reste à ses côtés, elle ne pouvait le retenir. L'amour exigeait parfois des sacrifices…

— Vous êtes bien songeur, Étienne.

— Pardonnez-moi… J'ai toute confiance en vous, Mathieu. Faites comme bon vous plaira. Je vous l'ai dit, vous avez ma bénédiction.

— Merci, mon ami.

Le vicomte posa sa main contre son bras et Étienne dut se faire violence pour ne pas lui toucher la main… Pour ne pas l'embrasser.

— Je n'ai pas osé vous le demander clairement, mais… Pensez-vous que j'aie une chance d'être aimé en retour ?

Cette question accentua encore son sourire, tellement qu'Étienne en eut mal aux oreilles. Mathieu ressemblait à un petit garçon apeuré. Où était le vicomte si sûr de lui ? Cette vision ne fit que l'attendrir un peu plus.

— Vous ne le saurez qu'en vous déclarant.

— Vous êtes cruel, rétorqua Mathieu avec un faible sourire.

Ils firent quelques pas en silence, gagnant l'intérieur des remparts. Ils échangèrent encore dans la vieille ville, jusqu'à parvenir au relais où le cheval du vicomte l'attendait.

Mathieu paya pour le cheval et attacha son dernier sac à la selle. Le temps des au revoir avait sonné. Une boule compacte et douloureuse emprisonnait la gorge d'Étienne. Ses yeux le piquaient, et il se maudit d'être aussi émotif.

— Lorsque nous nous reverrons, annonça Mathieu, vous aurez retrouvé votre acte. J'en suis certain.

— Merci.

Étienne ne parvenait pas à prononcer un mot de plus. Le vicomte monta sur son cheval et le salua d'un signe de tête.

— Attendez !

Le cœur d'Étienne tambourinait à toute allure. Il mourait d'envie de lui crier « Mathieu, c'est moi, Sophie ! Vous allez terriblement me manquer et… Et je vous aime ! » Ses yeux plongèrent dans ceux de son ami. Pouvait-il seulement deviner un centième de ses sentiments ? De la vérité ?

— Ma sœur a de l'affection pour vous ! Soyez sans crainte.

Mathieu de Chevigné se figea, puis détourna brutalement la tête, ému. Après quelques secondes, il regarda de nouveau Étienne. La reconnaissance que le jeune Kerdelec lut dans ses prunelles l'ébranla. Un voile brillant les recouvrait, trahissant la puissance des sentiments que le vicomte avait si longtemps tus en la présence de la femme qu'il aimait.

Un élan de bonheur et de mélancolie faillit faire chavirer Étienne, mais il tint bon.

— Merci, merci de tout cœur, lui murmura Mathieu.

Il se pencha pour lui serrer l'épaule, puis se redressa sur son cheval, un sourire doux et tendre aux lèvres.

— J'aimerais vous appeler « beau-frère », mais ce serait présomptueux. Sachez toutefois que si votre sœur m'accepte… alors je comblerai sa vie de joie et de bonheur. Je lui offrirai tout l'amour qu'il m'est possible de donner.

Le cœur d'Étienne n'en pouvait plus de battre. Il fallait que le vicomte s'en aille, sans quoi il ne pourrait plus retenir la confession qui le taraudait.

— Je vous le promets, insista Mathieu. Si elle veut bien de moi, Louise sera la plus heureuse des femmes.

14

Jamais un coup n'avait été plus douloureux. Le sang d'Étienne se figea dans ses veines, sa respiration se bloqua. Des sueurs froides l'envahirent de la tête aux pieds.

Étienne n'eut pas la force de regarder Mathieu disparaître. La tête haute malgré le voile qui recouvrait ses yeux, le jeune homme se détourna et commença à marcher. Lentement, puis de plus en plus vite. Il fallait qu'il mette le plus de distance possible entre Mathieu de Chevigné et lui.

Comme un fou, il courut à en perdre haleine, sans réfléchir à sa destination. Bientôt, il déboucha sur la plage de sable fin, le dernier lieu où ils s'étaient promenés…

Vide, Étienne se rapprocha des vagues, de cette mer qui avançait et reculait, indifférente au chaos qui bouleversait son cœur. Ses bottes entrèrent dans l'eau et bientôt celle-ci lui atteignit les mollets. La morsure du froid n'apaisa toutefois pas la douleur. Ainsi à l'écart, seul face au soleil couchant, le déguisement de Sophie vola en éclats.

Les sanglots déchirèrent sa poitrine et secouèrent ses épaules.

Qu'elle était stupide !

Ses jambes l'abandonnèrent et elle se retrouva à genoux dans l'eau glacée. Ses doigts s'enfoncèrent dans le sable et une vague vint éclabousser son visage, sans qu'elle s'en souciât.

« Si elle veut bien de moi, Louise sera la plus heureuse des femmes. »

Louise.

Pas Sophie.

Louise…

Louise.

Louise !

Comment n'avait-elle rien vu ? Toutes ces venues à l'hôtel de Verteuil, ces moments où Mathieu de Chevigné leur rendait visite… Ce n'était donc pas pour la voir, elle, mais pour rencontrer sa sœur ? Et ces moments volés précieusement au temps ? Ces petites attentions qui étaient passées à travers Héloïse ? Non, Sophie ne les avait pas rêvés. Se pouvait-il que ce ne fût que de l'affection fraternelle ? Pire, était-il possible qu'elle ait elle-même creusé sa propre tombe ? Qu'à force de se travestir en Étienne et de délaisser Sophie, Mathieu se soit rapproché de son aînée ? Pas une seule fois, le vicomte n'avait dansé avec sa version féminine, alors qu'avec Louise… Les propos de Kaerell sur les bals, lieux de séduction par excellence, lui revinrent.

— Non, non, non, non ! hurla-t-elle en frappant de toutes ses forces les vagues.

Comment Louise avait-elle pu lui faire ça ? Comment sa sœur… Qu'importe. Revenir en arrière était impossible.

Des frissons l'envahirent et elle resserra son manteau trempé sur son corps. Elle avait froid, mais elle s'en fichait. Le soleil s'était quasiment couché, comme la vie en elle. Sophie avait mal… si mal… Comment une telle torture était-elle possible ?

Elle tombait de si haut ! Est-ce que la douleur aurait été aussi intense si elle n'avait pas cru leur histoire possible ? Si elle n'avait pas entretenu durant tant de temps de si cruelles chimères ?

Ses ongles s'enfoncèrent dans les pans de son manteau. Elle aurait voulu déchirer son cœur, l'arracher hors de sa poitrine, si seulement cela pouvait l'apaiser ! La peine et le désespoir la dévoraient de l'intérieur, elle était incapable de lutter.

Elle se laissa tomber sur le dos et ferma les yeux. Les vagues recouvrirent son buste et une partie de son visage. Toutefois, elle ne paniqua pas. Au contraire, si les flots pouvaient emporter un peu de sa douleur, elle l'accepterait volontiers. Elle voulait que tout cela se termine.

Oui, que tout se termine.

Une bonne fois pour toutes.

15

Allongée sur le sable, Sophie se laissa aller tandis que l'obscurité répandait son voile sur Saint-Malo. Hélas, si les premières vagues recouvrirent son visage, les suivantes ne firent que chatouiller son crâne, puis ses oreilles, et seulement son cou.

Un sourire fade lui échappa, et des larmes amères se remirent à couler. La mer non plus ne voulait pas d'elle… Était-elle pathétique à ce point ?

— Diable, tu crois qu'il est mort ? chuchota une voix d'homme.

Son compagnon lui répondit si bas que Sophie ne comprit pas ses mots. Fatiguée, elle trouva malgré tout la force d'articuler :

— Je ne suis ni mort ni blessé.

Redevenu Étienne, il se redressa sur son séant, portant la main à son épée. Mourir enseveli par les mers tel un vaillant corsaire était une chose, finir bêtement égorgé par des voleurs, une tout autre.

— Passez votre chemin si vous ne voulez pas que ce soit votre cadavre sur la berge.

Malgré les douleurs dans ses membres, Étienne se releva tout à fait, l'épée hors du fourreau. Les ténèbres l'empêchaient de voir davantage que deux ombres qui se découpaient dans la nuit. Quelle heure était-il ? Abandonné à son chagrin, il n'y avait prêté garde.

Un applaudissement lui parvint soudain, suivi d'un rire torve.

— Heureux de constater que vous êtes vivant.

— Oui, renchérit le second. Sinon nous aurions gagné moins.

« Gagné moins ? » Qu'étaient-ce que ces bêtises ? La poigne d'Étienne se raffermit sur son arme.

— Vous devez vous fourvoyer sur votre homme. Je ne cherche pas querelle…

— Étienne de Kerdelec, fils du baron Charles de Kerdelec. Faisons-nous erreur ? ricana la silhouette la plus haute.

L'étonnement gagna Étienne, suivi par une profonde lassitude. Ne pouvait-il donc pas avoir la paix ? Il baissa son épée et soupira :

— Non. Que me voulez-vous ?

— Nous ? Rien en particulier. Mais notre client, que vous retourniez à Rennes sur-le-champ.

— À Rennes ? s'étrangla Étienne.

Alors… Ses craintes étaient fondées. Sa tante avait envoyé des hommes pour le retrouver. Pour retrouver Sophie. Rosaline de Verteuil était-elle allée jusqu'à trahir l'imposture de sa nièce ? La situation devenait dangereuse.

— C'est dans mes projets, annonça-t-il tout de bloc. Bonne soirée, messieurs.

Il se détourna, sans quitter son épée des mains. Un « clic » retentit alors.

— Nous attendons depuis des jours que vous soyez seul. Vous n'irez nulle part, monsieur de Kerdelec.

Les épaules d'Étienne se voûtèrent. Braquait-on sur lui un pistolet ? Le découragement le saisit encore plus. Et s'il se laissait simplement faire ?

— Donnez-nous votre épée.

Toutefois, quelque chose au creux de son ventre refusait d'obéir.

Les deux sbires se rapprochèrent et le jeune homme distingua cette fois parfaitement les deux pistolets braqués sur lui. Vêtus d'un très long manteau qui devait certainement dissimuler d'autres armes, ils ne portaient pas de chapeaux. L'un d'eux avait le visage grêlé de cicatrices de petite vérole et l'autre un odieux chicot dans la bouche. Des frissons gagnèrent Étienne. Où sa tante, si délicate, était-elle allée dénicher ces deux énergumènes ?

Au lieu de leur donner son épée, il leva le menton, lorsqu'un coup brutal le cueillit à la mâchoire. Sous l'effet de la surprise, il fit tomber son arme.

— Ça, c'est pour nous avoir fait attendre tout ce temps !

À peine se redressait-il qu'un poing dans l'estomac lui coupa le souffle. Il tituba en arrière et, cherchant son épée des yeux, maugréa :

— Je croyais que votre client me voulait vivant ?

— Oui, mais il a précisé qu'une bonne leçon ne te ferait pas de tort ! Mieux : il nous a demandé de te blesser comme tu l'avais blessé…

Étienne écarquilla les yeux et le doute le saisit. Madame de Verteuil était fourbe, mais pas à ce point. En revanche, quelqu'un comme Lalanville, ou Rougemont, à qui il avait laissé une vilaine balafre…

Un rire le ramena au moment présent et il eut tout juste le temps de voir un homme foncer sur lui. Étienne, une brindille en comparaison de son assaillant, était trop démuni pour se défendre. Toutefois, face à ce second assaut, il se laissa tomber, déstabilisant son ennemi. À défaut de refermer ses doigts sur la lame de son père, il les referma sur le sable et l'envoya en pleine figure de son opposant.

— Sale jean-foutre ! cria celui-ci en un grognement de rage.

Étienne se redressa le plus vite possible et poussa son agresseur contre son comparse. Un coup de feu partit et la peur le saisit avec virulence. Aucune douleur n'éclata dans son corps, le vérolé avait raté sa cible. De toutes ses forces, il courut sur la plage vers les remparts. Il fallait qu'il les atteigne et trouve des gardes. Oui, c'était sa meilleure option.

Un coup brutal à la tête le fit soudain voler par terre. Étienne mangea le sable. Il lui fallut quelques secondes pour reprendre ses esprits et comprendre ce que disaient les voix autour de lui :

— Alors, j'ai pas bien fait de rester en retrait ?

— C'est qu'il court vite, l'enflure !

Un coup de pied dans le flanc – pile au niveau de sa blessure – l'obligea à rester au sol.

— Et si on s'amusait un peu avant de le ramener ?

Le corps perclus de douleur, Étienne ne parvint pas à s'opposer lorsqu'on le redressa sur ses pieds. Un nouveau poing s'abattit dans son ventre.

— Attendez, j'ai une meilleure idée !

Il sentit des mains fouiller ses poches, tandis qu'un liquide chaud coulait de son nez. Et puis, d'un coup, on lui arracha son manteau.

— Donne-le-moi.

On le poussa dans le dos et il heurta un homme, puis un deuxième. Ils jouaient avec lui comme avec une balle, si bien qu'il ne réussissait pas à retrouver son équilibre. Soudain, des mains le retinrent, posées sur sa poitrine.

— Hé, les gars… y a de la forme là-dessous.

— Qu'est-ce que tu racontes ?

L'angoisse saisit Étienne. Il devait se défaire de ces brutes, et maintenant ! Des doigts sales et immondes se reposèrent sur ses seins, et d'autres… entre ses jambes.

— Foutrebleu ! C'est une garce !

— T'es sûr que c'est elle qu'on t'a fait chercher ?

— Le client a rien précisé… Mais s'il nous a dit de nous amuser… Pourquoi s'en priver ?

Des rires gras s'élevèrent. Face à la menace, le masque d'Étienne vola en mille morceaux.

Sans réfléchir, Sophie bondit en avant et recommença à courir. Soudain, elle bascula sur le côté avant de lâcher un cri de douleur. Le vérolé l'avait attrapée par les cheveux et riait à s'en décrocher la mâchoire. Elle réceptionna alors une nouvelle gifle et les deux acolytes la saisirent par les bras et l'immobilisèrent.

— Lâchez-moi ! Au secours !

— Allez, ma mignonne. Plus tu lutteras, plus ça fera mal.

Sophie cria, donna des coups de pied, mais un des deux hommes enfonça un tissu dégoûtant dans son gosier. La terreur l'enveloppa. Leurs rires, comme des couteaux, lui perçaient le cœur et, bientôt, elle savait qu'ils la blesseraient autrement, d'une manière encore plus horrible que l'épée de Rougemont ou de Lalanville.

— Raymond… Euh… Je crois qu'on a un problème.

Une peur irraisonnée teintée d'espoir lui saisit les entrailles.

Là, du côté de la mer, trois paires d'yeux fluorescents les fixaient avec une intensité malveillante.

Sophie ignorait ce que c'était…

Mais cela n'avait rien d'humain.

16

Les créatures de l'ombre se rapprochèrent en un grognement féroce. Leurs silhouettes, qui se découpaient de plus en plus, indiquaient des carrures imposantes.

— Quoi ? s'agaça le vérolé en se retournant brutalement.

Son geste sonna l'attaque. Le corps de l'homme percuta soudain celui de Sophie et un hoquet de terreur, rendu silencieux par le linge dans sa bouche, échappa à la jeune femme. Son assaillant tenta de s'accrocher à elle, alors que son corps était violemment tiré en arrière. Ses acolytes, pistolets et couteaux sortis, fondirent en avant, oubliant complètement Sophie.

Des grognements puissants s'ajoutèrent au premier tandis que d'autres créatures énormes se jetaient sur les individus. Des cris de souffrance et des glapissements s'élevèrent. Pas de doute, ces bruits appartenaient à des chiens. Une détonation retentit, illuminant l'espace de quelques secondes la scène chaotique. Trois bêtes se déchaînaient sur les agresseurs de

Sophie. Des bêtes massives, à la tête anguleuse en forme de trapèze et avec de grosses rides. Leurs oreilles, petites par rapport au reste de leur corps, pointaient vers le ciel. Leurs crocs énormes s'étaient enfoncés dans la cuisse d'un premier homme et dans la gorge d'un second… Un haut-le-cœur saisit Sophie, qui arracha le tissu obstruant sa bouche.

La peur au ventre, elle contourna les rochers avec prudence, essayant de ne procéder que par petits gestes pour ne pas alerter les molosses.

— Aidez-moi ! supplia un des bandits.

— Au secours !

Les grognements retentirent de plus belle, ainsi que les cris, puis Sophie n'entendit plus rien. À l'exception d'un bruit de mastication… Grand Dieu !

Éloignée d'une dizaine de mètres, elle s'appuya sur ses jambes, tremblantes, et se redressa. Heureusement, les bêtes semblaient avoir assez de trois hommes pour sustenter leur appétit. Ce qui n'était pas une raison pour traîner. Malgré la peur, elle trouva la force d'avancer et longea les remparts à la recherche d'une issue. Où se trouvait-elle ? Plus elle tournait, plus la panique la saisissait. Il n'y avait aucune ouverture et elle ne pouvait crier, au risque d'attirer l'attention des chiens.

Elle grimpa sur plusieurs rochers, s'égratigna, mais, même ainsi, elle se trouvait trop basse par rapport aux remparts. Qu'avait-elle imaginé ? Ces murailles avaient été dressées pour protéger la ville, jamais une brindille comme elle ne pourrait les escalader !

Des grognements la firent sursauter. En contrebas, ce n'étaient pas trois paires d'yeux qui la fixaient, mais cinq. Juste ciel, combien y avait-il de chiens ?

Elle s'assit à même la pierre, et tâcha de contrôler sa respiration. Peut-être que si elle ne bougeait pas et montrait qu'elle ne présentait aucun danger… Bon sang ! Deux bêtes commençaient à sauter sur les rochers. Il fallait qu'elle déguerpisse de là, et vite !

— Au secours ! s'écria-t-elle en plaçant ses mains en porte-voix. Je suis coincée sur la plage avec des chiens ! À l'aide !

Hélas, s'il y avait des soldats sur les remparts, soit ils ne l'entendaient pas, soit ils l'ignoraient sciemment. Un claquement de mâchoires résonna à un mètre au-dessous d'elle et elle recula par réflexe. Un énorme molosse venait de bondir pour tenter de la happer !

Sophie avisa un rocher en hauteur et sauta pour s'y accrocher… avant de glisser. Ses yeux s'écarquillèrent d'horreur. Non, non ! Ses doigts essayèrent de se retenir à la pierre. Ses ongles s'y enfoncèrent, et elle sentit la douleur éclater lorsqu'ils se brisèrent sous ses efforts. Elle chuta et ses côtes percutèrent la pierre, lui coupant un instant le souffle.

Néanmoins, elle ne se laissa pas le temps de respirer. Elle était tombée dans une sorte de trou et, semblait-il, un petit chemin se dessinait entre les rochers et le rempart. Elle devait tenter sa chance. Le corps douloureux, elle s'engagea dans l'espace exigu tandis que les chiens aboyaient. Elle entendait leurs griffes racler la roche, leurs cris d'excitation. Elle naviguait en plein cauchemar !

S'aidant du contact des remparts pour conserver son équilibre, elle se faufila dans la mince ouverture en quête d'une issue.

Soudain, l'étau se desserra et un puissant souffle de vent fondit sur son visage. L'adrénaline l'envahit et, une main le long de la pierre pour se guider, elle prit ses jambes à son cou. Son buste percuta alors quelque chose de dur et un goût de sang inonda sa bouche. Du bout des doigts, elle inspecta la surface et reconnut la texture lisse et striée du bois… Elle était du côté des brise-lames !

Ses doigts cherchèrent une prise. Le bois était fort gras, malgré tout elle ne renonça pas. Derrière elle, elle entendait les chiens qui couraient. Eux aussi avaient franchi les rochers pour regagner la plage.

Allez !

Elle trouva des appuis et s'aida d'un deuxième brise-lames pour se hisser. Ils étaient plantés à proximité les uns des autres, ce qui l'aida dans son ascension. Secrètement, elle remercia les vieux pommiers qui l'avaient entraînée au domaine.

Ses doigts atteignirent enfin le sommet, plat et lisse, du tronc dont elle avait entrepris l'ascension. Ses muscles la brûlaient. Ses forces l'abandonnaient. Elle appuya sur ses bras, mais son corps réclamait grâce. Réussirait-elle à rester ainsi accrochée toute la nuit ? Est-ce que ces bêtes féroces allaient l'attendre jusqu'à ce qu'elle craque ?

— À l'aide ! s'écria-t-elle. À l'aide !

Pourquoi s'obstinait-elle ? Car, même si on l'entendait, qui prendrait le risque de se faire dévorer vivant ?

Elle planta son front contre le bois. Elle allait lâcher… Elle ne parviendrait pas à tenir assez longtemps. Le froid engourdissait ses membres et elle souffrait de partout.

— Pitié…

— Étienne ?

Sophie ouvrit grand les yeux. Rêvait-elle, ou avait-elle entendu son nom ? Elle baissa la tête, mais seuls des grognements lui répondirent en contrebas.

— Étienne ? Est-ce vous ?

Non, elle ne rêvait pas ! On l'avait bien appelée par le nom de son frère !

— Je suis là ! Sur un brise-lames ! s'écria-t-elle. Aidez-moi !

Son dernier mot mourut dans un sanglot. L'espoir la regagnait.

— Par tous les diables…, reprit la voix masculine. Étienne, accrochez-vous ! Tenez bon ! Je vais vous sortir de là ! Je reviens !

— Non, non, ne partez pas ! gémit-elle en crispant ses doigts de toutes ses forces contre le bois.

Hélas, plus aucun son ne perça.

— Aidez-moi… Pitié…

Qui que fût la personne qui avait reconnu Étienne, elle était partie. Qu'avait-elle cru ? Aucun être humain sensé ne plongerait dans cette fosse aux lions.

— Nanou, Héloïse, Pilou…, murmura-t-elle. Je suis désolée, tellement désolée…

Les sanglots déchirèrent sa poitrine et une fine pluie vint s'ajouter aux larmes qui dévalaient ses joues. Elle grelottait. Ses vêtements et ses cheveux trempés lui collaient à la peau, un goût métallique et salé lui emplissait la bouche. Pluie ou pas, les chiens n'abandonnaient pas leur surveillance. S'ils n'aboyaient plus, ils grognaient par intermittence et faisaient bouger le pieu où elle avait trouvé refuge. Chaque vibration sur le bois lui arrachait un hoquet d'effroi.

Le bruit d'un cor perça soudain les remparts. Ou bien était-ce une invention de son esprit ? Les trompettes des anges l'appelaient-elles au paradis ? Non, quelle réflexion stupide… Sophie, au paradis ? Alors que son insolence et son orgueil l'avaient poussée à transgresser les codes et les bonnes mœurs de la société ? Elle avait menti, s'était fait passer pour quelqu'un qu'elle n'était pas, et cela auprès d'une quantité incroyable de personnes. Elle avait volé l'identité de son frère, prétendument pour sauver sa famille. Mais, au fond, elle avait toujours jalousé son statut d'homme. Les libertés qu'un pénis ouvrait dans leur société. Non, même si elle aimait de tout son cœur les siens, elle devait l'admettre : elle avait été égoïste, et elle méritait ce qui lui arrivait.

Elle glissa soudain et se rattrapa une trentaine de centimètres plus bas, éraflant ses genoux au passage. La peur lui tordait le ventre. Malgré toute sa volonté, ses muscles, eux, n'en pouvaient plus. Sophie tremblait comme une feuille, arrivée au bout de ses capacités.

— Seigneur, je ne mérite pas votre pardon, mais… par pitié, protégez ma famille !

Son front s'appuya contre le bois humide, puis elle lâcha prise. Son corps bascula en arrière, et elle ferma les yeux. Le vent s'engouffra dans son dos et elle ne lutta pas. Les aboiements excités lui parvenaient au loin, comme si, déjà, son esprit quittait son corps.

17

— Non ! hurla une voix puissante.

Sophie ouvrit les yeux dans l'obscurité, juste au moment où son corps percutait quelque chose. Elle s'était sentie glisser dans le vide, mais, quand elle atterrit sur le sable, la douleur lui sembla moins atroce qu'escomptée. L'angoisse l'enveloppa. Un chien avait-il amorti sa chute ?

Par réflexe, elle commença à se débattre, mais une force se referma autour de ses épaules.

— Étienne ! Bon sang, c'est moi, Carnac !

Sophie se figea. Carnac ? Elle battit des paupières. Assis sur le sable, un homme la maintenait dans ses bras.

— Tout va bien, dit-il en relâchant ses mains. Vous êtes en sécurité avec moi.

Elle secoua frénétiquement la tête et ramena ses poings contre sa poitrine, comme pour se protéger.

— Personne ne vous fera le moindre mal, je vous le jure.

Sophie plissa les yeux. Dans la pénombre, elle distinguait désormais les traits familiers du comte de

Carnac. Alors… c'était bien lui ? Son regard sombre détaillait son visage, ses mains. Son expression ressemblait à celle de Nanou quand Sophie, enfant, tombait d'un arbre. Sauf qu'elle n'était pas tombée d'un pommier. Les hommes qui l'avaient violentée, les chiens qui s'étaient lancés à ses trousses… Un sanglot perça sa gorge.

— Antoine ? gémit-elle.

— Oui, souffla-t-il. C'est fini.

Sans réfléchir, Sophie fondit contre lui. Les bras de celui qui refusait son amitié se refermèrent puissamment contre elle, et elle s'accrocha à lui comme à une bouée de sauvetage.

Sophie ne parvenait plus à avoir une pensée cohérente. Les larmes se déchaînèrent alors, symptôme non plus de sa détresse, mais de son soulagement. Elle pleura sans réussir à se retenir, sans même avoir honte de se laisser ainsi aller.

— Tout va bien. Faites-moi confiance.

Il s'écarta et elle le laissa faire, trop perdue et faible pour lutter. Un tissu recouvrit alors sa tête et son dos… le manteau de Carnac ? Il l'aida à se relever, puis elle se sentit soulevée de terre. Emmitouflée dans le tissu, elle avait l'impression de flotter dans un cocon rassurant. Sophie se recroquevilla contre lui, et les bras de son protecteur la serrèrent plus fort.

— Pour qui vous prenez-vous ? pesta une voix bourrue.

— Oh, Sainte Vierge ! Il est mort ? dit une autre.

— Qu'importe ! répliqua la première voix. Tout le monde sait ce qui l'attend en dehors des remparts, une fois le couvre-feu sonné. Vous n'aviez pas le droit ! Vous… Hé, je vous parle !

Le reste des propos n'atteignit pas Sophie. Carnac la portait tout en avançant. Très vite, le bruit des vagues diminua en intensité. Elle entendit le crissement du sable contre ses bottes, puis le martèlement de celles-ci sur la pierre… Il la ramenait à l'intérieur des remparts. Il la ramenait en sécurité. Les vitupérations aussi s'étaient tues.

Il ne restait plus qu'eux deux.

Antoine et Sophie.

Sophie…

Son sentiment de bien-être et de sécurité reflua et elle poussa contre son torse. Le comte, apparemment attentif à ses réactions, s'immobilisa aussitôt.

— Je ne suis pas fatigué, je peux continuer à vous porter.

— D'accord…, s'entendit-elle répondre. Mais reposez-moi avant d'arriver.

— Entendu.

Qu'importe ce que la bienséance et la raison auraient réclamé d'elle à cet instant. Qu'importe que Carnac découvre son travestissement. Là, maintenant, elle ne voulait que rester dans cette étreinte protectrice, et ne penser à rien d'autre.

— Nous y sommes.

Pourquoi ressentait-elle une telle déception ? La pression sous ses genoux diminua et ses pieds retrouvèrent le contact du sol. Sophie reconnut le quartier, mais n'y trouva nul réconfort. Pire, de la lumière perçait à travers les fenêtres de l'hôtel de madame de La Pommeraye.

— Impossible de dormir, nous nous inquiétions trop, expliqua Carnac.

D'un mouvement, il enleva son manteau pour le déposer sur les épaules de Sophie. Son ton, détaché, contrastait avec la contraction de sa mâchoire. Ses yeux glissèrent sur elle. La jeune femme ignorait son état, mais ses vêtements devaient être déchirés et tachés de sang. Aussi vite que son corps douloureux le lui permit, elle tira sur les pans du manteau pour se dissimuler à sa vue.

— Pensez-vous pouvoir monter seul l'escalier ? questionna Carnac. Je vais les occuper pour que vous puissiez aller directement vous reposer.

Sa proposition était tentante. Sophie savait qu'elle aurait dû présenter quelques mots d'excuses à leur hôtesse... Mais elle était tellement lasse. Ses yeux la piquaient de nouveau quand elle sentit soudain un contact contre son visage.

— Hé là, murmura Carnac.

Il avait glissé ses doigts sous son menton, mais n'exerçait aucune pression dessus. Sophie releva la tête vers lui, le comte lui souriait faiblement.

— Il n'y a pas de honte à avoir. Certes, j'aimerais savoir ce qui s'est produit, mais prenez votre temps. Ce qui compte, c'est que vous soyez rentré sain et sauf.

Une larme coula sur la joue de Sophie, et elle se pressa de se détourner pour l'essuyer. Elle acquiesça, puis, sans attendre sa réaction, franchit la dizaine de mètres qui la séparaient de l'hôtel de madame de La Pommeraye. Son cœur battait à tout rompre. Si elle ne le faisait pas maintenant, elle n'y arriverait jamais. Carnac la dépassa.

— Prêt ?

La jeune femme fit un signe de la tête. Son camarade toqua, et la porte s'ouvrit aussitôt sur Oscar. Sophie reconnut la voix de madame de La Pommeraye, mais Carnac, comme promis, s'engouffra le premier. Elle eut à peine le temps de le voir plonger vers l'ouverture du salon et faire barrage de son corps que, lâchement, elle gagnait l'escalier. Elle puisait dans ses dernières forces pour fuir.

Des conversations s'élevaient jusqu'à elle que, dans son trouble, elle ne comprenait pas. Vite, elle rejoignit sa chambre et ferma le battant derrière elle.

Un feu brûlait dans la cheminée et illuminait la pièce. Les tentures avaient été tirées et un repas posé sur une table basse. Sophie se rapprocha du foyer. Elle avait froid, terriblement froid. Mais ce n'était rien comparé au froid dans son cœur. Elle tendit les mains pour se réchauffer, puis découvrit l'état de ses doigts : des écorchures ouvraient sa peau, plusieurs de ses ongles étaient cassés, dévoilant une chair rouge et sensible. Elle referma les poings et s'accroupit en boule. Ses vêtements avaient beau être mouillés, elle ne voulait pas retirer le manteau de Carnac. C'était stupide, mais là, à cet instant, elle voulait juste se perdre dans la contemplation des flammes.

On toqua soudain à la porte.

— C'est moi, déclara une voix masculine.

Il sembla hésiter un instant, et ajouta :

— C'est Antoine.

Sophie voulut répondre, mais sa gorge la tiraillait trop.

— J'ai apporté de l'eau chaude et des linges propres. Je compte jusqu'à dix et, si vous ne protestez pas, j'entre.

Elle ferma les yeux, alors qu'il commençait à compter. En plus, il était sérieux. À dix, il lança :

— J'entre !

La porte s'ouvrit sans qu'elle réagisse.

— Étienne… Vous devez vous changer, vous allez attraper la mort.

Ah, si seulement il avait raison ! Non. Sophie serra plus fort les paupières. Il fallait qu'elle arrête de penser comme ça, mais c'était tellement difficile.

— Vous êtes en état de choc, entendit-elle dans son dos. Permettez-moi de vous aider.

L'aider ? Une alarme s'alluma au plus profond d'elle-même et son esprit sortit enfin de sa torpeur. Déjà, Carnac lui retirait son manteau.

— Non, prononça-t-elle en le retenant.

Le regard du comte se troubla. Il fallait absolument qu'elle se ressaisisse. Dans cette maison, Sophie n'existait pas. Elle était Étienne. Elle était Étienne et devait le rester. Même si, à l'instant, elle se contrefichait de tout, son instinct la poussait à la prudence.

— Je veux juste vous aider…

— Je sais, déclara-t-elle en pivotant vers lui. Mais j'ai besoin d'être seul. Vraiment.

— Comme vous voudrez.

Il déposa le linge à côté de la bassine, puis se dirigea vers la porte. Sophie ne put s'empêcher de le contempler. Lui aussi était trempé, et voûté, on aurait dit qu'il portait le poids du monde sur ses épaules. À quel point s'était-il inquiété pour elle ?

— Antoine… (l'intéressé se figea) merci, de m'avoir sauvé.

Il tourna légèrement la tête.

— Ne vous l'ai-je pas dit ? Je détesterais gagner cet héritage par forfait.

Un vrai sourire étira les lèvres de Sophie. Même dans de telles circonstances, Carnac parvenait à se montrer égocentrique… Et, étrangement, qu'il agisse comme à son habitude lui fit un bien fou.

— Des hommes m'ont attaqué, laissa alors échapper Sophie. Quelqu'un les a payés pour me ramener à Rennes.

Elle se tut, incapable d'en dire plus. Néanmoins, en son for intérieur, quelque chose lui disait qu'elle devait au moins une explication à Carnac. Même s'il ne s'agissait pas de la raison qui justifiait son séjour prolongé sur la plage.

— Reposez-vous, déclara calmement son compagnon. Et n'hésitez pas à venir me trouver si vous avez besoin de quoi que ce soit.

— Merci. Mais cela ira.

Le comte, toujours de dos, acquiesça. Il ne semblait pas vouloir quitter la chambre, et en fait… Sophie ne désirait pas non plus qu'il s'en aille. Sa présence la rassurait. Toutefois, elle n'était plus une petite fille. Et, surtout, ils avaient trop de secrets l'un pour l'autre.

— Bonne nuit, Étienne.

Pour la première fois, entendre le prénom de son frère de la bouche de Carnac la peina. Cela prouvait bien qu'il devait partir, et vite.

— Bonne nuit, Antoine.

Le comte passa la porte. Quand celle-ci fut tout à fait refermée, Sophie se laissa tomber contre le sol. Elle ne supportait plus d'endosser le costume d'Étienne. Ce costume qui lui causait tellement de tourments. Avec des gestes nerveux et tremblants, elle commença à se déshabiller, découvrant chaque fois plus de bleus et d'éraflures.

Quand ses malheurs allaient-ils enfin cesser ? Elle lutta contre elle-même pour se laver et examiner ses plaies, tout compte fait plutôt bénignes. Fort heureusement, la blessure à son flanc ne s'était pas rouverte. Quand elle se coucha enfin, un grand vide béait dans son cœur. Elle aurait donné n'importe quoi pour se retrouver au château familial. Elle se roula en boule et imagina Nanou l'étreindre très fort. Les sanglots revinrent avec force et l'accompagnèrent jusque dans ses cauchemars.

18

Le lendemain matin, Sophie demeura un moment dans son lit après son réveil. Malgré plusieurs mauvais rêves, elle avait réussi à dormir et la luminosité lui indiquait que la matinée était déjà bien avancée. Elle savait que personne ne lui reprocherait son lever tardif… Surtout, elle n'avait pas le courage d'affronter quiconque.

Son esprit reposé, les événements de la veille lui parvinrent avec une lucidité effrayante. Elle avait voulu en finir et son souhait avait failli être exaucé. Comment avait-elle pu tomber aussi bas ? Des frissons la gagnèrent en repensant aux êtres ignobles qui l'avaient attaquée, à leur mort atroce et aux chiens qui auraient pu la dévorer à son tour. Toutefois, même si ces épreuves laissaient une trace indélébile sur sa peau, ce n'était pas ce qui la faisait le plus souffrir.

Non.

Le pire demeurait l'état de son cœur après la révélation de Mathieu de Chevigné. Son agression aurait dû balayer cette douleur, ou du moins la laisser un peu de côté. Dès qu'elle fermait les yeux, elle ne voyait pas ces hommes la frapper, ou les chiens, mais Mathieu. Mathieu qui lui annonçait son amour pour Louise.

Elle se roula un peu plus en boule sous les draps. Tout son corps n'était que douleur. Elle aurait voulu que le vicomte soit là, en cet instant, pour l'enlacer. Qu'il lui dise qu'il s'était trompé, qu'il l'avait depuis toujours dans le cœur. Qu'il lui promette de ne plus jamais partir, et de la protéger.

Mais Mathieu n'était pas là.

Et Mathieu ne l'aimait pas.

Elle récupéra dans un coffret le mouchoir du vicomte qui protégeait les fleurs séchées qu'il lui avait offertes. Leur vue lui arracha un nouveau sanglot et elle se laissa emporter.

Quand ses larmes se tarirent enfin, elle se dépêcha de se préparer. Elle changea le pansement à son flanc presque guéri. Ses doigts ne ressemblaient plus à rien, et elle les soigna comme elle le put. Face au miroir, elle grimaça en avisant l'hématome sur sa joue, puis se composa un regard neutre. Les cernes sous ses yeux lui donnaient mauvaise mine, tant pis. Un sourire amer étira ses lèvres. Au moins, si elle n'arrivait pas à jouer la comédie, son agression servirait de prétexte à cette blessure invisible qui la meurtrissait tant.

Redevenu Étienne, le jeune homme descendit l'escalier pour gagner le petit salon. À peine fut-il annoncé que madame de La Pommeraye, les traits inquiets, le rejoignit :

— Comment vous sentez-vous ce matin ?

— Navré de vous avoir causé tant de soucis.

Un rapide coup d'œil dans la pièce lui indiqua l'absence de Carnac. Étrangement, il en ressentit du soulagement.

— Asseyez-vous et mangez. Vous devez reprendre des forces.

Étienne obtempéra. À vrai dire, il n'avait pas faim. Zilia arriva avec le sourire et un énorme plateau de fruits et de douceurs qu'elle installa devant lui. Il tenta de lui rendre son expression chaleureuse, mais les traits de son visage demeuraient trop contractés. Il ne caressa même pas le chat quand celui-ci vint se frotter contre sa jambe.

Madame de La Pommeraye s'assit à quelques mètres de lui. Elle respectait son besoin de distance, et il l'en remercia secrètement.

— Le comte est sorti ? questionna-t-il pour rompre le silence dérangeant.

— Oui, répondit madame de La Pommeraye d'un air quelque peu embêté.

— Un problème ?

Il fixait son assiette, n'ayant pas le courage d'affronter le regard de la maîtresse de maison.

— La municipalité lui tient rigueur pour son impudence de la nuit passée. Disons… qu'il a peut-être frappé plusieurs membres du guet.

Elle attrapa un verre en cristal et sirota son contenu d'un air détaché. Étienne fronça les sourcils : pourquoi Carnac aurait-il agi ainsi ?

— Vous vous souvenez, lorsque je vous ai dit de ne pas vous trouver en dehors des remparts après la sonnerie du couvre-feu ?

Penaud, Étienne baissa la tête.

— Allons, ne tirez pas cette triste mine ! Je ne suis pas là pour vous tancer ! Durant la nuit, la cité lâche ses dogues de Bordeaux au pied des remparts afin de décourager les vols dans nos navires. Chaque matin, les chiens rentrent ensuite au son de la corne. Corne dans laquelle Antoine a soufflé après avoir frappé les gardes.

Quoi ? Étienne en laissa tomber son gâteau. Alors Carnac était allé jusqu'à enfreindre la loi pour le sauver ?

— Il… Il est en prison ?

— Ne vous inquiétez pas pour lui. Il en a connu d'autres. Toutefois, il se peut qu'il rentre tard aujourd'hui.

Étienne acquiesça. Ce qu'il venait d'apprendre lui laissait un drôle de sentiment. Il ne méritait pas tant d'attention de la part du comte. Si ce dernier apprenait qu'une simple peine de cœur avait entraîné ces malheurs… Il en avait honte, tellement honte !

— J'aimerais que vous voyiez mon médecin privé (Étienne sortit de ses pensées à cette demande), il est très compétent. Parfois, certaines blessures proviennent de l'intérieur et on ne les remarque…

— Non, merci, la coupa un peu sèchement le jeune homme. Je vais bien, vous n'avez pas à vous inquiéter.

Madame de La Pommeraye le dévisagea une nouvelle fois et il n'osa pas bouger.

— Mon médecin est un professionnel. Il sait garder des secrets.

Il faillit avaler de travers. Garder des secrets ? Pourquoi lui précisait-elle cela d'un coup ? Son malaise s'intensifia.

— Je n'en doute pas, répondit-il sur un ton qu'il espérait léger.

Il s'essuya la bouche et déposa sa serviette sur le gâteau qu'il avait à peine entamé afin de le dissimuler. Si son hôtesse constatait qu'il n'avait pas mangé, elle ne le laisserait sans doute pas tranquille.

— J'ai accumulé du retard, je vais prendre congé.

Madame de La Pommeraye se redressa si vivement que les frisottis autour de son visage se mirent à tanguer.

— Ne me dites pas que vous allez travailler aujourd'hui aussi ?

— Hélas, je ne peux différer plus longtemps mes affaires, lui répondit Étienne en se levant. Madame, je vous assure que je vais bien. Pardonnez l'inquiétude que je vous ai causée et soyez assurée une fois de plus de mon immense gratitude pour tous vos bienfaits.

Par chance, elle ne le retint pas et il parvint à prendre congé.

À la porte de l'hôtel, toutefois, il hésita. Et si les hommes qui l'avaient agressé n'avaient pas tous péri hier soir ? Non. Il ne pouvait pas vivre dans la peur. De plus, le commanditaire de cette attaque, qu'il fût sa tante ou Rougemont, n'apprendrait pas avant plusieurs jours l'échec de son projet.

— Monsieur de Kerdelec ?

Il se retourna. Madame de La Pommeraye se tenait dans le vestibule, avec une épée, un manteau et un chapeau tout neufs en main.

— Vous êtes rentré sans les vôtres, hier. Faites-moi plaisir et emportez ceux-ci.

Étienne ne réagit pas.

— J'insiste.

— Merci, madame.

Il enfila le manteau, ajusta l'épée à son côté et la maîtresse de maison posa elle-même le tricorne sur son crâne.

Dehors, il s'efforça à marcher lentement, la présence de l'épée à sa ceinture le rassurait. Sans y réfléchir, il n'emprunta que des rues fréquentées jusqu'à la cathédrale et, une fois dans les sous-sols, il se mit directement au travail.

Tout plutôt que penser.

Les heures passèrent où il demeura concentré à l'extrême. Il faillit sursauter en découvrant le comte de Carnac, à l'autre bout de la pièce, étudiant les documents avec sa propre lanterne. Il ne l'avait ni vu ni entendu le rejoindre.

— Le guet n'a recueilli que des membres épars de ceux qui vous ont attaqué, commenta-t-il en se sentant observé. Vous n'avez plus rien à craindre d'eux. Votre manteau est hélas en lambeaux, mais j'ai retrouvé votre épée.

— C'est celle de mon père.

Carnac leva le nez de son ouvrage, et Étienne détourna la tête. Il ignorait pourquoi il avait précisé cela…

— Elle est dans votre chambre.

— Merci.

Étienne replongea dans ses recherches. Il n'avait pas le courage d'affronter plus avant Carnac, et surtout… Dès qu'il pensait, son esprit dérivait vers Mathieu. Diantre, voilà que ses yeux le piquaient de nouveau, et les moisissures n'en étaient pas responsables ! Il s'efforça de chasser son mal-être et, par chance, son camarade conserva le silence.

Ils restèrent jusqu'au soir, lorsque leur lampe à huile déclina. Sans tenter d'amorcer la moindre conversation, ils rentrèrent à l'hôtel de La Pommeraye. Étienne salua le comte et la dame, prétextant une grande fatigue. Personne n'insista.

Le lendemain, il reproduisit les gestes habituels de la journée. Comme un automate, il agissait sans réfléchir afin de taire les souffrances qui le déchiraient. Il ignora les inquiétudes de la maîtresse de maison et retourna à la cathédrale… répétant ce cycle encore et encore. Hélas, dès qu'il ne cherchait plus ce maudit acte, dès qu'il se retrouvait seul, la peine le submergeait.

À l'aube du quatrième jour, avant qu'Étienne ne parte, Oscar lui tendit un plat en argent avec une lettre portant son nom dessus.

— Un courrier vous attendait au *Qui Qu'en Grogne.*

Le jeune homme s'en saisit, tremblant, et l'ouvrit sans réfléchir :

Mon cher Étienne,

Lire de vos nouvelles nous rassure. Ne vous inquiétez pas pour nous. Nous tenons bon, ainsi que mademoiselle Lambert, et pensons fort à vous.

Votre sœur,

Louise

D'un geste sec, il serra le papier dans sa paume. Louise, cette traîtresse. Louise, qui lui avait volé le cœur de Mathieu. Et voilà qu'elle lui rappelait incidemment ses devoirs envers Constance ! Constance, qu'il avait jetée dans les oubliettes de son esprit depuis son arrivée à Saint-Malo. En effet, il avait suffisamment de soucis comme ça pour penser à elle. Et puis, pourquoi s'en inquiéter ? Il ne faisait aucun doute que sa sœur avait habilement utilisé son art de la manipulation auprès de la fille du banquier, comme elle l'avait utilisé sur Mathieu…

— Un problème ? s'inquiéta madame de La Pommeraye.

— Non, aucun. Je vous souhaite une bonne journée.

Il se leva et prit congé en s'efforçant de dissimuler ses yeux brillants. Parvenu dans le vestibule, il reçut d'Oscar manteau et chapeau. Carnac aussi s'était levé. Sans plus un mot, le jeune Kerdelec sortit. L'air frais fouetta son visage et il inspira pour reprendre contenance.

— Bon, j'ai été assez patient. Maintenant, vous allez me suivre ! décréta Carnac en lui saisissant le bras.

— Mais que… Que faites-vous ?

— Nous allons faire un tour en bateau.

— Un tour en bateau ? Vous croyez que c'est le moment ?

Il essaya de se défaire de son étreinte, mais le comte serra plus fort, à lui en faire mal.

— Si vous n'obtempérez pas, je ne vous aiderai plus dans vos recherches. Et vous prendrez encore plus de temps pour retrouver l'acte.

— C'est du chantage, siffla le jeune Kerdelec.

— Exactement, sourit mauvaisement Carnac.

— Et après, retournerons-nous aux archives ?

— Oui, plus vite on embarquera, plus vite nous serons de retour.

Étienne leva les yeux au ciel, et le suivit jusqu'au port. Jusqu'à… une petite barque en bois.

— C'est une blague ? s'étrangla-t-il presque.

— Pourquoi, vous avez peur ?

Peur ? Carnac n'avait-il pas vu la puissance des vagues quand la mer se déchaînait ? Certes, le soleil brillait et le vent semblait doux ce matin, mais tout de même…

— Je ne ramerai pas.

— Non, bien sûr. Vu votre force, on prendrait une journée entière pour arriver à destination.

Étienne serra les mâchoires. Pourquoi Carnac le provoquait-il ainsi ? Agacé, il monta dans la barque, vacilla quand elle tangua, puis s'assit en croisant les bras. Son camarade eut la bonne idée de ne pas rire, et ils s'éloignèrent du rivage.

— Où m'emmenez-vous ?

— Vous verrez.

La barque était tellement petite qu'il était bien obligé de faire face à Carnac. À la place, il préféra regarder au loin. Ils s'éloignaient de la cité corsaire, pour, semblait-il, rejoindre un bout de caillou perdu en pleine mer. Arrivé à proximité, Carnac sauta dans l'eau pour pousser la barque jusqu'à un petit écueil de rochers.

— Nous y sommes.

Il partit sans même lui accorder un regard. L'îlot était quasiment désertique et formait juste une colline dénuée de tout arbre.

— Et maintenant ? ronchonna Étienne, fatigué par les jeux de Carnac.

— Maintenant ? s'exclama Carnac en ouvrant les bras. Vous pouvez vous déchaîner, ici. Criez votre haine et votre peine ! Personne ne vous entendra.

Étienne le contempla sans bouger. Il... Il était sérieux ? Le comte écarta encore plus grand les bras et haussa bien haut les sourcils. Il lui avait fait perdre tout ce temps... pour ça ? Il ouvrit la bouche, et secoua la tête.

— Je rentre, avec ou sans vous.

Le jeune homme fit volte-face. Il en avait assez.

— Vous restez.

— Non, j'ai un acte à retrouver.

Il se rapprocha de la barque, avant d'être soudainement dépassé par Carnac. Celui-ci plongea à l'intérieur et... Que faisait-il avec une hache en main ? Oh, non ! Non, non ! Étienne se précipita vers lui, trop tard. Carnac enfonçait déjà la lame dans le bois de leur moyen de transport. Une première fois, puis une deuxième, puis de manière frénétique, à en faire voler des morceaux partout. Très vite, l'ensemble prit l'eau…

Étienne demeurait si stupéfait qu'aucun son ne sortit de sa gorge. Un grand sourire aux lèvres, Carnac posa la hache sur son épaule et, de sa main libre, ramena ses cheveux en arrière.

— Ah, je vous jure que se défouler fait un bien fou ! Je vous conseille vivement d'essayer !

Son sourire frondeur acheva de consterner Étienne. Il ferma puis rouvrit la bouche, comme un poisson hors de l'eau, puis éclata :

— À quoi jouez-vous ? Je n'ai pas le temps pour vos jeux stupides !

— Bien, annonça Carnac en sortant de l'eau et en laissant retomber sa hache sur un rocher. À défaut de crier au vent votre haine, faites-le sur moi. Nous avons tout notre temps avant qu'un bateau nous retrouve.

— Vous…

La sensation d'avoir encore une fois été manipulé par le comte saisit Étienne aux tripes. Furieux, il se jeta sur lui et empoigna son manteau des deux mains.

— Je quoi ? lui sourit le comte.

Étrangement, aucun mot ne vint à Étienne. À la place, ses lèvres se mirent à trembler. Toute cette douleur qu'il essayait d'étouffer depuis des jours était en train de remonter. Non, elle ne pouvait éclater. Pas là, pas devant Carnac !

Il le relâcha violemment et se retourna, avant de grimper sur la colline. Mais l'îlot était bien trop petit pour pouvoir fuir loin de son camarade et, bientôt, celui-ci le rattrapa.

— Si vous ne vous exprimez pas, alors, moi je vais le faire ! s'exclama Carnac, derrière lui.

Étienne serra les poings.

— Cela fait des jours que je vous vois vous morfondre. Vous ne mangez pas, vous ne parlez pas. Dormez-vous seulement ?

— Je vais bien…

— Balivernes ! gronda le comte, si fort qu'il lui arracha un sursaut. Vous souffrez. Et je ne veux pas parler de vos blessures physiques. Vous souffrez de l'intérieur et refusez qu'on vous vienne en aide !

Le corps d'Étienne se mit à trembler comme une feuille. Il voulait que Carnac se taise, il ne voulait rien entendre de lui. Ses mains vinrent boucher ses oreilles. À défaut de fuir, il ne l'écouterait pas. Le comte tira sur son bras droit. Étienne voulut protester, mais le visage bouleversé de Carnac l'en empêcha. Antoine ne plaisantait pas. À cet instant, ses traits tirés et l'inquiétude dans ses yeux tendaient à faire croire que c'était lui, qui souffrait le martyre.

— J'ignore ce qu'il s'est passé ce jour-là, poursuivit-il d'un ton plus calme. Je regrette de ne pas avoir été là pour vous. Ne pas savoir ce qu'il vous est arrivé me hante. Les pires scénarios s'imposent en boucle dans mon esprit…

Étienne relâcha la dernière main qu'il tenait contre son oreille et son cœur se serra. Jamais il n'aurait imaginé que son silence provoquerait de tels tourments… Ne cesserait-il donc jamais de souffrir et de faire souffrir les autres ?

— J'ai trop honte…, murmura-t-il, le visage sombre.

— Il n'y a nulle honte à avoir.

La voix de Carnac s'était faite plus douce et il se rapprocha.

— Et surtout, rien n'est votre faute. Quoi que vous aient fait ces hommes, vous n'êtes responsable de rien. Vous ne devez pas vous sentir honteux.

Étienne se sentait perdu. À quoi Carnac pensait-il ? Est-ce qu'il avait cru que… que ces hommes… lui avaient imposé un contact charnel ? À la réflexion, il s'agissait bien de leur intention, mais grâce à Dieu, ou plutôt grâce aux dogues de Bordeaux, rien de tout cela n'était arrivé.

— Les hommes, comme les femmes, peuvent être agressés de cette façon, reprit Carnac. Et, quoi qu'en pense notre société, vous ne…

— Non, gémit Étienne, le rouge aux joues.

Le comte se tut, et Étienne ne sut comment poursuivre.

— Non, je n'ai pas été violenté comme vous le pensez. Du moins, les chiens sont intervenus avant.

— Oh.

Carnac marqua une pause, apparemment soulagé, avant de reprendre en pressant son bras.

— Mais souffrir du contre-choc…

— Ce n'est pas ça !

Le jeune homme se défit de son contact de manière virulente. Il ne parvenait pas à le regarder.

— Ciel, que c'est gênant ! gémit-il.

— Étienne, mon imagination s'emballe. Ne me laissez pas dans l'ignorance…

— J'ai une peine de cœur ! hurla-t-il.

Il osa enfin affronter Carnac et vitupéra :

— J'ai été rossé, poursuivi par des chiens et pourtant, comme un imbécile, ce qui me fait si mal c'est d'avoir appris que la personne que j'aime en aime une autre ! Voilà à quel point je suis pathétique ! Voilà pourquoi je ne voulais rien vous dire !

La consternation qu'il lisait sur le visage de Carnac acheva de le blesser. Lui qui avait imaginé les pires tortures, voilà qu'il devait tomber bien bas. Avant que le comte ne se mette à rire de ses malheurs, Étienne gagna le sommet de la colline. Les larmes recommençaient à couler, mais, cette fois, il ne les essuya pas. À la place, il s'assit face à la mer. Il était vrai que, d'ici, il avait une vue imprenable sur le fort de Saint-Malo.

Le comte le suivit et s'installa à une cinquantaine de centimètres de lui. Étienne, amer, détourna la tête pour écraser ses larmes, lorsqu'il entendit :

— Si vous êtes pathétique, alors, moi aussi, je le suis.

Le jeune Kerdelec se retourna si soudainement que sa nuque craqua. Pas le moindre sourire frondeur n'éclairait le visage du comte. Non, à la place, il fixait l'horizon d'un air mélancolique. Il baissa soudain la tête, et plongea son regard dans le sien avec une intensité désarmante.

— Moi aussi, Étienne, je sais ce que cela fait de ne pas être aimé en retour. Plus que vous ne pouvez l'imaginer.

19

Étienne, contre toute attente, se sentit rougir jusqu'aux oreilles. Carnac, amoureux ? Jamais il n'aurait pu imaginer une telle chose. Et puis, il se souvint de ses approches à Rennes, auprès de sa version féminine. Bon sang… Il soupira, soudain excédé.

— Vous ne me croyez pas ? C'est pourtant la pure vérité.

Étienne se mordit la lèvre pour ne pas éclater. S'il osait affirmer qu'il était amoureux de Sophie et que son cœur saignait car elle ne partageait pas ses sentiments, il serait capable de l'étriper !

— J'étais jeune, expliqua alors Carnac. Je devais à peine avoir dix-sept ans.

Étienne ravala aussitôt ses protestations. Attentif, il dévisagea Carnac, qui observait de nouveau l'horizon.

— Ma famille s'opposait à mon choix, mais, moi, je ne voyais qu'elle. J'étais prêt à tout abandonner pour vivre à ses côtés. Ma condition, ma famille, ma réputation… Je l'aimais. Je l'aimais plus que de raison.

Il se tut et, du bout des doigts, joua avec des cailloux.

— Que s'est-il passé ? murmura Étienne.

Carnac sourit tristement.

— Ce n'est pas moi qu'elle a choisi.

— Je suis désolé.

Une vive peine le saisit. Une peine profonde et sincère.

— Je ne vous en parle pas pour que vous soyez désolé. Juste pour que vous sachiez que je comprends, et qu'il n'y a rien de ridicule. Je sais à quel point cela fait mal.

— Est-ce que la douleur cesse un jour ? soupira Étienne en laissant tomber sa tête dans ses mains.

— Elle s'apaisera, oui, mais il faut vous accorder le temps.

— Je... J'ai comme l'impression qu'on m'enfonce un poignard dans le cœur chaque fois que je respire.

Étienne plaqua ses paumes contre ses yeux pour s'empêcher de pleurer, en vain.

— Je sais.

La main de Carnac vint appuyer sur son épaule. Au lieu de la repousser, Étienne l'accepta.

— Qu'avez-vous fait pour le supporter ? Pour réussir à vivre avec ?

— Des bêtises, reconnut le comte. J'ai embarqué avec les terre-neuvas pendant un an.

— Les terre-neuvas ?

— Oui, les marins qui, chaque année, vont pêcher la morue en Terre-Neuve. J'y ai vécu des moments très éprouvants physiquement et moralement, mais j'en suis revenu plus fort. Du moins, c'est ce que je croyais... Car, de retour à Saint-Malo, j'ai pris conscience que je n'étais toujours qu'un petit garçon. Un petit garçon qui n'avait fait que fuir. Yseult m'a fait comprendre que beaucoup d'expériences m'attendaient, et que je pourrais un jour retrouver le bonheur.

— Et vous l'avez retrouvé ?

Étienne se redressa, se séchant les yeux comme un enfant.

— J'ai bon espoir avec Sophie.

Le jeune homme se figea. Un sourire canaille barrait le visage de Carnac, un sourire qui contrastait tellement avec la gravité de ce qu'il venait de lui apprendre, qu'un fou rire nerveux saisit Étienne. Très vite, Carnac l'imita et ils se retrouvèrent comme deux idiots avec les larmes aux yeux.

Quelques minutes plus tard, le cœur plus léger, Étienne souffla :

— Je vous souhaite sincèrement de trouver le bonheur.

— Oh, mais je ne plaisantais pas pour Sophie. Je crois qu'elle m'aime bien. Après tout, comment pourrait-elle rester insensible à ça ?

Il se désigna en prenant une pose arrogante et sûre de sa personne, à laquelle Étienne ne put à nouveau résister. Il rit de bon cœur. Ciel, que ça faisait du bien !

— Plus sérieusement, poursuivit Carnac. Moi aussi je vous souhaite de trouver le bonheur. Cet idiot ne sait pas à côté de quoi il passe en vous rejetant.

— Merci, murmura Étienne, touché, avant de se figer.

Avait-il bien entendu ?

— Pourquoi avoir dit « cet idiot » ? prononça-t-il d'une voix blanche.

Carnac semblait embêté. Chercher ses mots ne lui ressemblait guère. Enfin, il craqua :

— Je connais votre secret. Et je vous promets de le garder.

Quel secret ? Sophie, derrière le masque d'Étienne, commençait à paniquer.

— Je ne vois pas…

— Oh, de grâce…, soupira le comte. Ne jouons plus à ce jeu, voulez-vous ? Cela ne change absolument rien pour moi. Absolument rien.

Alors… Carnac savait qu'elle était une femme ? Ou bien… il l'avait deviné lorsqu'il l'avait prise dans ses bras ? Il avait dû sentir sa poitrine ! Quelle imprudente ! Elle commençait à avoir du mal à respirer…

— Depuis quand ? s'étrangla-t-elle.

— J'ai eu des doutes dès votre visite en douce dans ma chambre, avoua-t-il en se redressant à son tour.

Quoi ? Depuis si longtemps ? Depuis le début ? Sophie se sentait de plus en plus mal.

— Vous vous êtes trahi à de nombreuses reprises. À *L'Oiseau de nuit*, par exemple, ou encore après votre sortie nocturne habillé en robe. Votre trouble en présence des hommes, en ma présence…

Il laissa sa phrase en suspens, avant d'ajouter :

— En la présence du vicomte…

Le feu monta aux joues de Sophie et elle se redressa tel un ressort. Son cœur n'en pouvait plus de battre, et l'urgence de fuir la saisit.

— Étienne…

Pourquoi l'appelait-il « Étienne » alors qu'il avait tout compris ?

— Je suis désolé d'avoir par moments joué de votre trouble. Je me suis montré taquin, mais je n'aurais pas dû. Pourriez-vous juste oublier que je sais, s'il vous plaît ?

Sophie se tourna vers lui.

— Pourquoi ne pas m'avoir fait part de vos doutes plus tôt ? le questionna-t-elle.

— Car, comme pour Kaerell (ses sourcils se froncèrent et il soupira), je souhaitais que cela vienne de vous. Et, comme pour Kaerell, cela ne change rien pour moi que vous aimiez les hommes.

Sophie inspira profondément. Un tel soulagement l'envahit qu'elle dut s'asseoir pour ne pas tomber.

— Votre préférence n'a aucune importance à mes yeux, et je n'en abuserai pas. Je vous le promets.

— Merci.

Étienne soupira longuement. Le comte… Jamais il n'aurait pensé qu'il le connaissait si bien. Sa gêne envers les hommes était-elle si flagrante ? Avait-il montré un visage énamouré à Mathieu ? Le vicomte avait-il lui-même des doutes ?

— Parfois, j'aimerais juste retourner en enfance, avoua Étienne. Lorsque tout n'était pas si compliqué, lorsque les bras de ma grand-mère parvenaient à me faire oublier tous mes chagrins.

— Je crois que j'ai une idée pour apaiser un peu votre peine.

— Une idée ? répéta Étienne avec un ton soupçonneux.

— Faites-moi confiance.

Le comte lui souriait d'un air franc. La poitrine d'Étienne se réchauffa. Après leurs confessions respectives, il se sentait plus léger. Et, surtout, l'espoir perçait derrière la douleur. Et cet espoir… provenait de la dernière personne à laquelle il s'attendait.

Sa main se referma sur celle d'Antoine, et celui-ci l'aida à se relever, les yeux brillants.

Sophie avait peut-être perdu un amant, mais, sur cette îlot, loin de tout, elle avait trouvé autre chose de tout aussi précieux.

Un ami sur lequel compter.

20

Antoine entraîna Étienne de l'autre côté du rocher. Ils avancèrent prudemment pour ne pas glisser sur le sol humide. Et là, Étienne s'immobilisa, à la fois surpris et fasciné. Une multitude de débris jonchaient l'îlot. Sa tête se tourna vers Carnac, qui ouvrit le bras pour l'encourager à aller voir.

Étienne ne se le fit pas dire deux fois. La mer commençait à se retirer, dévoilant un reste de carcasse de bateau, ou, du moins, ce qu'il supposait en être. Tout n'était qu'un mélange de bois calciné ou recouvert de mousse et de fragments de métal.

C'était à la fois fascinant et effrayant.

— Alors, vous pensiez avoir tout vu de Saint-Malo ?

Le comte de Carnac semblait fier de son petit effet.

— Qu'est-ce ? souffla Étienne en progressant avec précaution. Un vestige de navire de corsaire ?

Il avait envie de toucher ces restes, mais il craignait de se blesser. Tout cela… paraissait tellement vieux, tellement… fantastique ! Des images de bataille sur les flots envahirent son esprit. Des capitaines qui hurlaient leurs ordres, des matelots qui hissaient de grandes voiles. Un goût d'aventure l'emporta, et, en même temps, un parfum de terreur… Car l'équipage de ce bateau n'avait pas dû survivre.

Le comte se rapprocha. Le sourire sur son visage était si grand qu'on aurait dit un gamin devant un jouet.

— Voici la « machine infernale ».

Étienne haussa les sourcils.

— Imaginez, expliqua le comte en se rapprochant et en tendant la main vers les débris. Un navire de vingt-six mètres de long, doté de voiles noires. Rempli de marchandises très spécifiques…

Il laissa sa phrase en suspens et Étienne se permit de lui donner un petit coup de coude. Le comte ricana.

— Vous n'êtes pas très patient.

— Quelles marchandises ?

— De la poudre à canon.

— Il y a de la poudre à canon dans tous les navires corsaires, fit remarquer Étienne, soudain moins impressionné.

— Oh, pas comme dans celui-ci : de la poudre de haut en bas, de la poix et du soufre. Ainsi que des boulets, des grenades et toutes sortes de projectiles inimaginables.

Étienne ouvrit grand les yeux.

— Ce navire, lancé par les Anglais, avait pour but de donner un coup fatal au « nid de frelons » que constituait Saint-Malo. Créer une explosion dévastatrice, capable de percer les remparts et de détruire la tour qui nous servait de poudrière. Un bateau suicide. La plus gigantesque bombe que l'histoire ait connue.

— Et que s'est-il passé ?

Carnac prit un air dramatique et chuchota :

— Imaginez ce bateau voguer en fin de nuit, avec juste assez d'Anglais à son bord pour le piloter. Imaginez-le se rapprocher inexorablement de nos côtes…

Étienne retint son souffle.

— Lorsque tout à coup (le jeune homme sursauta), un vent puissant d'ouest dévia le cap du navire à même pas cinquante pas de la muraille et le fit s'échouer sur un écueil. Dans la panique, l'ingénieur y mit le feu. Une explosion épouvantable survint alors. Le ciel devint un brasier incandescent. Une pluie de projectiles tomba sur la ville, les vitres volèrent en éclats, les ardoises des toits furent arrachées…

Étienne demeurait pendu aux lèvres de Carnac.

— Mais pas un seul mur de la cité corsaire ne fut renversé. Et la seule victime dans la cité fut un chat, à qui on dédia une rue : la rue du Chat-qui-danse.

Le jeune Kerdelec laissa échapper une expression d'admiration. À travers les débris, il avait l'impression de revoir se construire cet énorme navire.

— C'est impressionnant.

— La cité corsaire est impressionnante. Et il ne s'agit que d'une histoire parmi bien d'autres. Je pourrais également vous raconter comment elle a résisté au bombardement de la flotte anglo-hollandaise, composée de soixante-quinze navires.

Étienne s'en amusa :

— Vous en êtes fier.

— Oui, si cela peut vous distraire et vous apaiser.

Étienne piqua un fard.

— C'est pour cela que vous m'avez piégé ?

— En partie, reconnut Carnac, cette fois avec un air plus malicieux. Mais je voulais surtout que cela vous inspire. Même quand la situation semble perdue, qu'aucun espoir n'est en vue, tout peut basculer. Ce jour-là aurait pu marquer la fin de Saint-Malo. Le fait que ce bateau se soit échoué avant d'atteindre la cité. Qui aurait pu le prévoir ? Enfin, tout ça pour vous dire : ne vous découragez pas, Étienne. Le vent soufflera, pour vous aussi.

Étienne ne parvint pas à retenir un sourire. Son cœur lui faisait toujours mal, mais la douleur lui semblait moins insurmontable.

— Vous savez que vous auriez pu me raconter cette histoire bien au chaud chez madame de La Pommeraye ?

— Vous me connaissez, j'aime bien me faire remarquer.

Le sourire d'Étienne s'accentua.

— Eh bien, bravo, c'est réussi. J'ai toutefois une question, comment comptez-vous rentrer, au juste ?

Cette fois, le comte grimaça.

— À vrai dire, je n'avais pas prévu de détruire la barque. Mais je vous assure que des navires passent régulièrement ! Si ce n'est pas aujourd'hui, ce sera demain.

— Demain ? répéta Étienne, saisi de sueurs froides.

Son compagnon éclata soudain de rire et le jeune homme comprit qu'il se moquait de lui.

— Vous n'êtes qu'un… qu'un…

— Toutes mes excuses…, mais si vous pouviez… voir votre tête…

Le comte ne parvint pas à contrôler son hilarité. Étienne pinça ses lèvres, puis ne résista plus. Il se laissa aller. Plus encore que sa confession et cette histoire… ce moment d'égarement partagé lui fit un bien fou.

*

Le comte avait eu raison : bien vite, des pêcheurs les récupérèrent, non sans se moquer d'eux. Étienne se sentait plus léger, mais, de retour à l'hôtel de madame de La Pommeraye, un sentiment d'urgence le gagna.

— Je… Vous permettez que je vous abandonne ? interrogea-t-il Carnac. J'ai quelque chose à faire…

Le comte acquiesça avec bienveillance. Une sensation étrange saisit la jeune femme, cachée derrière son masque. Ce qui s'était passé ce matin avait bouleversé leur relation. C'était comme si Carnac la comprenait sans qu'elle ait besoin d'exprimer ses pensées. Une telle chose n'arrivait qu'avec le véritable Étienne… Se pouvait-il que tout ce temps passé avec Carnac ait pu créer entre eux un lien presque familial ? Cette idée, étrangement, avait quelque chose de réconfortant.

Étienne partit à la recherche de la maîtresse de maison. Il la trouva sans mal à son secrétaire, entourée de piles de documents. Il la contempla un instant. Un peintre aurait pu produire un magnifique tableau de ce qu'il avait sous les yeux. Le secrétaire se trouvait à proximité d'une haute fenêtre qui donnait sur la mer et ses navires. La lumière qui en perçait éclairait le travail de madame de La Pommeraye ainsi que son visage concentré. De l'encre tachait ses doigts et le bout de sa plume était mouillé, sans doute à cause d'une fâcheuse habitude de la porter à sa bouche, comme à cet instant précis. Étienne se rendit compte alors qu'il ne connaissait que peu de choses de son hôtesse. Était-elle mariée ? Veuve ? Jamais il n'avait entendu Carnac l'appeler par un quelconque titre. Sa fortune provenait-elle de la mer ? Avait-elle du sang noble ? Il ignorait absolument tout d'elle et en éprouva une certaine honte.

— Hum, hum.

Les yeux caramel de madame de La Pommeraye se levèrent de sa feuille. Ses lunettes rondes lui donnaient des yeux globuleux et elle les retira aussitôt.

— Monsieur de Kerdelec !

Elle se leva et ajouta :

— Vous avez bonne mine ! Cela fait plaisir à voir.

Elle lui tendit les mains, avant de prendre conscience de l'encre qui les recouvrait. Elle s'arrêta alors, mais Étienne les attrapa.

— Madame, veuillez accepter mes excuses. Pour tout. J'ai été un invité déplorable et, si je vous ai causé du chagrin, ce n'était pas sciemment. Je vous promets de faire des efforts et de me montrer digne de votre hospitalité.

La dame papillonna des paupières, surprise, puis contempla leurs mains. Le rouge monta aux joues d'Étienne qui les relâcha. Parfois, il oubliait qu'un homme ne pouvait se permettre de tels gestes d'affection envers le sexe opposé.

— Pardon…

— Il n'y a rien à pardonner, s'amusa-t-elle. Ce qui compte, c'est le présent. Et je suis enchantée de voir que vous allez mieux.

— Merci, bredouilla le jeune homme.

Madame de La Pommeraye regagna son secrétaire et saisit un mouchoir en tissu pour s'essuyer les doigts.

— Merci pour tout, et pas seulement pour le logement. Vous m'avez aussi prêté un manteau, un chapeau, une épée… À ce propos, j'ai récupéré la mienne, je suis confus, je n'ai même pas pris le temps de vous la rendre…

— Avez-vous pu l'utiliser ? le coupa madame de La Pommeraye en balayant ses excuses d'un geste de la main. Elle est plus courte que la plupart, je trouve que cela lui confère plus d'équilibre et de maintien.

Étienne se tut, décontenancé. L'arme qu'elle lui avait confiée était-elle sa propre épée ?

— Pourquoi êtes-vous si surpris ? pouffa-t-elle. Ne connaissez-vous donc aucune femme qui pratique l'escrime ?

Étienne ne sut quoi répondre, mais son intérêt, lui, venait de redoubler.

— Vous êtes duelliste ?

— Mon père m'a appris, expliqua-t-elle. Cela ne plaisait guère à mon époux, mais à présent qu'il n'est plus là… Je fais encore bien ce que je veux. Si vous voulez des anecdotes amusantes, n'hésitez pas à demander à Antoine.

Étienne tombait des nues. Madame de La Pommeraye déclamait tout cela sur le ton de la conversation, comme si cela allait de soi.

— Vous parliez d'efforts pour mériter mon hospitalité, enchaîna-t-elle soudain avec le sourire. Il y a bien deux choses que vous pourriez faire pour m'être agréable.

Le jeune homme acquiesça, pris au piège.

— D'abord, venez à l'un de mes salons. Vous pourriez être agréablement surpris.

— Oui, madame.

— Ensuite… Acceptez mon cadeau.

Elle joignit les mains et s'appuya contre son secrétaire, tout sourire.

— Je… euh… Je ne comprends pas…

— C'est normal, rit-elle. Je me suis montrée un peu cavalière, et je vous prierai de ne pas en vouloir à Antoine. On va dire… que j'ai joué de chantage pour obtenir ce que je voulais.

Du chantage, qui fonctionnait avec Carnac ? Mais qu'est-ce que madame de La Pommeraye avait réclamé ?

— Quatre clercs sont en ce moment même dans les archives qui occupent vos journées. Ils y cherchent votre acte de baptême.

— Madame…

Elle leva un index autoritaire et avança vers lui.

— Ce sont des érudits de confiance. Ils sont payés pour aller vite et aussi pour leur silence. J'aurais dû intervenir plus tôt, mais je n'osais pas. Ces derniers jours ont prouvé que vous aviez besoin d'une pause et de faire la paix avec vous-même.

— Mais cet argent…

— Remerciez-moi en venant à mes salons, conclut-elle avec un air espiègle.

Ses doigts se posèrent sur la veste d'Étienne, qui s'en sentit soudain mal à l'aise. Il repensa alors aux propos de Kaerell et craignit qu'elle entretienne de faux espoirs sur sa personne.

— Madame, je vous remercie. Mais je ne peux accepter. Et euh…

— Oui ?

Elle continuait de jouer d'un air distrait avec les boutons de sa veste.

— J'aime les hommes !

Une vive chaleur lui monta jusqu'aux oreilles, et la maîtresse de maison s'esclaffa. Ciel, pourquoi Étienne avait-il prononcé ces mots ? Trop de franchise avec Carnac l'avait chamboulé…

— Vous êtes tellement adorable, Étienne.

Il baissa la tête, gêné.

— Et trop adorable pour mes goûts personnels. Ne vous inquiétez pas pour cela.

— Alors pourquoi ? Pourquoi m'aider ?

Madame de La Pommeraye joignit ses mains et haussa les épaules, telle une enfant.

— Car cela me plaît de faire ainsi.

Ses yeux luisaient d'une étrange façon. Étienne en avait la certitude : elle lui cachait la véritable raison de sa générosité. Toutefois, qui était-il pour remettre en doute sa parole ?

— Merci, madame.

Il se retira, partagé entre la reconnaissance et un sentiment d'inconfort. De retour dans le vestibule, il hésita à gagner sa chambre.

— Oscar ? demanda-t-il. Pouvez-vous m'apporter mon épée et mon chapeau ?

— Oui, monsieur. Dînerez-vous avec nous, monsieur ?

— Oui, je ne serai pas long.

Il quitta l'hôtel particulier pour rejoindre la cathédrale. Il connaissait le chemin par cœur, et ressentait le besoin d'y retourner. À l'aveugle, le jeune Kerdelec descendit les marches menant aux sous-sols mais, très vite, il se rendit compte que de la lumière inondait la crypte, et le large local d'archives. Madame de La Pommeraye n'avait pas menti… Quatre hommes travaillaient en silence sur les documents et tournaient les pages avec une rapidité déconcertante. Comment arrivaient-ils à déchiffrer si vite ces écritures ?

Tout à son étonnement, il les observa travailler avec tant de concentration qu'ils ne le remarquèrent même pas. La poitrine d'Étienne se crispa et l'émotion le gagna. Une telle générosité de la part de madame de La Pommeraye… de la part de Carnac… Il ne méritait pas tant d'égards.

Ému, il remonta l'escalier et s'assit à un des bancs de la nef centrale. Son regard demeura rivé sur la statue de la croix. Carnac avait-il raison ? Le vent soufflait-il enfin en sa faveur ? Tout ce qu'il avait vécu jusqu'ici… La maladie de son père, la disparition du document… En verrait-il enfin le bout ?

Il n'était pas sot, il savait que cette preuve de baptême pouvait avoir disparu à jamais. Et pourtant, le fait d'avoir touché le fond avec la confession de Mathieu… Avec tout ce qu'il avait subi, il estimait avoir le droit à un peu de bonheur. Était-ce égoïste de sa part de penser cela ? Est-ce que Dieu lui ferait payer encore longtemps ses tromperies et son orgueil ?

Du bruit à l'opposé du banc attira son regard, et il ne put retenir un sourire amusé.

— Et dire qu'il y a quelques semaines encore, mon apparition vous faisait grimacer, chuchota Carnac.

— Et dire qu'il y a quelques semaines encore, je vous prenais pour le diable.

Le visage tourné vers la croix, Antoine haussa les sourcils et soupira en posant nonchalamment ses bras de chaque côté du dossier du banc.

— Vous m'avez si vite cerné…

L'indolence de Carnac dans la maison du Seigneur aurait dû le choquer, mais ce n'était pas le cas.

— Je n'ai rien contre les nourritures spirituelles, annonça le comte avec un air de conspirateur. Mais si nous allions goûter à des plaisirs plus gourmands ?

Cette fois, Étienne lui fit les gros yeux. Son compagnon se composa un air innocent et ajouta :

— Étienne, de grâce ! Pas ce genre de pensées dans la maison de Dieu ! Vous devriez avoir honte !

L'intéressé voulut répliquer, lorsque Carnac lui saisit le bras avec un clin d'œil. Il abandonna toute velléité de rébellion. Oui, Étienne décidait de laisser faire le destin. Son attention dériva vers Carnac, tout content de son tour.

Sophie avait d'abord vu en lui le diable…

Mais qu'était le diable, sinon un ange déchu ?

21

— Où m'emmenez-vous ? questionna Étienne pour la énième fois. Je suis fatigué, je vais rentrer.

— Absolument pas.

Carnac l'obligea à avancer.

— Avez-vous oublié ? J'ai le cœur en lambeaux.

— Et j'ai la recette idéale contre ça.

Son camarade l'entraîna dans le vieux quartier et Étienne le suivit, plus par désespoir de cause qu'autre chose. Les enseignes défilaient sous ses yeux et une en particulier attira son attention dans une rue perpendiculaire : *Valais, père et fils.* Ce nom lui évoquait quelque chose, mais il ne se souvenait plus quoi. Il tourna par réflexe pour s'en rapprocher, lorsque Carnac lui saisit le bras.

— Par-là, nous y sommes presque.

Face au sourire malicieux du comte, Étienne soupira. Ils s'arrêtèrent devant une vieille demeure en granit sombre. Carnac toqua deux fois, un domestique ouvrit aussitôt.

— Bonjour, veuillez annoncer Antoine de Carnac.

— Je suis désolé, mais monsieur…

— Ah, Antoine ! s'exclama une voix pleine d'enthousiasme.

Le domestique fit un rapide pas de côté afin de laisser sa place à un soixantenaire déjà habillé pour sortir. Sans façon, ce dernier serra le comte dans ses bras avant de l'écarter et de l'admirer de haut en bas. Étienne, toujours en retrait dans la rue, les observa curieusement.

— Je me demandais quand vous viendriez enfin me présenter vos hommages !

— Monsieur Fuguay, s'amusa Carnac. Je l'aurais fait plus tôt si votre navire n'avait pas eu du retard.

— Du retard ? s'esclaffa son interlocuteur. Il n'y a pas de retard lorsqu'il s'agit de couler des… (Son regard dévia vers Étienne, qui retira son chapeau pour le saluer.) Vous m'avez amené un jeune mousse ?

— Non, capitaine, je vous présente Étienne de Kerdelec, fils du baron Charles de Kerdelec.

— Pas le pied marin, alors ?

L'homme se pencha vers Étienne. Sa carrure était plus qu'impressionnante.

— Et muet, avec ça ?

— Non, monsieur, balbutia le jeune homme, mal à l'aise. Et pour le pied marin, je l'ignore. Je n'ai encore jamais eu la chance de monter sur un navire.

Le capitaine plissa les yeux, puis éclata de rire avant d'attraper Étienne par l'épaule et de le faire entrer.

— Mettez-vous à l'aise, jeune blanc-bec.

Tout étonné, Étienne se laissa entraîner.

— J'ai une course à faire, mais vous pouvez rester autant qu'il vous plaira. Charlotte est à l'étage, et Jean-Pierre… Eh bien, à ce que j'ai compris, vous n'avez pas attendu mon retour pour le saluer ! Je ne vous montre pas le chemin.

Monsieur Fuguay ajusta son chapeau sur sa tête, attrapa une canne et sortit de sa demeure en les laissant avec le domestique dans le hall.

— Ces messieurs veulent-ils s'installer dans le petit salon ? proposa ce dernier.

— Ne vous souciez pas de nous, je connais le chemin.

Sans se formaliser de la bienséance, Carnac gagna une porte en bois. Un escalier de pierre descendait en colimaçon. Étienne lui emboîta le pas. Il n'avait surtout pas envie de rester seul dans une demeure qu'il ne connaissait pas.

— Monsieur Fuguay est armateur ? chuchota Étienne.

— Mieux, c'est un corsaire.

Un corsaire ? Un vrai de vrai ?

L'enfant en lui se réveillait. Étienne avait toujours voulu rencontrer un corsaire ! Un de ces hommes missionnés par le roi pour protéger les côtes et combattre l'ennemi ! Un être à la fois valeureux et libre !

— Étienne ? Étienne ? Vous m'entendez ?

Le jeune homme secoua la tête et ses joues rosirent.

— Oui ? Pardon.

— Vous pourrez discuter avec monsieur Fuguay plus tard. En attendant, j'aimerais vous présenter un ami. Venez. Nous arrivons bientôt dans son antre.

Saisi de curiosité, Étienne suivit Carnac. Était-ce l'ami cité par madame de La Pommeraye et qui avait occupé les après-midi du comte ? Ils débouchèrent dans une énorme cuisine en pierre avec un gigantesque feu. Trois tables en bois étaient alignées, recouvertes de grands sacs blancs, de fruits qu'Étienne n'avait jamais vus, ainsi que de bols et d'ustensiles utilisés. Une délicieuse odeur de pain flottait dans l'air. Un couinement attira son attention, et Étienne distingua un individu habillé tout de blanc, dos à eux, qui ouvrait la porte d'un four.

Celui-ci se retourna alors et faillit sursauter en les découvrant. Au lieu de s'excuser, le jeune Kerdelec demeura stupéfait. Malgré la farine qui maculait ses avant-bras, le jeune homme face à lui possédait une peau aussi noire que le charbon. Revenu de sa frayeur, l'ami de Carnac sourit, révélant des dents très blanches qui contrastaient avec le reste de sa physionomie. Il était plus jeune qu'Étienne, mais pas de beaucoup.

— Antoine ! s'exclama-t-il avec un léger accent. Je ne t'attendais pas aujourd'hui !

Il déposa le pain sur la table, avant que Carnac le serre dans une étreinte toute fraternelle.

— Jean-Pierre ! Comment vas-tu ? Encore à concocter de quoi nous faire monter au septième ciel ?

— Quand cesseras-tu de me piéger avec tes doubles sens ? s'esclaffa le dénommé Jean-Pierre. Désormais, je maîtrise suffisamment ta langue pour tout comprendre.

— Es-tu sûr de maîtriser ma langue ?

L'expression canaille de Carnac s'accentua et son interlocuteur fronça les sourcils avant d'ouvrir des yeux ronds et de lui donner un coup de poing sur l'épaule. Étienne, gêné par leur complicité, ne savait plus où se mettre. Jean-Pierre sembla à cet instant le remarquer.

— Oh, mais qui amènes-tu ? Tu sais que je n'aime pas qu'on me regarde travailler.

— Je sais, mais c'est une urgence.

Carnac avait retrouvé tout son sérieux. Étienne les dévisageait à tour de rôle, de plus en plus perdu.

— Il existe certaines souffrances qu'un médecin ne peut guérir, ajouta le comte avec un sourire frondeur. Mais toi, tu en es capable.

Étienne s'assombrit. Jean-Pierre n'était pas stupide, il avait forcément compris le sous-entendu. Il en voulut aussitôt à Carnac. Ce qu'il lui avait confié devait rester entre eux… Il se détourna, lorsque ce filou de comte poursuivit :

— Je t'en prie. La sœur de mon ami ici présent m'a broyé le cœur.

— Car toi, tu as un cœur ? le taquina Jean-Pierre avant de reprendre plus haut. Monsieur, est-il vrai que vous avez une sœur ? Ou bien ce coquin essaie-t-il de m'entourlouper ?

La situation embarrassait Étienne, qui se contenta de hocher la tête. Jean-Pierre le fixa quelques secondes, puis soupira :

— D'accord, mais bien parce que c'est toi.

— Merci. Dégaine tes armes, on te regarde faire ! Étienne, asseyez-vous, surtout ne parlez pas. Le chef doit se concentrer.

Une heure plus tard, une délicieuse odeur emplit la pièce, et Jean-Pierre déposa au centre de la table un magnifique gâteau. Il y ajouta un coulis rouge, des morceaux noirs, et également ce qui ressemblait à des fruits : des sortes de boules orangées.

— Voilà ! s'exclama-t-il.

C'était splendide ! La précision et la symétrie de chaque détail laissèrent Étienne sans voix. Très vite, une part se trouva face à lui.

— Attendons juste un peu que le gâteau refroidisse.

Jean-Pierre l'entraîna alors dans un monologue décrivant toutes les subtilités à connaître en cuisine et les différents chefs-d'œuvre qu'il avait déjà réalisés. Étienne l'écoutait distraitement, ses yeux dévorant le morceau face à lui.

— Allez-y, vous pouvez goûter.

L'intéressé ne se le fit pas dire deux fois. Sa fourchette s'enfonça dans le gâteau moelleux, qu'il porta enfin à sa bouche. Une explosion de goûts inconnus emporta ses papilles. C'était à la fois doux et sucré, chaud et réconfortant. Un déluge de bonheur et de plaisir. Jean-Pierre ne put cacher son contentement face à son expression.

— Cela aurait été encore meilleur si j'avais su que vous veniez aujourd'hui.

— J'ignorais que j'aurais ainsi le cœur en miettes, minauda Carnac.

— Au lieu de jouer la comédie, pourquoi ne pas me dire la vérité ? s'amusa Jean-Pierre, qui s'était assis sur la chaise en face d'eux avec décontraction.

— La vérité c'est que j'essaie de séduire ce jeune homme pour obtenir les faveurs de sa sœur.

— Et cela fonctionne ?

Les deux regards se tournèrent vers Étienne, qui se dépêcha de finir ce qu'il avait en bouche.

— Je ne sais pas…, bredouilla celui-ci. Une seconde part me permettrait peut-être d'y voir plus clair ?

Jean-Pierre éclata de rire tandis que Carnac souriait à s'en décrocher la mâchoire.

— Désolé, mais c'est délicieux, se justifia le jeune Kerdelec, à la fois content de son petit effet et embarrassé.

— Celui-là, je l'aime bien !

Jean-Pierre le resservit d'une belle part et ils se mirent à bavasser, comme trois vieux amis qui se revoyaient après de longues années. Très vite, la conversation s'aventura sur les questions honteuses qu'Étienne se posait sans oser les formuler plus haut.

— Le capitaine m'a racheté dans une plantation de coton, expliqua d'un ton égal Jean-Pierre. Il m'a offert un apprentissage comme cuisinier dans sa maison, et quand il sera terminé, je pourrai retourner sur mon île, dans un des établissements qu'il a créés. Les coloniaux tiennent à leur cuisine traditionnelle, et tout mon art consiste à la sublimer avec les saveurs de chez moi.

Étienne n'en revenait pas de la décontraction avec laquelle il abordait le sujet.

— Au bout de trois ans d'apprentissage sur le sol français, le royaume prévoit un affranchissement, expliqua Carnac, comme s'il se méprenait sur l'origine de la surprise d'Étienne.

Toutefois, ce dernier retint bien ses réflexions pour lui. Comment pouvait-on un seul instant penser que d'autres êtres humains, juste à cause de leur couleur de peau, pouvaient être asservis ? Il en avait déjà discuté avec Carnac, et le moment était mal choisi… Mais un sentiment d'injustice l'étreignait.

— Et tu as des projets, une fois là-bas ? questionna Antoine.

— Oui, m'enrichir.

Jean-Pierre lui sourit, avant de poursuivre :

— Et retrouver ma mère pour la racheter.

Étienne baissa la tête, le cœur serré. Sa part de gâteau lui sembla soudain amère.

— Ton ami est vraiment trop sensible, se moqua Jean-Pierre. Tu es sûr de vouloir devenir son beau-frère ?

— Absolument, décréta Carnac. Si tu voyais sa sœur, tu ne poserais pas la question.

Le jeune homme tourna à l'écarlate tandis que ses compagnons riaient. Que d'attitudes déplacées ! Heureusement, il ne s'en étonnait plus, ce qui l'aidait à ne pas réagir au quart de tour. De plus, il devait admettre que leur décontraction avait l'avantage de détendre l'atmosphère.

Ils quittèrent le jeune cuisinier d'excellente humeur. Dans l'escalier, Carnac fanfaronna :

— Alors, le sucre n'est-il pas un meilleur choix que les bordels pour soigner un chagrin d'amour ?

— Chut ! le tança Étienne, en regardant derrière lui. Monsieur Fuguay ne se fâchera-t-il pas que nous partions avant son retour ?

— Si, affirma le comte, d'un ton embêté. Il serait même capable de nous pousser sur la planche de son bateau afin de nous jeter aux requins…

Étienne ouvrit grand les yeux, avant de frapper Carnac qui se remit à rire.

— Vous êtes impossible !

— Jean-Pierre ? C'est toi ?

Une voix féminine les fit tous les deux se retourner. Une belle jeune femme aux cheveux blonds attachés négligemment en arrière, vêtue d'une robe à la française dotée de gros paniers, descendait l'escalier. À leur vue, ses yeux s'écarquillèrent de surprise et elle remonta sans même leur accorder une parole.

— Bien le bonjour, Charlotte ! s'exclama le comte.

Étienne le dévisagea avec interrogation.

— La fille du capitaine. Vous avez dû lui faire peur, comme vous n'avez pas été présenté.

— Moi, faire peur ? s'étonna Étienne, avant de se renfrogner face à l'expression canaille de son ami.

— Allons-y.

— Je peux vraiment rentrer seul. Profitez de vos amis.

— Non, vous ne pouvez pas. Et vous savez très bien pourquoi.

Carnac le poussa vers la porte, et salua le domestique qui attendait dans l'ombre. Une fois dans la rue, Étienne grommela des sons indistincts.

— Je ne suis pas un gamin.

— Vous me l'avez dit vous-même, reprit Carnac d'une voix où ne perçait plus le moindre amusement. Quelqu'un a payé des hommes pour vous attaquer. Ce quelqu'un se demandera pourquoi ils ne reviennent pas, et en enverra d'autres. Hors de question que vous sortiez seul.

— Vous allez me chaperonner ? plaisanta Étienne.

— Pourquoi pas ?

Carnac passa son bras autour de ses épaules et sourit effrontément.

— J'adorerais vous voir courtiser quelqu'un. Cela signifierait que vous guérissez. Jean-Pierre n'est-il pas beau garçon ?

— Carnac…, soupira Étienne.

— Oui ?

— Avant de penser à mon cœur, pensez plutôt à ma vie. Je n'ai plus de place dans mon estomac et nous sommes censés dîner avec madame de La Pommeraye… Elle va nous étriper.

— Voyons, je lui ai rapporté un souvenir.

Le comte souleva une petite boîte emballée dans un sac en tissu.

— Vous alors, vous pensez à tout.

— Je suis un être plein de surprises, monsieur de Kerdelec… Je suis capable de tout, absolument tout. Même de vous faire oublier votre vicomte de pacotille.

Il lui décocha un clin d'œil, puis enfonça le chapeau d'Étienne sur ses yeux.

— Hé !

Toutefois, son ami s'en allait déjà en trottinant gaiement. Sacré Carnac ! Toujours aussi… lui.

Étienne sourit, et se dépêcha de le rejoindre.

22

Étienne devait reconnaître qu'à défaut de soigner son chagrin, Carnac parvenait à lui faire oublier sa souffrance, même si elle revenait avec force une fois seul dans sa chambre.

Et la fin du mois de décembre lui avait également apporté son lot de tristesse, car s'il ne regrettait pas d'échapper aux sempiternelles messes de Noël, passer le dernier jour de l'année sans Nanou, Héloïse, Pilou et le véritable Étienne, avait miné son moral. Il les espérait heureux et en bonne santé, où qu'ils soient. Toutefois, là encore, madame de La Pommeraye et Carnac avaient réussi à lui rendre le sourire, et il avait presque eu l'impression de passer la soirée du Nouvel An en famille.

Autant être franc : Étienne se laissait vivre et il reprenait de la vigueur. Antoine avait dû fournir de gros efforts pour qu'Étienne accepte de le laisser lui enlever les points de suture de son flanc guéri et il n'avait pu s'empêcher de se vanter de ses talents en médecine. Les hématomes du jeune Kerdelec guérissaient, et il n'avait pas le temps de s'ennuyer entre les sorties proposées par Carnac – quand ils rendaient visite à Jean-Pierre, Étienne découvrait toujours de nouvelles saveurs ! – et les salons de madame de La Pommeraye.

Car Étienne avait tenu sa promesse. À l'écart, il assistait aux différentes réunions de la maîtresse de maison. D'abord étonné, il s'habitua à entendre toutes sortes de conversations sur la politique, l'économie, mais aussi sur les sciences et la philosophie en fonction des invités. Même des femmes se joignaient à des conversations enflammées. En examinant leur mise, Étienne comprit vite que ces réunions rassemblaient nantis comme plus pauvres, et que madame de La Pommeraye choisissait avant tout les convives pour leur vivacité d'esprit et leur éloquence. Étienne eut le plaisir d'écouter les récits de monsieur Fuguay et de ses batailles contre les Anglais lors de la dernière guerre. Parfois, il en oubliait où il se trouvait, redevenant la petite Sophie qui dévorait les récits de sa grand-mère mettant en scène son propre grand-papa.

— Un petit cadeau de Jean-Pierre, lui souffla le capitaine corsaire, un soir après le repas.

Il lui confia sous la table une jolie boîte en métal.

— Surtout, ne montrez pas ces douceurs à Antoine, ou vous ne pourrez pas en profiter.

Étienne se dépêcha de récupérer le coffret et, le cœur joyeux, le posa sur ses genoux, en ajustant la nappe pour le dissimuler à la vue.

— Et n'en abusez pas non plus, sinon vous risquez d'attraper de bonnes joues, comme ma fille.

Monsieur Fuguay lui décocha un clin d'œil malicieux et Étienne ne sut que répondre. Charlotte Fuguay n'apparaissait jamais quand Carnac et lui visitaient Jean-Pierre et elle avait jusqu'ici annulé tous les rendez-vous proposés par madame de La Pommeraye, prétextant une petite santé.

Plus Étienne fréquentait ces salons, plus il les appréciait. Tous ces gens rassemblés autour de madame de La Pommeraye n'avaient peut-être aucun titre, mais ils vivaient chaque jour leur vie comme une aventure. Ils parlaient avec passion, se moquant des affaires de jupons, de la réputation d'Un tel ou d'Une telle, ou encore de se trouver un bon parti.

Et surtout, ils nourrissaient des buts et des rêves qu'Étienne leur enviait.

— Pourquoi ai-je l'impression que vous conspirez tous les deux ? s'amusa Carnac en les rejoignant.

Étienne voulut protester, mais le capitaine Fuguay intervint le premier :

— Et si nous parlions plutôt affaires, vous et moi ?

Il adressa un signe de tête à Étienne, puis entraîna le comte. Voir Antoine obtempérer parce qu'il ne voulait pas contrarier son ami était très amusant.

Étienne soupira. Oui, ces soirées lui donnaient du grain à moudre sur sa propre vie.

Que voulait-il, au fond ?

Non, pas lui. Mais Sophie.

Car si aujourd'hui elle agissait en homme, ce n'était pas sa vie. C'était celle d'Étienne, celle qu'elle lui avait volée. Et elle ne pourrait pas la garder éternellement. Si un temps elle avait cru vouloir la conserver, elle avait finalement compris qu'elle ne souhaitait pas d'une vie où elle mentirait sans cesse. D'une vie où, si elle retombait amoureuse, elle ne pourrait montrer son affection, obligée de cacher son sexe.

Que désirait-elle alors ?

— À quoi pensez-vous pour afficher un tel air sombre ?

Yseult de La Pommeraye s'assit à ses côtés. L'un des invités avait sorti un violon et on s'amusait à virevolter autour de lui. Bientôt, monsieur Fuguay entonna une chanson paillarde que Carnac reprit en chœur. Ces deux-là s'entendaient vraiment bien.

— Êtes-vous malade ? insista la maîtresse de maison.

Étienne se mordit la lèvre et s'efforça d'afficher un air plus joyeux.

— Pardonnez-moi, madame. C'est une très belle soirée.

— Alors, quel est le problème ? Cela restera entre nous.

Ce disant, son regard dévia vers Carnac et monsieur Fuguay qui avaient certainement un peu trop bu, vu leur manière de chavirer l'un contre l'autre.

— Comment faites-vous ? questionna alors Étienne.

— Comment je fais quoi ?

Elle se tourna vers lui, et plongea ses yeux caramel dans les siens.

— Pour… tout ça. Avant vous, jamais je n'avais…

— Jamais vous n'aviez vu de femmes indépendantes ?

Honteux, Étienne acquiesça.

— Vous tenez des salons où vous parlez de tout sauf des dernières modes et des hommes à marier. Vous gérez vous-même vos affaires, vous ne craignez pas de dire ce que vous pensez. Comment en êtes-vous arrivée là ?

— J'ai empoisonné mon mari afin de prendre sa place.

Des sueurs froides envahirent Étienne.

— Allons donc, Étienne !

Son sourire lui permit enfin de respirer. Un instant, il avait vraiment cru…

— Vous prenez toujours tout au premier degré. C'est très amusant.

— Sauf pour l'intéressé.

Il baissa la tête, le regard sombre.

— Oh, Étienne, pardonnez-moi !

Elle posa sa main sur son épaule, et il se redressa en lui faisant un clin d'œil. Madame de La Pommeraye laissa échapper un rire peu élégant, enchantée de s'être laissé prendre au piège.

— Ah, mon cher Étienne… Vous êtes un ravissement pour moi. Mais revenons à notre conversation. Je n'ai pas choisi d'être veuve. Certes, j'aurais pu me remarier, mais ma liberté a toujours été ce que je chérissais le plus. J'ai donc appris à gérer un commerce, à négocier, à me faire entendre.

— Et aujourd'hui, vous vivez comme vous l'entendez.

— Oui, confirma-t-elle. Toutefois, vous n'êtes pas ici depuis assez longtemps pour entendre les rumeurs à mon sujet. Il paraîtrait que j'ai la cuisse légère et que, quand je jette mon dévolu sur un homme, celui-ci n'a d'autre choix que de venir dans mon lit, au risque de mourir en mer.

Étienne pouffa, avant de se figer. Yseult de La Pommeraye ne riait pas.

— Vraiment, madame ? Comment de telles inepties…

— Les rumeurs prennent souvent naissance à partir de faits avérés, mon cher Étienne.

Elle haussa les sourcils d'un air entendu. Le jeune homme ne sut plus où se mettre.

— Mais vous, mon ami, à quoi aspirez-vous ?

— Comme vous : à la liberté.

— Croyez-moi, ce mot n'est jamais qu'un leurre. Seriez-vous heureux sans aucune obligation, sans devoir vous soucier de personne ? Pendant longtemps, c'est ce que j'ai cru… Et puis, j'ai compris que ma liberté n'était rien si je ne pouvais la partager avec ceux que j'apprécie. Laissez-moi plutôt reformuler ma question : qu'est-ce qui vous rendrait heureux ?

Ce qui le rendrait heureux ? Cette question était aussi difficile que celle de ses aspirations. De longues secondes passèrent, où ni l'un ni l'autre ne parlèrent.

— Ne vous torturez pas si vous ne détenez pas encore la réponse, le rassura son interlocutrice. Quelle qu'elle soit, sachez que vous êtes remarquable.

Étienne inclina la tête, sceptique. Néanmoins, la gentillesse de sa compagne le touchait.

— Oui, assura-t-elle, l'expression sincère. Et je ne suis pas la seule à le penser.

Pas la seule ? Comment ça ? Les doigts de la dame rejoignirent discrètement ceux d'Étienne sous la nappe, et elle ouvrit grand les yeux en découvrant le petit paquet, tuant dans l'œuf la question qu'il allait lui poser.

— Un cadeau de monsieur Fuguay ? Ou plutôt de Jean-Pierre ?

Étienne acquiesça.

— Je ne dirai rien à la condition que vous le partagiez avec moi.

Un léger rire échappa au jeune homme et madame de La Pommeraye quitta sa chaise, avant de l'embrasser sur la tempe avec une affection toute maternelle. Il rougit et l'observa gagner le petit groupe en fête. Monsieur Fuguay l'attrapa alors par les hanches et la fit sauter en l'air.

— À quand votre prochain bal, Yseult ? Je serai bientôt trop vieux pour la bagatelle !

L'intéressée éclata d'un doux rire tandis que les convives ajoutaient tous des paroles enthousiastes.

Carnac en profita pour s'échapper. Les joues rouges et en sueur, il s'assit à côté d'Étienne.

— Alors, vous avez viré de bord ?

— Pardon ? s'étonna le jeune homme.

— Le baiser d'Yseult.

— Oh, ça…

Il haussa les épaules. Carnac l'épiait-il ?

— Elle essayait juste de m'amadouer.

— À quel sujet ?

— Cela ne vous regarde pas ! répliqua Étienne.

Carnac se pencha vers lui, et ses doigts coururent sous la table.

— Petit cachottier…

En un éclair, le comte déposa ses lèvres contre la tempe d'Étienne. Le cœur de celui-ci manqua un bond. Ses doigts se desserrèrent et… Carnac en profita pour s'emparer de la boîte.

— Hé !

Néanmoins, il ne parvint pas à retenir le voleur. Sa chaise crissa contre le parquet lorsqu'il se leva. Qu'importe qu'il n'ait pas la réponse à la question de madame de La Pommeraye. À cet instant, il avait juste une envie : faire regretter à Carnac son larcin !

23

— Jésus, Marie, Joseph !

Étienne plaqua sa main sur sa bouche. La barque sur laquelle Carnac l'avait entraîné ce matin entrait dans l'ombre immense d'un navire à trois mâts !

— Que faites-vous ? s'étonna Étienne, en voyant Carnac redoubler d'efforts pour se rapprocher du bateau. Il va nous déchiqueter si nous nous approchons trop !

Le jeune homme se contenta d'un sourire enjoué. Quand enfin ils l'atteignirent, on leur jeta une échelle.

— Vous d'abord.

Étienne s'exécuta. Le ballottement ne l'aidait pas à se hisser, mais ses bras, habitués à escalader, possédaient assez de muscles pour ne pas paraître ridicule. Deux hommes l'attrapèrent par son manteau afin qu'il enjambe la rambarde et atterrisse plus aisément sur le pont. Étienne ne pensa même pas à les saluer. La bouche ouverte, il tournait sur lui-même, admirant les mâts, les voiles, la dunette et divers éléments architecturaux dont il ignorait les noms, mais qu'il avait maintes fois vus dans ses rêves les plus fous.

— Alors, ça vous plaît ? questionna Carnac qui se hissait à son tour.

— Si ça me plaît ? C'est juste…

Étienne ne trouvait pas les mots ! Lui qui avait ressenti un besoin de liberté, il se sentait pousser des ailes ! Soudain, le comte lui vola son chapeau et lui en enfonça un autre, un peu trop large pour lui, en cuir noir et surmonté d'une plume.

— Un capitaine doit porter le couvre-chef adéquat.

— Un capitaine ? s'étonna Étienne.

Les marins s'étaient rassemblés autour d'eux, soit une quinzaine d'hommes aux faciès mi-amusés, mi-grognons.

— Que faisons-nous, capitaine ? Voulez-vous aller taquiner les Anglais ? Escorter un navire ?

Le jeune homme regarda derrière lui, mais il n'y avait personne. Était-ce bien à lui qu'on s'adressait ? Son expression stupéfaite arracha un plus grand sourire encore à Carnac. Mon Dieu, il jubilait et se moquait de lui ! Enfin, face à son mutisme, il s'approcha d'Étienne et lui souffla à l'oreille :

— Profitez, c'est un cadeau. Pendant une journée, vous serez le capitaine de ce navire.

— Comment… ?

— Cela sert d'avoir des amis corsaires.

Antoine recula et frappa si fort dans le dos d'Étienne, que celui-ci fut obligé de s'avancer vers les marins.

— Je… Euh…

Oh, et puis zut ! N'était-ce pas, après tout, son rêve d'enfant ?

— Hissez la grand-voile et cap au nord ! Allons couler nos ennemis et les faire pleurer dans les jupes de leurs mères !

Étienne dégaina son épée et la leva bien haut au-dessus de sa tête. Les marins répondirent avec des cris enthousiastes et sortirent à leur tour leurs couteaux, avant de se jeter à leur poste respectif.

*

Quand le bateau rentra au port, le soleil se couchait sur la belle cité de Saint-Malo. Sophie, ou plutôt Étienne – il fallait absolument qu'elle remette le masque de son jumeau, mais peut-être cela pouvait-il attendre encore un peu ? –, planait sur un petit nuage. L'excitation de la journée l'avait plongée dans une fatigue salvatrice. Comme si tous ses soucis, tous ses malheurs n'existaient plus.

Lorsque ses bottes retrouvèrent la terre ferme, elle perdit l'équilibre. La terre semblait tanguer sous ses pieds. Antoine la rattrapa avant qu'elle ne s'étale au sol et, contre toute attente, elle se mit à rire. Elle n'avait pourtant pas bu, mais c'était bien ainsi qu'elle se sentait : ivre de bonheur. Et cela, grâce à lui.

— Vous allez bien ? s'inquiéta-t-il.

— Oui, cela faisait longtemps que je ne m'étais pas senti aussi joyeux !

Son compagnon lui offrit un beau sourire, et ils saluèrent les marins qui les avaient ramenés à bon port.

— Rentrons avant qu'on sonne le couvre-feu, décréta Antoine.

Sophie ne put s'empêcher de lever les yeux au ciel.

— Quoi ? protesta son ami avec un air interrogateur.

— Où est donc passé votre esprit aventurier ?

Sophie marchait à reculons sur le ponton tout en lui souriant. Le comte, lui, perdit son sourire.

— Attention, vous pourriez tomber…

La jeune femme se remit à rire avant de se prendre les pieds dans un cordage et de basculer en arrière. Cette fois, elle atterrit sans aucune noblesse sur les fesses.

— Étienne ! s'exclama Antoine. Est-ce que…

La jeune femme accepta la main tendue pour se relever. Les oreilles brûlantes de honte, Sophie baissa les yeux au sol.

— Voilà qui est embarrassant…

— Vous n'avez pas à être embarrassé avec moi. Jamais.

Elle releva brusquement la tête. La silhouette de Carnac se découpait dans le soleil couchant, une lumière ténue ajoutait de la douceur à son visage. Elle se perdit quelques instants dans sa contemplation. Juste ciel, que lui arrivait-il ? Cette journée devait l'avoir fatiguée. Voilà que Carnac était… presque agréable à regarder.

— Vous avez raison, nous devrions rentrer avant qu'il ne se fasse trop tard.

Cette fois, Sophie avança sur le ponton en faisant attention. Ils se promenèrent un peu sur la plage, avant de gagner les remparts. Sophie ne pensait guère plus aux convenances. Elle virevoltait plus qu'elle ne marchait. Tout lui semblait beau et agréable autour d'elle. Cette petite fille avec son panier plein de moules qui rentrait avant la nuit, ce chat qui se frottait contre des marins ou encore ces goélands qui attendaient qu'un gentilhomme passât juste en dessous du toit où ils se trouvaient pour déféquer.

Son regard se tourna vers Antoine, qui dévia aussitôt le sien.

— Quoi ? décréta-t-elle tandis qu'ils tournaient dans une rue plus étroite pour gagner la demeure de madame de La Pommeraye.

— Rien.

— Menteur.

Le comte ouvrit grand les yeux de surprise.

— Plaît-il ? Vous osez m'accuser de mentir ? M'obligez-vous à laver mon honneur ?

Il porta sa main à l'épée et Sophie l'imita.

— Vous êtes infatigable quand vous vous y mettez, pouffa Antoine.

— Pour vous servir.

Sophie se fendit d'une révérence moqueuse. Quand elle se redressa, le visage dur et sérieux de son compagnon la décontenança.

— Étienne, rapprochez-vous.

Elle s'exécuta avant de discerner les trois hommes immobiles en bout de rue. La jeune femme se retourna. Deux autres, en longs manteaux de marin, arrivaient derrière eux.

— Votre épée.

Elle n'eut pas besoin que Carnac le lui dise pour la tirer de son fourreau.

— N'oubliez pas : fixez votre adversaire, et non l'endroit où vous allez frapper.

— Ces hommes viennent pour moi, siffla Sophie, redevenue complètement Étienne. Vous n'êtes pas obligé de vous battre. Vous…

— Et louper une chance de me divertir ? ricana Antoine.

Étienne lui coula un regard inquiet. Le comte ne comptait pas fuir. Une drôle de sensation réchauffa les entrailles du jeune homme, et la reconnaissance l'envahit. Ils se rapprochèrent tandis que les inconnus accéléraient le pas. Les quelques passants désertèrent vite les lieux, si bien qu'ils se retrouvèrent seuls dans la ruelle sombre.

— Prenez les deux derrière.

Étienne s'exécuta et se posta dos à Carnac. Quelque chose brilla dans les mains d'un des hommes, tandis qu'un « clic » chez le deuxième marqua clairement ses intentions.

— Il y a au moins un pistolet, chuchota Étienne.

— Et deux devant moi.

À environ trois mètres, les individus s'arrêtèrent. L'un d'eux clama :

— Suivez-nous sans faire d'histoires !

— Et si nous refusons ?

— Alors on vous y obligera. Mais on préférerait ne pas devoir en arriver là...

— Attendez..., marmonna Antoine.

Dans son dos, Étienne l'entendit avancer. Mais que fabriquait-il ?

— Nous nous connaissons, n'est-ce pas ?

— Le capitaine Fuguay veut vous voir, maintenant.

Étienne abaissa son épée. Les hommes devant lui, malgré leurs armes, ne bougeaient toujours pas. Pourquoi leur ami corsaire les faisait-il mander de manière aussi cavalière ? C'était à ne rien y comprendre.

— Que se passe-t-il ? questionna le comte.

— Ça, c'est pas à nous de vous le dire.

— Dites plutôt qu'il ne vous a pas mis dans la confidence, ricana Carnac, insolent.

Des grognements lui répondirent et les hommes se rapprochèrent.

— Peut-être, mais il est en colère. Très en colère. Alors ? Vous nous suivez ou on vous y oblige ?

— Monsieur de Kerdelec n'est pas dans la querelle, laissez-le partir.

— Entendu.

— Non ! objecta aussitôt le jeune homme.

— Étienne…, grommela Carnac, les dents serrées.

Le jeune homme recula jusqu'à ce que son dos touche de nouveau celui de son compagnon.

— Je ne vous abandonne pas ! Ma lame est vôtre.

Que croyait-il ? Que son soutien n'était qu'à sens unique ? Si Carnac était prêt à se battre pour le protéger, alors Étienne aussi.

Contre toute attente, il entendit le comte ranger son épée.

— Ai-je votre parole que monsieur de Kerdelec ressortira indemne de la conversation ?

— S'il ne joue pas aux idiots, oui.

— Vous avez entendu, Étienne ?

Celui-ci serra les mâchoires, frustré, et rengaina également son arme. Les hommes de Fuguay les encerclèrent, avant de les obliger à marcher.

— Vous auriez dû rentrer…, chuchota Antoine.

L'appréhension envahissait le jeune homme. Malgré tout, il sourit.

— Vous l'avez dit vous-même, je suis infatigable.

Néanmoins, son ami n'avait pas le cœur à plaisanter.

— Si cela tourne mal, rentrez directement chez Yseult. Ne cherchez pas à me sauver…

— Non, je…

— Promettez !

Antoine saisit son poignet avec une telle violence qu'il lui fit mal.

— Non, grogna-t-il.

Le regard de Carnac lui jeta des éclairs et Étienne l'imita. Enfin, le comte le relâcha. L'appréhension se mua en peur et Étienne inspira pour se donner du courage.

— Une idée de ce que le capitaine vous veut ?

— Nous allons vite le savoir…

L'homme en tête du convoi frappa à la porte de la demeure du corsaire, qui s'ouvrit comme au ralenti face aux deux jeunes hommes. On les poussa sans façon à l'intérieur et le capitaine Fuguay apparut, vert de rage. Ses cheveux poivre et sel se levaient en pagaille sur son crâne. Son gilet, au-dessus de sa chemise, n'était plus droit, et il portait encore ses bottes. Quand il vit Carnac, il fonça droit sur lui, et ses hommes reculèrent d'un même mouvement, comme de peur de se faire piétiner.

Tout se passa alors très vite. Le capitaine Fuguay frappa Antoine en plein visage, si fort que la tête de celui-ci partit sur le côté. Son chapeau tomba au sol, et du sang marqua ses lèvres. Étienne se précipita, mais deux hommes le saisirent par les bras pour l'empêcher d'intervenir.

— Vil scélérat ! cracha monsieur Fuguay. Comment as-tu osé ? Moi qui t'ai accueilli les bras ouverts dans ma maison ! Qui te considérais comme un fils !

D'un revers de main, Carnac essuya le sang à sa bouche et répondit :

— Puis-je au moins savoir de quoi vous m'accusez ?

— De quoi je t'accuse ? Ignoble que tu es ! Tes forfaits sont-ils si nombreux que tu ne te souviens plus de celui-ci ?

Le capitaine leva le bras pour le frapper de nouveau. Étienne se débattit, inquiet pour Carnac, mais celui-ci réagit enfin. Il bloqua le coup et siffla :

— J'ai toujours assumé mes actes. Parlez et je vous donnerai satisfaction.

Les hommes du capitaine se rapprochèrent, mais celui-ci aboya :

— Tous, dehors !

— Mais capitaine…

— C'est un ordre !

Étienne se sentit alors transporté comme un vulgaire sac vers la sortie.

— Non, pas lui. Qu'il soit témoin du vrai visage de celui qui ose se déclarer mon ami.

Les hommes de main relâchèrent Étienne, stupéfait. Il ne comprenait rien à la situation.

Pourquoi le capitaine Fuguay traitait-il ainsi Antoine ? Il les avait pourtant vus chanter et danser ensemble, partager des rires et des plaisanteries. Il venait de l'accuser de trahison, de perfidie… Une accusation si grave qu'elle méritait qu'on tirât l'épée. L'inquiétude se mua en angoisse, et il les rejoignit dans le salon.

Des sanglots discrets attirèrent immédiatement son attention. Là, assise dans un fauteuil, se trouvait Charlotte, la fille du capitaine Fuguay, les cheveux détachés et en simple chemise de nuit…

Le cœur d'Étienne bondit dans sa poitrine et se coinça dans sa gorge.

La jeune femme referma un peu plus ses bras contre son ventre.

Hélas, rien n'aurait pu cacher sa taille démesurée.

Charlotte Fuguay était enceinte. Et le père… se trouvait parmi eux.

24

— Oserez-vous nier votre responsabilité ? rugit Fuguay.

Antoine demeurait immobile face à Charlotte. Pourquoi ne se défendait-il pas ? La panique enveloppa Étienne. Antoine devait être sous le choc d'une telle accusation. Oui, il ne voyait pas d'autres explications.

— Monsieur, articula-t-il d'une voix éraillée par l'anxiété, jamais Antoine…

— Oseriez-vous insinuer que ma fille est une menteuse, monsieur de Kerdelec ? Charlotte, répète-moi ce que tu m'as dit, qui est responsable de ton état ?

La jeune femme se recroquevilla un peu plus sur elle-même et pleura de plus belle.

— Charlotte ! Ne m'as-tu pas affirmé qu'il s'agissait d'Antoine de Carnac ?

— Oui ! couina-t-elle alors sans oser les regarder.

Un coup brutal frappa la poitrine d'Étienne. Et Antoine qui ne réagissait toujours pas !

— Je suis désolée, sanglota-t-elle de plus belle.

Le capitaine Fuguay gagna le côté de sa fille et lui saisit la main. Toutefois, cela ne la calma pas. Au contraire, ses pleurs redoublèrent.

— Pardon... pardon..., répétait-elle.

La colère enfla chez Étienne, qui refusait d'y croire. Il avança d'un pas raide et gronda :

— Comment...

Antoine l'arrêta d'un mouvement de la main.

— C'est vrai, avoua-t-il tout bas. J'ai joué avec elle, elle n'a pas pu me résister.

Le silence s'était répandu dans le salon. Même Charlotte, hébétée, avait cessé de pleurer.

— Cela ne s'est produit qu'une fois, ajouta-t-il d'un ton indolent avant de regarder ses ongles. Sur ce coup, j'ai joué de malchance.

— Carnac, espèce de...

Le capitaine se releva avec véhémence et l'attrapa par le col de son manteau. Au lieu de se défendre, le comte partit d'un grand rire qui ébranla encore plus Étienne. À cet instant, il ressemblait plus que jamais au libertin qu'il avait rencontré à Rennes. Cela expliquait pourquoi Charlotte les fuyait à chacune de leurs visites...

— Allez-vous me tuer, monsieur Fuguay ? Ne préférez-vous pas obtenir une meilleure réparation pour l'honneur de votre fille ?

— Réparation ? cracha le capitaine en resserrant un peu plus son emprise. Son honneur est ruiné ! *Vous* l'avez ruiné !

— Qui sait, sinon les personnes réunies ici ? grommela Antoine d'une voix étouffée. Si elle a réussi à le cacher aussi longtemps, pourquoi pas encore quelques semaines ? Sauvons les apparences, et oublions ce désagrément.

Ce *désagrément* ? Il avait vraiment osé employer ce mot ? Le monde d'Étienne se fissurait de toute part. Choqué, il ne parvenait ni à réagir ni à réfléchir.

Contre toute attente, le capitaine Fuguay le relâcha.

— Vous allez l'épouser, Carnac.

Étienne le dévisagea avec de grands yeux. Le capitaine voulait que sa fille épousât l'homme qui avait abusé d'elle ? L'homme qui la traitait de cette façon ?

— Non, trancha le comte. Je n'ai aucun intérêt à rallier votre maison à la mienne.

— Fils de…

— Néanmoins, je suis prêt à offrir une juste compensation. Allez chercher le notaire de votre choix et procédons immédiatement.

Le capitaine Fuguay le contempla avec une moue dégoûtée.

— Comment ai-je pu un seul instant vous croire mon ami !

— Vous n'êtes pas le seul à vous être posé la question, persifla Carnac, avec un sourire insolent.

— Paul ! gronda le capitaine.

Un domestique apparut.

— Allez chercher le notaire Dumont.

— À cette heure ?

— Oui, dites-lui que c'est urgent, et qu'il se montre discret.

— Oui, monsieur.

Le serviteur disparut prestement.

— Monsieur de Kerdelec sera mon témoin.

Étienne sursauta à l'énonciation de son nom. Une bile amère lui monta en bouche. Il fit volte-face, pour gagner le vestibule. Une présence dans son dos lui arracha un sentiment de haine et, lorsqu'une main se posa sur son bras, il faillit frapper Carnac.

Sauf qu'il ne s'agissait pas de lui, mais du capitaine Fuguay qui lui présentait le visage d'un père désemparé.

— Restez. L'acte ne peut se faire sans témoin. Et il y en a déjà assez de la déchéance de ma fille.

Une douleur aiguë dans la gorge, Étienne ne parvint pas à parler. Il se contenta d'acquiescer, et détourna les yeux pour que le capitaine n'y découvrît pas le voile brillant qui les recouvrait. Le corsaire tapota son bras, et ils attendirent en silence.

*

Le notaire Dumont, un homme grand et sec d'une trentaine d'années, arriva au bout d'une vingtaine de minutes. Étienne n'en pouvait plus de patienter. Il ne parvenait pas à regarder Carnac, et lui-même l'évitait. Assis sur une chaise, il s'obstinait à fixer ses pieds et surtout à ne pas penser. S'il laissait libre cours à ses émotions… il craignait ses propres réactions.

Les trois hommes se rejoignirent à table, et le notaire commença à griffonner de premiers éléments. Contre toute attente, Carnac, au lieu de paraître repentant, prit la tête des négociations. Il proposa une coquette somme à ajouter à la dot de la demoiselle, qui fit pâlir Étienne.

— Toutefois, je ne veux pas que le terme « défloration » soit écrit sur le document, précisa Carnac.

— Vous préférez qu'il note « désagrément » ? lâcha Étienne, acide.

Le comte haussa un sourcil circonspect.

— En voilà, une excellente idée. Merci, monsieur de Kerdelec.

— Va pour « désagrément », gronda le capitaine Fuguay, mais vous lui offrirez le double. L'honneur de ma fille vaut bien ça.

L'honneur de sa fille… Hélas, Étienne ne pouvait pas se boucher les oreilles. Il négociait le prix de sa virginité comme aux enchères, c'était atroce ! Il se désintéressa des négociations pour fixer Charlotte. Elle tremblait comme une feuille, mais ne pleurait plus. Peut-être n'avait-elle plus aucune larme à verser. Comment se sentait-elle ? Et que voulait-elle ? Pourquoi personne dans cette salle ne se souciait de son avis, ni même de son sort ? N'était-elle pas la victime ?

Étienne se leva et voulut s'asseoir à ses côtés, mais elle sursauta si vivement qu'il se redressa au dernier moment.

— Pardonnez-moi, mademoiselle, je ne voulais pas vous effrayer.

Elle secoua la tête, incapable de parler.

— Même si cela ne change rien, sachez que je suis désolé pour tout ça… Ce n'est pas votre faute.

Répéter les propos de Carnac lui coûta. Toutefois, il devait reconnaître leur justesse.

— Et l'enfant ? questionnait maintenant le notaire.

L'enfant ? Le jeune homme, désemparé face au mutisme de Charlotte, gagna la table, plus attentif que jamais.

— Je payerai les frais de couches, déclara Carnac. Celles-ci devront se faire dans le plus strict secret, à la campagne. L'enfant sera placé en nourrice, et vous n'en entendrez plus parler.

Étienne n'en croyait pas ses oreilles. Il se tourna vers le capitaine Fuguay, s'attendant à une protestation de sa part, mais l'homme fronçait les sourcils.

— Des personnes de confiance s'en occuperont. J'y veillerai moi-même. Que feriez-vous d'un bâtard ?

Quoi ? Même Fuguay, le grand-père de l'enfant, n'objectait rien ? Étienne jeta un regard à Charlotte, toujours prostrée. Avait-elle seulement entendu qu'on voulait lui arracher son enfant ?

— Si c'est une fille, expliqua Carnac, je payerai un couvent respectable pour l'accueillir. Si c'est un garçon, il rejoindra un collège pour ensuite être ordonné prêtre. Lavons ce péché en offrant à Dieu le fruit de cet accident.

Une envie de vomir saisit Étienne. Comment pouvait-on ainsi décider de l'avenir d'un enfant qui n'était même pas né ? Sans tenir compte de ce qu'il deviendrait, des aspirations qui seraient les siennes ?

— Je veillerai à ce qu'il ou elle ne sache rien de ses origines. Jamais vous n'en serez inquiété.

Le capitaine Fuguay demeura un instant songeur. Le notaire toussota alors :

— Il s'agit d'une bonne proposition, monsieur…

Une bonne proposition ? Carnac demeurait assis contre le dossier de sa chaise, décontracté. Il aurait pu négocier la vente d'un cheptel de moutons qu'il n'en aurait pas eu l'air plus indifférent. Il savait ce qu'il faisait, il savait que sa proposition ne pouvait être rejetée… Grand Dieu ! Combien de fois avait-il négocié de telles affaires pour paraître aussi à l'aise ?

— J'accepte, décréta monsieur Fuguay. Monsieur Dumont, mettez tout ça au propre.

— Ne demandez-vous pas l'avis de votre fille ? éclata alors Étienne. C'est aussi son enfant ! Son avenir…

— Elle a perdu tout droit de donner son avis en me trahissant, grommela le corsaire.

Horrifié, Étienne se tourna vers Carnac. Celui-ci se contenta de hausser les épaules.

— L'acte est prêt, je vais vous le relire, toussota le notaire.

Une vive déception s'ajouta à la tourmente des émotions d'Étienne. En plus d'être coupable, Carnac se moquait complètement des sentiments de Charlotte ? Et toutes ses belles paroles sur l'égalité entre les êtres humains ? Où étaient-elles ? Étienne ne le reconnaissait plus…

— Signez ici, lui indiqua le notaire.

Étienne serra le poing. En signant, il cautionnait cette comédie. Il ne le pouvait pas…

— S'il vous plaît…, gémit alors Charlotte.

Étienne, au bord du supplice, ferma les paupières, puis apposa son nom nerveusement. Les larmes lui montèrent aux yeux, et il ne tint plus. Il abandonna là la plume et cette maudite maison.

Les rues étaient désormais désertes, une bruine tombait du ciel. Le vent s'y engouffrait, lui évoquant les lamentations d'une femme.

Les lamentations de Charlotte Fuguay qu'il n'avait pas su défendre.

Il avait terriblement mal. Mal de s'être laissé avoir, mal de continuer à espérer. Il ne voulait pas, non, il ne pouvait pas accepter cette cruelle vérité.

Il s'adossa à une façade à quelques mètres de celle du capitaine Fuguay et, sous la pluie, attendit que Carnac sorte enfin. La tête basse, le comte s'engagea dans la rue sans le voir. Étienne courut vers lui et tendit le bras pour le retourner.

Une lame frôla aussitôt sa gorge.

— Étienne ! s'exclama Carnac en l'abaissant. J'aurais pu vous occire !

Un bref instant, le jeune homme crut retrouver son camarade de la journée. Mais il ne voulait plus se leurrer.

— Est-ce vrai ? Avez-vous vraiment engrossé…

— Plus bas ! s'énerva Carnac en l'entraînant à l'écart.

— Pourquoi ? Vous éprouvez enfin de la honte ?

— Oh, de grâce, Étienne…

— Regardez-moi dans les yeux et dites-moi la vérité !

Il l'attrapa par les bras, le cœur au bord des lèvres. Il voulait l'entendre de la bouche de Carnac. Le regard de celui-ci s'assombrit et se plongea avec une dureté sans nom dans le sien.

— Je suis un libertin, pourquoi jouez-vous à l'étonné ?

Étienne le relâcha et secoua la tête. Non, impossible !

— Tous vos beaux discours… Sur le respect des personnes, quel que soit leur sexe ou leur état… Vous avez même défendu devant moi l'honneur des filles de *L'Oiseau de Nuit* ! Je ne peux croire…

— Ce soir, l'interrompit le comte sans dévier ses yeux des siens, n'est que le résultat d'un instant de faiblesse de ma part. Je ne suis pas parfait.

Le dernier espoir d'Étienne venait de s'écrouler. Le déshonneur de Charlotte, un « instant de faiblesse » ? Carnac lui portait le coup fatal !

— Étienne…, reprit celui qu'il croyait être son ami.

— Non.

Il recula.

— Ne m'adressez plus jamais la parole. Jamais !

Le cœur en lambeaux, il s'enfonça dans la ruelle. Il s'efforça de ne pas marcher trop vite, mais, à la première intersection, il s'élança de toutes ses forces.

Il courut aussi vite que ses jambes le lui permettaient.

Mais aussi vite qu'il pouvait aller, jamais il ne pourrait retourner en arrière.

Carnac l'avait trompé, lui aussi. Et, plus encore, Sophie avait aimé être trompée par lui.

En prendre conscience la dégoûtait. En prendre conscience… ne fit qu'accroître l'océan de haine qu'elle ressentait. Et elle s'y accrocha. Elle s'y accrocha, car plus jamais elle ne voulait pleurer à cause d'un homme.

Oh oui, elle s'en faisait la promesse.

25

Au petit matin, la rancœur de Sophie n'avait d'égale que son extrême fatigue. Sombre, elle enfila le costume d'Étienne, récupéra son manteau auprès d'Oscar et sortit. Il n'avait absolument aucune envie de se montrer courtois. Il savait aussi qu'il n'aurait pas dû sortir seul, mais qui s'attaquerait à lui en plein jour ?

Il en avait assez de toutes ces manigances, de ces mensonges et de ces faux-semblants. Il gagna les remparts, puis la plage et y erra sans but tout le restant de la matinée. Le vent glacé soufflait sur les braises qui dévoraient son cœur. Le sentiment de trahison qu'il ressentait lui semblait encore plus douloureux que son chagrin d'amour. Mathieu ne l'aimait pas. Certes. Mais à aucun moment il ne lui avait menti. C'était Sophie, qui s'était imaginé de belles histoires. Carnac, en revanche… Oui. Lui s'était montré sournois et cruel.

Lorsque la mer remonta si haut que les vagues menacèrent de l'emporter, Étienne retourna à l'intérieur des remparts. Le ciel s'assombrissait, reflétant son humeur morose. Ses jambes le conduisirent alors dans la direction de la maison des Fuguay et il le remarqua juste à temps pour dévier sa trajectoire. Il ne manquait plus que de tomber nez à nez avec le capitaine ou un de ses hommes pour parfaire sa journée ! Quel idiot !

Il déambula dans des ruelles qu'il n'avait encore jamais vraiment fréquentées. Quelques gouttes commencèrent à tomber et il ajusta le col de son manteau pour ne pas être trop mouillé. Son regard dériva vers le ciel gris, puis s'abaissa sur une enseigne : *Valais, père et fils.*

Cet étrange sentiment de familiarité le ressaisit. Où avait-il déjà vu ce nom ? Il s'en rapprocha lorsque la porte de l'échoppe s'ouvrit soudain, laissant passer deux hommes qui discutaient gaiement.

Le sang d'Étienne se figea dans ses veines.

Ou plutôt, le sang de Sophie.

Car là, en face d'elle, se trouvait celui qu'elle tentait depuis des mois d'imiter.

Étienne.

Son cœur fit un bond dans sa poitrine et, par réflexe, elle fit volte-face.

— Nous devrions nous presser ou nous allons être trempés.

— Oui, monsieur !

Cette voix… Aucun doute n'était permis !

— Avez-vous bientôt fini la relecture du dernier article de Lacombe ?

Oh, mon Dieu, ils fonçaient droit sur elle ! Sophie se tourna un peu plus, et enfonça son cou dans ses épaules pour mieux cacher son visage dans le col de son manteau.

— Oui, monsieur, il est déjà sur votre bureau.

— À la bonne heure ! Ferdinand, vous êtes juste formidable !

Ils la dépassèrent sans lui prêter la moindre attention. Toutefois, un sac de nœuds serrait le ventre de Sophie. Pourquoi cet homme avait-il appelé son frère « Ferdinand » ? Et qu'était-ce que cette histoire de relecture ? Non, elle avait dû se tromper, il ne s'agissait pas d'Étienne, mais d'un individu lui ressemblant comme deux gouttes d'eau…

Sophie serra les poings, elle n'avait pas le courage de poursuivre les deux individus. À la place, elle retourna vers l'échoppe et poussa la porte. Une clochette indiqua son entrée, et une forte odeur de térébenthine lui sauta aux narines.

Cette échoppe n'avait rien d'un commerce ordinaire. Deux secrétaires se trouvaient sur sa droite et, dans le fond, elle pouvait distinguer une gigantesque presse avec des piles de journaux déjà fraîchement imprimés…

— Bonjour, monsieur, le maître est sorti, mais je peux peut-être…

La jeune femme qui arrivait dans le fond de la pièce, s'essuyant les mains avec un chiffon, n'eut pas le temps de finir sa phrase que Sophie repartit comme elle était entrée. Elle pressa le pas, craignant d'être rattrapée, et gagna aussitôt la demeure de madame de La Pommeraye.

— Oh, Étienne, déjà rentré ? Que se passe-t-il, on dirait que vous avez vu un fantôme !

La jeune femme ne répondit pas et monta quatre à quatre les marches de l'escalier. Elle suffoquait, et, dans sa chambre, elle se contenta de jeter son chapeau au sol, avant de fondre sur son secrétaire.

Enfin, elle dénicha ce qu'elle cherchait : la lettre de leur professeur d'écriture. Ses yeux la parcoururent avec vivacité.

Mon cher monsieur de Kerdelec,

Je suis ravi d'apprendre que vous vous consacrez toujours autant à l'écriture et à la lecture des grands classiques de notre royaume. Comme vous me l'avez demandé…

Elle accéléra sa lecture.

Il me tarde d'avoir votre avis sur ces quelques ouvrages,

Amitiés,

Mathias Boulanger

P-S : Monsieur Valais est très satisfait de l'apprenti que vous lui avez recommandé.

Valais !

Sophie se laissa tomber sur le lit. Elle n'avait donc pas rêvé ce nom. Les doigts crispés sur la feuille, elle essaya de calmer sa respiration. Puis, d'un coup, elle éclata de rire.

Un rire nerveux.

Un rire fou et sans aucune joie.

Le véritable Étienne avait si bien joué ! Il était allé jusqu'à se recommander auprès de leur maître d'écriture afin de trouver un travail à Saint-Malo. Et où ? Dans une imprimerie !

Ah, Étienne… Étienne…

Les doigts de Sophie serrèrent de plus en plus la feuille, jusqu'à l'en déchirer.

Depuis tout ce temps, son jumeau était là, juste sous son nez. Comment ne l'avait-elle pas vu plus tôt ? Son amour pour Mathieu, puis sa détresse et son obsession de retrouver l'acte, l'avaient-ils à ce point aveuglée ? À moins qu'Étienne, fidèle à ses habitudes, se soit terré pour passer ses journées à lire ?

Et depuis tout ce temps… Il vivait la vie qu'il avait toujours rêvée, loin de ses obligations familiales. Au lieu d'en éprouver du soulagement, Sophie ressentit une profonde colère. C'était lui, l'homme de la famille, lui qui aurait dû être à sa place ! Pendant qu'il s'amusait, elle se faisait battre, rejeter et humilier…

Elle se laissa tomber au pied de son lit et fit une boule de l'odieux papier avant de le jeter. L'énervement, la tristesse et la culpabilité la dévoraient de l'intérieur.

Le beau sourire du vrai Étienne s'imposa sous ses paupières closes. Son jumeau ne savait rien de ses malheurs et… c'était elle qui avait récolté tous les problèmes. Il n'y était pour rien. L'accuser était injuste.

Et pourtant, elle ne pouvait s'empêcher de lui en vouloir.

Sophie ne savait pas comment réagir. Devait-elle révéler à Étienne qu'elle l'avait retrouvé ? S'il avait désiré que sa famille sache où il se trouvait, il lui aurait écrit. Faire comme si de rien n'était ? Il lui manquait et, après tout ce qui s'était passé avec Chevigné et Carnac, elle avait plus que jamais besoin de lui… De son autre moitié. N'était-ce pas égoïste de l'accabler de ses soucis alors qu'il semblait épanoui ?

Enfin, épanoui… Elle l'avait juste vu sourire. Au fond, Sophie ignorait s'il était heureux ou non. Toutefois, elle prenait conscience du péril. Si quelqu'un tombait sur le véritable Étienne, alors son masque volerait en éclats. Sophie serait en danger, ainsi que sa famille… Car le déshonneur d'une fille touchait toute sa parentèle. Elle en avait eu un très bel exemple il y a peu.

Sa tête s'enfonça contre ses genoux. Elle devait prendre une décision, et vite. Si seulement les clercs de madame de La Pommeraye avaient retrouvé l'acte… S'enfuir avec, régler tous ces problèmes et revenir chercher Étienne lui semblait être la meilleure des solutions. Et, avec un peu de chance, il reviendrait de lui-même…

Un coup à la porte la fit sursauter et la ramena à son environnement. Depuis combien de temps était-elle ainsi, prostrée au sol ? Ses fesses lui faisaient mal. Le soleil, qui éclairait la chambre à son arrivée, était redescendu, la plongeant dans une semi-pénombre.

Le bruit à sa porte redoubla. Lasse, elle se releva et alla ouvrir. Carnac se trouvait de l'autre côté. En un réflexe, elle referma le battant, mais il le bloqua de son pied.

— De grâce, écoutez-moi.

Sa voix n'était pas comme d'habitude. Elle manquait de son piquant, et semblait presque molle. Sophie inspira et, redevenue Étienne, rouvrit la porte, même s'il se doutait qu'il allait le regretter. Le comte, son manteau trempé, se tenait contre le chambranle et le fixait. Son regard était légèrement brumeux et surtout… une mauvaise odeur émanait de son haleine.

— Diantre ! Vous avez bu !

Étienne recula, dégoûté, et le comte sourit sans aucune chaleur. Il profita de la distraction pour entrer et refermer derrière lui.

— Sortez ! Vous n'avez rien à faire…

— J'ai besoin que vous me rendiez un service.

— Un service ? s'esclaffa Étienne. Après ce qu'il s'est passé hier ? Êtes-vous tombé sur la tête ?

Carnac tituba plus qu'il ne marcha vers le lit du jeune homme, puis s'y laissa choir de tout son long.

— Carnac !

Prodigieusement agacé, Étienne donna un coup de pied dans sa botte. Toujours allongé, le comte articula lentement :

— Il n'y a qu'à vous… que je peux demander ça.

— C'est une mauvaise plaisanterie ?

— Ce soir… Charlotte, dans un carrosse… Emmenez-la dans un village non loin pour faire ses couches. Elle y sera en sécurité et… une nourrice… y prendra en charge l'enfant.

— Pourquoi ne pas le faire vous-même ? Après tout, c'est votre responsabilité !

— Car c'est trop dangereux pour sa réputation… On doit me voir ici. Et… il n'y a qu'à vous que je fais confiance.

— Vous ne manquez pas de culot de me dire ça ! Vous avez perdu toute ma confiance, Carnac.

Furieux, Étienne frappa de nouveau dans une des bottes de son odieux visiteur. Celui-ci porta alors une main en visière sur son visage et murmura :

— Faites-le pour Charlotte. Si elle ne part pas maintenant… Son père tuera l'enfant.

Le jeune homme se figea, toute colère redescendue.

— Le capitaine Fuguay n'agirait pas ainsi.

— Croyez-moi, vous ignorez totalement ce dont il est capable.

Carnac roula sur le côté et parvint à se redresser. Étienne secoua la tête, écœuré.

— Et vous aviner de la sorte va résoudre le problème ?

Décoiffé, et avec un sourire idiot sur les lèvres, Carnac acquiesça.

— Merci, Étienne.

Il tituba jusqu'à la porte.

— Si je le fais, c'est pour Charlotte. Et Charlotte uniquement, cracha le jeune Kerdelec, qui sentait l'étau d'un piège se refermer sur lui.

— Oui…

Carnac posa sa main sur la poignée, et Étienne ajouta :

— Et après, je ne veux plus jamais vous voir. Vous me dégoûtez, Carnac.

Le comte se figea, puis ajouta dans un faible souffle :

— Ce soir, vingt heures quinze, en bordure du Sillon. N'oubliez pas votre épée.

Et il disparut. La rage au ventre, Étienne retint un hurlement de frustration. Son regard dévia vers la lettre en boule sur le sol. Son jumeau attendrait. Avant, il devait gérer Carnac. Oui, le véritable Étienne ne pouvait pas réapparaître tant qu'un être aussi imprévisible et abject que le comte gravitait autour de lui. Le véritable Étienne était trop doux pour l'affronter. Seule Sophie pouvait s'en débarrasser.

26

Dans l'obscurité, Étienne attendait à distance raisonnable du Sillon. Sa monture s'agitait, sans doute inquiète de la nervosité de son cavalier. Enfin, après que les huit coups de la cathédrale eurent retenti dans la ville, le jeune homme discerna un carrosse discret en sortir. Un doute l'étreignit. Lorsque le véhicule s'arrêta et que le cocher, un homme grand et sec, commença à chercher autour de lui, il talonna son cheval.

— Qui va là ? s'exclama l'homme.

Personne ne l'accompagnait. Étienne hésita. L'affaire était trop délicate pour qu'il s'amusât à donner son nom.

— Qui vous envoie ? répliqua le jeune Kerdelec, sur un ton méfiant.

Deux coups rapides, suivis de deux plus lents, retentirent dans le carrosse. Les tentures avaient été tirées sur les fenêtres, de sorte qu'on ne vît pas le passager. Le cocher grommela des sons incompréhensibles, puis pesta :

— Donc, c'est vous. Dépêchons-nous, il reste peu de temps avant que la marée ne dévore le Sillon.

Étienne se mordit la lèvre. Qu'étaient-ce que toutes ces façons ?

— Un instant, ordonna-t-il.

Son cheval se rapprocha de la fenêtre, et il s'éclaircit la gorge :

— Ma… (il se reprit juste à temps pour ne pas trahir l'identité de la personne à l'intérieur), si vous ne désirez pas partir ou si vous préférez changer de direction, dites-le-moi. Je suis votre serviteur.

Aucune réponse ne lui parvint. Le cocher s'impatientait sur son siège.

— Toquez deux fois si vous souhaitez que nous poursuivions, une fois dans le cas con…

Deux coups furent donnés et l'estomac d'Étienne se serra.

— Alors, vous avez fini ? pesta l'homme.

— Allons-y, conclut Étienne.

Ils s'engagèrent sur le Sillon avec une rapidité qui déplut à Étienne. Néanmoins, il devait le reconnaître : la mer montait dangereusement et le vent qui soufflait accentuait la virulence des vagues. Le carrosse bougeait beaucoup, et il espérait que Charlotte n'en fût pas trop incommodée. De combien de mois était-elle enceinte ? Sa grossesse parvenait-elle à son terme, d'où l'urgence de la faire fuir ?

Les dernières habitations dépassées, l'homme lança ses quatre chevaux au galop et Étienne dut les suivre dans la campagne. Il pria pour qu'aucun pauvre bougre ne se trouvât sur les chemins, car à cette vitesse et dans cette obscurité, il ne survivrait pas au carrosse.

Lorsque enfin le cocher ralentit le pas pour ne pas crever les chevaux, Étienne rejoignit la voiture.

Petit à petit, le jour se levait. Les nuages qui avaient couvert leur fuite se dispersaient, la lune éclairant la route. Étienne regretta de ne pas s'être informé quant à leur destination : à quelle heure arriveraient-ils ?

— J'ai reçu ordre de n'effectuer aucune pause, expliqua le cocher quand il l'interrogea. Ainsi nous devrions y être vers cinq heures.

Est-ce que Charlotte tiendrait tout ce temps ? Inquiet, il s'approcha de la voiture.

— Est-ce que vous m'entendez ? Comment vous sentez-vous ?

— Je vais bien, prononça-t-elle d'une voix très faible, qui contrastait avec ses dires.

Au moins était-elle vivante. Ils avancèrent encore une bonne heure, alternant le pas et le galop. Étienne était fatigué, ses membres engourdis par le froid et l'absence de pause. Néanmoins, il ne se plaignait pas. Son inconfort ne devait avoir aucune commune mesure avec celui de Charlotte.

Des bruits de galop lui parvinrent alors au loin. Lorsqu'il se retourna, il discerna un nuage de poussière. Le cocher l'imita et, d'un coup, fouetta ses chevaux.

— Ya, ya !

Le carrosse distança Étienne brutalement, et celui-ci demeura étonné quelques secondes. Lorsque soudain, son cœur bondit dans sa poitrine. Ces chevaux au galop… Se pouvait-il que ce soit Fuguay et ses sbires ? Il talonna son cheval et gagna sans mal la voiture, ce qui était mauvais signe : les cavaliers, qui qu'ils fussent, finiraient aussi par les rattraper. Néanmoins, ce n'était pas sa plus vive inquiétude. Le véhicule bougeait de tous côtés et se soulevait pour se rabaisser brutalement lorsque les roues rencontraient des aspérités. Grand Dieu, ils allaient provoquer une fausse couche !

— Ralentissez ! ordonna Étienne.

Le cocher l'ignora.

— Ralentissez ! répéta-t-il plus fort.

— Impossible ! rétorqua l'homme. J'ai reçu des ordres !

Le véhicule sauta presque de un mètre et un cri émergea de l'habitacle.

— Ralentissez ou je vous jure que je vous coupe en deux !

Étienne dégaina son épée et la menace fonctionna. Le cocher, ennuyé, ralentit ses chevaux.

— Soyez naturel, et avancez comme si de rien n'était.

— Vous commettez une grave erreur…

Étienne se tourna vers la porte du carrosse. Plus aucun son ne lui parvenait.

— Fuir ne servira à rien si notre passager meurt.

— C'est vous qui voyez. Mais je ne vous aiderai pas.

Le cocher lui lança un regard noir qu'Étienne lui rendit. Déjà il voyait la silhouette des cavaliers s'épaissir. Oui, c'était le bon choix. Charlotte ne pourrait pas supporter une course-poursuite. Perdue d'avance, qui plus est.

— Des cavaliers approchent, expliqua-t-il à la porte. Restez calme. Je ne vous abandonnerai pas.

— Merci.

La voix était faible, mais au moins la jeune femme avait répondu. Il rangea son épée et demeura en arrière du véhicule, attentif. La troupe d'hommes gagna leur niveau puis les dépassa. Étienne se permit de respirer.

Grâce au ciel, ils n'étaient pas là pour eux ! Son cheval regagna le côté du cocher, et il retint une réflexion piquante. Être soulagé ne signifiait pas qu'il devait se montrer narquois. De plus, il avait besoin d'un guide pour arriver à bon port…

— Et maintenant ? grommela celui-ci.

Comment ça ? Étienne tourna son regard vers l'horizon et frissonna. La dizaine de cavaliers s'était arrêtée à une centaine de mètres d'eux et obstruait le chemin. Un des hommes s'écarta des autres et tira son épée.

La peur saisit Étienne.

— Vous pouvez foncer sans vous arrêter ? questionna-t-il.

— Bien sûr.

Le cocher esquissa un sourire mesquin qui fit froid au dos d'Étienne. Ils se rapprochaient de plus en plus de leurs poursuivants. Imitant leur chef, ces derniers tirèrent leur lame. Le cocher se mit alors debout, levant haut son fouet. Étienne sortit à son tour son arme, se tenant prêt à talonner son cheval.

La tension envahit tous ses muscles. Il était prêt.

— Oh ! s'exclama le cocher.

Il tira sur les rênes et les chevaux s'arrêtèrent.

— Que faites-vous ? s'écria Étienne.

— Je n'ai pas été payé pour ça.

Une vive peur saisit le jeune Kerdelec. L'homme en tête avança tranquillement son cheval. Désormais beaucoup plus proche, il discerna sans mal les traits tirés de son visage.

Le capitaine Fuguay les avait rattrapés.

Et il était furieux.

27

— Monsieur de Kerdelec, prononça d'un ton sec le capitaine Fuguay. Écartez-vous ou vous goûterez de ma lame !

L'angoisse envahit l'intéressé. Le visage à moitié caché par le col de leur manteau, les autres cavaliers fixaient Étienne. À onze contre un, il ne se savait aucune chance. Néanmoins, il ne pouvait abandonner Charlotte.

— Monsieur, j'ignore pourquoi vous nous arrêtez de cette…

— Oh, Kerdelec, êtes-vous donc aussi fourbe que ce chien de Carnac ? Je croyais pourtant vous avoir ouvert les yeux sur lui ! Mais pourquoi suis-je étonné ? Les chiens n'attirent que les chiens !

Étienne serra les dents face à l'insulte.

— Monsieur…

— Carnac respectera notre accord, et enlever ma fille n'y changera rien ! Rendez-la-moi, je sais qu'elle est à l'intérieur !

— Non, monsieur ! rétorqua d'une voix de stentor Étienne. Je n'escorte pas votre fille, mais une personne de qualité qui ne désire pas être vue.

— J'en ai assez de ces sottises ! Vous deux, allez-y.

Deux cavaliers foncèrent sur Étienne, épée relevée. Le jeune homme pressa ses cuisses contre sa monture et se tint prêt. Jamais encore il n'avait combattu à cheval. S'il pouvait parer une épée, arriverait-il à esquiver la seconde ? Les deux hommes se rapprochaient à vive allure. Son cheval s'agita, mais Étienne serra les rênes d'une main pour l'induire à ne pas bouger. Le cocher, lui, demeurait indifférent, bien décidé à ne pas intervenir.

L'impact allait être imminent… Tout d'un coup, sa monture, paniquée, se cabra. Surpris, Étienne chuta en arrière et lâcha son épée, sous les rires des hommes du capitaine.

— Pathétique, articula celui-ci en mettant pied à terre.

Vite, Étienne récupéra son arme, mais trop tard. Une lame lui chatouillait déjà la gorge. Un des hommes le maintenait en respect. Le capitaine Fuguay, le regard haineux, gagnait la porte du carrosse.

— Arrêtez ! cria Étienne, avant de sentir un filet de sang couler sur sa peau.

— Jurez-vous sur votre vie que Charlotte n'est pas à l'intérieur ? vitupéra le capitaine. Que vous n'aidez pas cette insolente à s'enfuir avec son amant ?

— Même si c'était le cas, bredouilla Étienne, sans bouger pour que la lame ne lui perfore pas l'artère. En quoi cela devrait-il vous chagriner ? N'étiez-vous pas d'accord pour qu'elle fasse ses couches à la campagne ? Pour que vous ne revoyiez plus l'enfant ?

— Mon pauvre Kerdelec… Vous n'y comprenez vraiment rien. Retenez bien ceci : ce n'est pas moi qui causerai votre mort aujourd'hui, mais bien Carnac. Jamais vous n'auriez dû lui faire confiance…

Il posa sa main sur la poignée de la portière, l'ouvrit d'un coup, et contre toute attente, recula vivement en portant sa main à sa ceinture.

— Si j'étais vous, j'éviterais. Et j'ordonnerais également à mes hommes de reculer.

Les ordres provenaient d'une voix de femme à l'intérieur du carrosse.

— Faites ce qu'elle dit.

L'épée qui menaçait Étienne disparut. Il en profita pour se dégager et se rapprocher.

— De plus, reprit la dame, je présenterais mes excuses avant de rentrer chez moi.

La porte du carrosse ouverte, le capitaine Fuguay fixait son interlocutrice. Son visage n'était plus qu'un masque de stupeur.

— Vous…

De là où il se trouvait, Étienne ne discernait qu'une main gantée autour d'un pistolet pointé droit sur le capitaine, et un autre, tourné vers l'énergumène qui l'avait menacé.

— Vous… Vous aussi, vous les protégez ? aboya le capitaine. Vous aussi, vous me trahissez ?

La stupeur laissa place à une souffrance bordée de haine. Le capitaine avait l'air complètement défait…

— Monsieur de Kerdelec ne vous l'a-t-il pas déjà dit ? rétorqua la femme. Il m'escortait pour une affaire privée. Et vous… Vous venez m'agresser avec vos rancœurs ? Comment osez-vous !

— En souvenir de notre amitié, je vous accorde le bénéfice du doute, maugréa-t-il. Mais ne vous mettez plus en travers de mon chemin !

Sans accorder le moindre regard à Étienne, le capitaine remonta à cheval, avant de détaler à toute allure. Le jeune homme les observa, toujours muet de stupeur. Cette fois il avait reconnu la voix, haute et claire.

Celle d'Yseult de La Pommeraye.

— Comment… Que ?

— Montez vous asseoir deux minutes.

Il se laissa quasiment tomber sur la banquette.

— Cocher ! Allez récupérer le cheval de mon ami !

— Ce n'est pas…

— Vous serez payé en supplément !

L'homme baragouina quelque chose d'incompréhensible, tandis qu'Étienne tentait de se calmer. Qu'était-ce que cette comédie ? Pourquoi madame de La Pommeraye se trouvait-elle à l'intérieur en lieu et place de Charlotte ? Pourquoi ne lui avait-on rien révélé ?

— Étienne, respirez, tout va bien…

— Non, tout ne va pas bien ! éclata-t-il en se relevant avec vigueur, manquant de percuter madame de La Pommeraye qui s'était penchée sur lui. Vous saviez, et vous m'avez laissé me ridiculiser ! Pire, j'allais me faire tuer !

— Mais je suis intervenue à temps.

Le regard de la dame se posa sur les deux pistolets sur la banquette. Étienne ferma ses paupières, il aurait dû la remercier, mais il n'en trouvait pas la force. Au lieu de ressentir du soulagement, la panique continuait de l'étreindre.

— Où est Charlotte ? Est-ce qu'elle est au moins en sécurité ? Est-ce qu'elle…

— Elle va bien (madame de La Pommeraye lui saisit les mains) grâce à notre intervention, Antoine a pu la déplacer en toute sécurité cette nuit. Ils devraient bientôt arriver en lieu sûr.

Étienne rouvrit les yeux, qui se posèrent immédiatement sur leurs mains. D'un geste sec, il retira les siennes.

— Alors, je n'étais qu'un appât ?

Un sourire fade étira ses lèvres. Carnac ! Comment n'avait-il pas pu y penser avant ? Tout ce stratagème lui ressemblait tellement !

— *Nous* étions les appâts, rectifia madame de La Pommeraye.

Elle posa une main sur son épaule.

— Ne doutez pas ainsi de lui ! Il a fait ce qu'il jugeait bon.

— Oui, ce qu'il y a de bon pour lui.

— Vous entendez-vous ? s'agaça-t-elle en le lâchant et en s'enfonçant dans la banquette. Il avait besoin d'aide et…

— Alors pourquoi ne pas m'avoir laissé escorter Charlotte ? s'écria-t-il. Pourquoi…

— Pour ne pas vous faire prendre de risques ! cria-t-elle si fort qu'il en fut un instant déstabilisé. Si son plan échoue, croyez-vous que monsieur Fuguay épargnera celui qui fera fuir sa fille ?

— Il a essayé de me tuer…

— Il vous aurait tué seulement si Charlotte s'était trouvée dans ce carrosse. Sinon pourquoi aurait-il attendu ? Il vous aurait massacré à la première occasion.

Étienne détourna le regard, les poings serrés.

— Antoine craignait que vous refusiez de le laisser partir seul. Voilà pourquoi il vous a menti.

— Et vous y croyez ? Vous y croyez vraiment ? ricana Étienne.

Ah, que le comte avait encore joué de belles paroles ! Même madame de La Pommeraye ruinait son amitié avec le capitaine pour lui !

— Comment pouvez-vous le juger si durement ? siffla-t-elle. Vous ne savez rien de lui.

— Et vous, votre affection vous aveugle.

— Peut-être, concéda-t-elle malgré le regard noir qu'Étienne lui lançait. Mais ne doit-on pas faire confiance aux personnes que nous aimons ? Leur pardonner lorsqu'elles font des erreurs ? Ou bien êtes-vous de ces gens qui abandonnent leurs amis à la première difficulté ?

— C'est Carnac qui m'a abandonné, pas le contraire.

Étienne, la rage au ventre, descendit du carrosse. Il ne voulait pas en entendre davantage.

— Que faites-vous ? s'inquiéta-t-elle alors qu'il ramassait son épée au sol. Vous n'allez tout de même pas partir et me laisser seule ?

Étienne ricana sans joie.

— Madame, vous venez de me prouver que vous n'avez pas besoin de moi pour vous défendre.

— Étienne…

Les sourcils de madame de La Pommeraye s'abaissèrent. Soucieuse, elle prit appui contre l'embrasure de la porte du carrosse pour le rejoindre. Elle descendit sans aide.

— Où l'emmène-t-il ?

— Plaît-il ?

Le jeune homme se retourna.

— Si ce que vous dites est vrai et que vous avez ne serait-ce qu'un peu d'affection pour ma personne… Dites-moi la vérité, où l'emmène-t-il ?

La dame le dévisagea, hésitante. Étienne secoua alors la tête, encore plus déçu de sa réaction.

— Dans un village, à l'est de Saint-Malo.

Il se retourna. Son interlocutrice fixait le cocher qui se rapprochait d'un air bougon. Il était trop loin pour l'avoir entendue, mais elle semblait s'en inquiéter.

— Comment s'y rendre ? ajouta Étienne, sans la moindre douceur.

Madame de La Pommeraye disparut soudain à l'intérieur du carrosse. Étienne soupira, était-ce sa manière d'ignorer sa question ?

— Voilà, grommela le cocher en lui tendant les rênes.

Étienne tapota l'encolure de son cheval. Le pauvre, il avait dû mourir de peur en voyant ces hommes charger sur lui. La dame sortit alors son nez du carrosse, un papier gribouillé d'indications à la main.

— Tenez. Cela ne vaudra pas une carte, mais vous devriez vous y retrouver.

Le jeune homme ne parvint qu'à hocher la tête pour la remercier.

— Ramenez cette dame à Saint-Malo, ordonna-t-il.

— Non, je me rends comme convenu à ma destination, souffla madame de La Pommeraye à contrecœur.

Il comprenait. Elle voulait faire croire jusqu'au bout qu'il ne s'agissait pas d'une distraction. Mais ce n'était pas cela qui sauverait les apparences… et encore moins qui lui permettrait d'obtenir le pardon du capitaine Fuguay.

— Venez avec moi.

— Non.

Étienne remonta à cheval, et madame de La Pommeraye se retrouva presque contre sa cuisse. Elle retenait sa monture. Sa poitrine se soulevait au rythme de sa respiration : elle semblait céder à la panique.

— Qu'allez-vous faire ?

— Je vais m'assurer qu'il arrive sain et sauf, grommela Étienne, ne pouvant plus supporter son regard implorant.

Il connaissait les tourments provoqués par l'incertitude. Il n'avait que trop expérimenté ces situations en tant que femme…

— Vous lui pardonnez ?

L'espoir qui vibrait dans sa voix lui serra le cœur. Cependant, il refusait de lui mentir :

— Non, quand tout cela sera réglé, je ne le reverrai plus jamais.

— Alors pourquoi…

— Car j'ai une dette envers lui, concéda Étienne, amer. Il m'a sauvé la vie. Après cela… nous serons quittes.

— Ainsi soit-il.

Elle relâcha les rênes et Étienne, incapable de soutenir son regard, talonna son cheval. Au lieu d'emprunter le chemin, il fondit dans les plaines. Hors de question de prendre le risque de recroiser Fuguay, ou pire, de lui permettre de trouver le chemin menant à Carnac.

Cette inquiétude qui dévorait son cœur… Ces larmes qui lui montaient aux yeux… Il s'en voulait tellement de ressentir ces émotions ! Toutefois, malgré les tromperies et les manipulations, il devait le faire. Sa dette l'obligeait à lui prêter assistance. Et non, il ne le faisait pas pour Carnac, mais pour Charlotte. Il se moquait du sort du comte. Celui-ci pouvait bien croupir dans un fossé qu'il ne s'en émouvrait pas.

28

Étienne avait galopé à toute allure et dut bientôt aller au pas : d'une part les reliefs devenaient plus accidentés dans les bois, d'autre part son cheval n'allait plus tenir le rythme longtemps. À plusieurs reprises, la bête avait ralenti, elle ne maintenait la cadence que sous son insistance.

Avisant une rivière, Étienne s'arrêta et descendit de selle, laissant sa monture s'abreuver. La sueur recouvrait le cheval et du sang suintait d'une blessure à sa jambe. Il contracta les poings, puis s'écarta à quelques mètres avant de frapper de toutes ses forces dans un tronc d'arbre à terre.

Par tous les diables ! Rien n'irait jamais donc comme il l'espérait ?

S'aidant de la lueur de l'aube, il avait suivi les recommandations de madame de La Pommeraye. Sur son chemin, il avait croisé quelques paysans qui lui avaient confirmé qu'il prenait la bonne direction. Toutefois, il avait dédaigné les routes plus praticables pour couper à travers champs. Et voilà que son cheval était blessé…

Jamais Sophie n'aurait permis une telle chose au domaine. Elle avait toujours pris soin d'Électre, et la manière dont elle poussait sur son cheval lui donnait l'impression de trahir sa jument. Elle ne se reconnaissait plus.

Étienne retourna auprès de sa monture qui n'avait pas fini de boire. Malgré la fraîcheur ambiante, il trempa ses doigts dans l'eau glacée et se débarbouilla le visage.

La morsure du froid le réveilla et lui ramena son bon sens. Il ne pouvait pas continuer comme ça.

— Viens, mon beau, on va continuer doucement, et tu te reposeras dans la première écurie.

Parler au cheval l'apaisa quelque peu. Étienne décida de longer à bonne distance la large voie qui s'enfonçait dans la forêt. La plupart des arbres avaient perdu leur feuillage et les épines des conifères ne le dissimulaient pas des regards. Toutefois, si des cavaliers passaient à toute allure sans tourner la tête, il passerait inaperçu. Quant à lui, il pouvait parfaitement distinguer les allées et venues.

Son cheval commença à boiter et il se maudit encore plus.

— Promis, chuchota-t-il, je te payerai une pension jusqu'à ce que tu guérisses. J'emprunterai dans un premier temps s'il le faut, mais tu n'iras pas chez le boucher.

La bête poursuivit son avancée sans lui accorder d'attention. Les larmes montèrent aux yeux d'Étienne. Il était épuisé. Il aurait dû écouter Yseult de La Pommeraye, et l'accompagner jusqu'à sa destination.

Un cri le glaça soudain. Qu'est-ce que c'était ? On aurait dit quelqu'un qu'on torturait !

La main sur la garde de son épée, il avança prudemment dans la forêt. Le cri se fit entendre de nouveau, et il tourna la tête vers le semblant de chaussée. La panique l'enveloppa. Là, à travers les branches sans vie, se trouvait un carrosse à l'arrêt.

Étienne lâcha la bride de son cheval et se précipita en avant, anxieux. La voiture ne payait pas de mine. Minuscule, elle n'était pas de bonne facture. Mais surtout… La roue sur le côté s'était brisée, entraînant la stabilité du véhicule avec lui.

— Il y a quelqu'un ? s'alarma-t-il.

Avec prudence, il se pencha à l'intérieur.

Vide.

Son cœur pompait à toute allure et il se redressa, à l'affût. Ces voyageurs avaient-ils été attaqués par des brigands ? Fuguay avait-il retrouvé Carnac et Charlotte ?

— Calme-toi, s'ordonna-t-il à voix haute.

Ses yeux foulèrent la terre battue. Les racines des arbres créaient des aspérités contre lesquelles une roue aurait pu s'abîmer. Il ne distingua pas de traces de sang. Seulement des marques rectilignes dans la terre humide, et celles de quelques chevaux de passage. Pas de piétinements qui auraient indiqué une échauffourée. Il nota que l'un des deux chevaux qui tiraient le carrosse manquait. Le cocher – Carnac ? – devait être parti chercher de l'aide. Mais qu'en était-il du passager ?

— Aaaaaaaaaahhhhhhhhhh !

L'horrible cri se réitéra et Étienne ne réfléchit pas. Il s'engouffra dans les fourrés et courut en direction du bruit. La plainte recommença, plus proche, et il dévia de sa trajectoire. Le cliquetis de l'eau lui indiquait qu'il gagnait la rivière qu'il avait auparavant quittée.

— Il y a quelqu'un ? vociféra-t-il, de nouveau perdu.

— À l'aide ! lui répondit une voix féminine. Je suis ici !

Étienne contourna un amas de rochers et son souffle se coupa. Charlotte Fuguay se trouvait bien là, cachée derrière le relief. Allongée sur un manteau d'homme, elle gardait ses mains rivées sur son ventre.

— Aaaaaaaahhhhhh ! hurla-t-elle en se tordant de douleur.

Étienne se précipita sur elle.

— Que puis-je faire ? s'affola-t-il. Où est Carnac ?

— Parti, gémit-elle. Chercher un autre… transport…

— Et il vous a laissée là ? Toute seule ?

— Le travail… n'avait alors pas… commencé…

La panique éclata dans sa poitrine, encore plus fort que quand il avait cru mourir. Non, non, Charlotte ne pouvait pas accoucher là, en pleine forêt ! Étienne ignorait à combien de semaines du terme elle se trouvait, il était fort probable que le stress de la fuite et le voyage en attelage aient tout déclenché. Y avait-il une solution pour l'arrêter ? Étienne se maudit de son peu de connaissance en la matière. La jeune femme lui tendit la main, et il la serra de toutes ses forces.

— Vous allez devoir m'aider.

— Vous aider ? Mais j'ignore…

Charlotte cria à nouveau. Malgré la température ambiante, ses cheveux trempés de sueur lui collaient au visage.

— Relevez-moi.

— Ne devriez-vous pas…

— Relevez-moi !

Le jeune homme s'exécuta. Une fois sur ses deux pieds, Charlotte commença à marcher, soutenue par lui.

— Ne devriez-vous pas plutôt demeurer immobile ?

— Je sais ce que je fais, gronda-t-elle, agressive.

Le savait-elle vraiment ? Elle était jeune, tout comme Étienne. Et ni l'un ni l'autre n'avaient jamais eu d'enfant. Sophie n'avait même jamais assisté à une naissance, si ce n'était de poulains. Était-ce la même chose ? Oh, mon Dieu, allait-elle devoir mettre ses mains à l'intérieur de Charlotte pour aller y déloger l'enfant ?

— Je pensais… accoucher seule… J'ai appris ce qui devait être fait, précisa Charlotte un peu plus doucement.

— Vous pouvez compter sur moi.

Malgré sa voix tremblante, Étienne ne mentait pas. Il était terrifié, mais la détermination de la future mère l'impressionnait. Et, par-dessus tout, il refusait de l'abandonner.

— Me coucher ralentira le travail. Le bébé doit sortir… le plus vite possible.

Étienne acquiesça. Ils marchèrent en faisant des ronds, s'arrêtant par intermittence aux cris de Charlotte. Les spasmes qui envahissaient son corps devenaient de plus en plus rapprochés. À plusieurs reprises, elle enfonça ses ongles dans la chair d'Étienne. Un flot d'eau s'échappa soudain d'entre les jambes de Charlotte et elle faillit tomber.

— Pitié… Faites que cela cesse…, sanglota-t-elle.

— Je suis là, je suis là, répéta Étienne, incapable de la soulager.

Que fichait Carnac ? Pourquoi ne revenait-il pas ? !

Charlotte hurla, écartant les jambes. Elle remonta ses jupes jusqu'au-dessus de ses cuisses, sans aucun égard pour Étienne. Mais autant dire que celui-ci s'en moquait. Il la tint le plus fort qu'il pouvait tandis qu'elle poussait et criait à se damner.

Les larmes lui montèrent aux yeux.

— Courage, vous allez y arriver !

— J'ai mal !

— Je sais, mais vous êtes forte.

— Je veux mou… Aaahhhhh !

Il resserra son étreinte autour d'elle, tandis qu'elle-même enfonçait ses ongles plus profondément dans sa chair.

— Pitié ! Tuez-moi !

— Courage Charlotte !

— Je n'en peux plus… J'ai besoin de m'allonger…

Étienne tourna la tête vers le vêtement à plusieurs mètres d'eux. Elle ne parviendrait pas à s'y rendre. La tenant d'une main, il retira son propre manteau et le jeta par terre.

— Allongez-vous.

Il l'aida à s'installer, et la retint avant qu'elle ne s'échoue tout à fait. Assise, les jambes écartées, elle se mit à pousser encore plus fort. Son visage était rouge, elle était trempée.

— Je sens qu'il descend.

Étienne la lâcha et vint se placer entre ses jambes. Les minutes qui suivirent resteraient gravées dans sa mémoire. Jamais il n'avait vu une anatomie féminine de si près, ou une anatomie tout court. Néanmoins, toute son attention se riva sur un morceau de tête qui dépassait.

— Je l'aperçois ! Vous y êtes presque, Charlotte.

— Tirez-le !

Quoi ? Il faillit s'étrangler. Non, c'était une mauvaise idée.

— Enlevez-le !

— Poussez, Charlotte !

— Je n'en peux plus.

— Allez.

Il s'appuya sur ses genoux et lui saisit les mains.

— Regardez-moi. Vous êtes forte. Vous pouvez le faire.

Les yeux bleus de Charlotte Fuguay plongèrent dans les siens. Les larmes coulaient sur ses joues, mais elle acquiesça et poussa encore. Étienne, lui, plaça ses mains autour de l'enfant à naître. Il sortait progressivement, millimètre par millimètre…

Dans un profond hurlement, l'enfant fut projeté hors de sa mère, et Étienne l'attrapa avant qu'il ne touche terre. Charlotte avait réussi ! L'euphorie le gagna tandis que le petit être bougeait. Un cordon reliait son nombril à l'intérieur de la jeune femme. Le nourrisson était minuscule mais semblait bien fait, il semblait… en parfaite santé.

— Donnez-le-moi.

Étienne cligna des yeux pour revenir de son émotion, et le tendit à Charlotte. Le visage de celle-ci s'illumina tandis qu'elle le récupérait.

— Vous avez réussi, souffla-t-il.

La jeune femme ne l'écoutait plus. Elle serrait l'enfant contre elle malgré le sang coagulé et la pellicule blanchâtre qui le recouvraient. Étienne se laissa tomber sur les fesses, et les observa, encore secoué. Le soulagement l'envahissait de la tête aux pieds, ses forces l'abandonnaient. Il était… heureux.

— Monsieur de Kerdelec… Il faut couper le cordon et le nouer. Et trouver aussi de quoi le nettoyer et le maintenir au chaud…

La voix de Charlotte le ramena à lui. Oui, elle avait raison. D'un geste hésitant, il sortit son épée et trancha le cordon du nouveau-né. Alors qu'il s'attendait à percevoir un cri, rien ne vint. Il s'empressa de faire un solide nœud, puis se releva. Il trébucha à plusieurs reprises avant d'atteindre le manteau plus loin au sol, et le rapporta pour en couvrir la mère et l'enfant.

Tout allait désormais pour le mieux…

Charlotte gémit soudain.

— Le bébé, prenez-le.

Étienne s'exécuta tandis qu'elle remontait de nouveau ses jambes contre elle.

— Il y en a un second ? s'inquiéta-t-il.

— Non, les derniers déchets doivent s'évacuer. (Elle gémit.) J'ai de l'eau dans mon sac. Nettoyez-le et séchez-le ensuite rapidement.

— Mais vous…

— Cela va sortir tout seul… Allez !

Elle se remit à crier, et Étienne s'écarta avec le tout-petit. Essayant de faire fi de ses plaintes, il retourna à l'abri des rochers qui les coupaient du vent, et trouva vite une gourde, ainsi que des linges propres. Charlotte avait vraiment pensé à tout. Le nouveau-né allongé sur ses cuisses, il commença à nettoyer le sang et la substance visqueuse. L'enfant serra ses petits poings, peu content d'être ainsi embêté, et c'est alors qu'Étienne prêta attention au bas de son corps.

Charlotte avait donné naissance à un vigoureux petit garçon. Carnac avait un fils !

L'émotion monta dans sa gorge, et il se pressa de terminer sa toilette.

Il remarqua alors un autre détail, qui lui avait échappé dans l'émotion de l'accouchement.

Un détail qui avait toute son importance.

Un détail qui changeait tout.

Absolument tout.

Cet enfant… avait la peau presque aussi sombre que le charbon.

29

Étienne avait l'impression de flotter hors de son corps. Engourdi, il avait ramené le bébé à sa mère, qui pleurait et souriait en le regardant. Aucune surprise ne marquait son expression. Étienne n'y connaissait pas grand-chose en descendance, mais il en savait assez sur le fait que les membres d'une même famille étaient censés se ressembler. Et ce bébé… ne tenait ni de sa mère ni de Carnac. Mais bien d'un autre homme qui partageait la demeure des Fuguay…

Cependant, Charlotte n'émettait aucun commentaire sur le sujet… Comme si cela ne changeait rien du tout.

Un amas rouge et sanguinolent tapissait le sol à quelques mètres d'elle. Était-ce ce qui était sorti de son corps lorsqu'il s'était éloigné ? Sans doute. Et il comprit que ce n'était pas le moment de poser ses questions. Aussi, il repoussa ses interrogations dans un coin de son esprit.

Il faisait froid, il ne pouvait laisser Charlotte et son bébé ainsi.

— Je vais essayer de retrouver mon cheval.

La jeune femme ne l'écoutait pas. Elle câlinait son enfant, l'embrassait… Il la laissa à son intimité, après lui avoir rapporté des linges propres et la gourde. Il se sentait étrangement vide, étrangement las.

Hélas, à la réflexion, son cheval avait eu l'intelligence de fuir un cavalier qui l'avait blessé. Bredouille, Étienne revint sur ses pas, lorsque des hennissements et des exclamations en provenance de la route attirèrent son attention.

Son cœur bondit dans sa poitrine. Carnac !

Il se précipita dans sa direction, avant de ralentir. Là, au loin, il ne distinguait pas un cavalier qui se rapprochait du carrosse, mais plusieurs… Juste ciel, Charlotte ! Il se baissa et courut jusqu'à la jeune femme.

Le soulagement l'envahit lorsqu'il la retrouva saine et sauve, en train de bercer son tout-petit dans ses bras.

— Nous devons nous enfoncer dans la forêt, chuchota-t-il. Quelqu'un vient. Les hommes de votre père…

Le sourire de la jeune femme disparut et son teint devint livide. Elle lui tendit le bras, et il l'aida à se relever, lorsqu'elle poussa un gémissement de douleur.

— Je ne peux pas… Je ne peux pas.

Étienne s'affola. Des yeux, il chercha une solution, puis, la souleva dans ses bras. Elle était lourde, mais ensemble, ils pouvaient fuir.

— Non…, souffla-t-elle. Cachez-moi juste. S'il vous plaît.

Le jeune homme obtempéra. Les quelques mètres pour atteindre l'abri des rochers lui parurent des kilomètres. Elle avait raison : jamais il ne parviendrait à la transporter sur autant de distance. Dans une grimace douloureuse, Charlotte s'allongea, puis lui tendit son bébé.

— Prenez-le.

— Non, je vais rester ici et vous défendre.

— Cessez vos âneries, monsieur de Kerdelec. Prenez mon fils et disparaissez.

Les larmes embuèrent les grands yeux bleus de Charlotte.

— Mais vous…

— Mon père ne me fera rien, assura-t-elle. Mais s'il trouve cet enfant… il le tuera. Et sa colère sera telle qu'il ne s'arrêtera pas là. Vous n'avez pas besoin que je vous explique pourquoi.

Une larme coula sur sa joue.

— Prenez-le et faites-le disparaître. Qu'il vive loin de moi. Qu'il vive heureux.

— Charlotte…

— Je vous en supplie !

Elle étouffa un sanglot. Étienne sentit sa poitrine se compresser. Charlotte était si brave…

— C'est la seule chose que je puisse faire pour lui. Pitié, monsieur de Kerdelec…

Étienne saisit le nourrisson emmitouflé dans le manteau, puis le serra contre lui.

— Je le protégerai jusqu'à ce qu'il soit en sécurité.

— Merci, gémit-elle.

Elle lui pressa la main, et admira une dernière fois son tout-petit endormi. Un sourire triste étira ses lèvres, et elle le repoussa.

— Partez. Vite !

Les larmes inondaient ses joues. Étienne obéit, s'en voulant de l'abandonner ainsi à son triste sort. Avait-elle raison ? Est-ce que son père lui pardonnerait de s'être enfuie pour mettre au monde l'enfant ?

Le jeune homme se sentait lâche. Il aurait dû rester à ses côtés pour la protéger… Cependant, que pouvait-il faire contre autant d'hommes ?

Il courut de toutes ses forces dans la forêt, sans s'arrêter, le cœur battant à tout rompre.

Charlotte avait raison… Si son père voyait sa couleur de peau, la même que celle du garçon qu'il avait accueilli dans sa maison… Sa colère serait telle qu'il n'épargnerait personne. Ni les principaux responsables, ni les personnes qui avaient tenté de les protéger.

Un point de côté l'obligea à ralentir. Soudain, un coup de feu déchira la forêt. Étienne s'arrêta et se retourna.

Une deuxième, puis une troisième détonation éclatèrent.

— Charlotte…

Il tomba à genoux, incapable d'y croire. Le capitaine avait vraiment abattu sa propre fille ? Le sang de son sang ? Étienne se recroquevilla contre l'enfant qui dormait dans ses bras. Celui-ci gémit. Et il ne put retenir ses larmes tandis qu'il le regardait.

Charlotte s'était sacrifiée pour qu'il survive. Ses derniers espoirs reposaient en Étienne.

— Allez…, se morigéna-t-il.

Il se redressa et s'enfonça encore dans les fourrés. Il lui semblait entendre des bruits de voix derrière lui. Il s'élança en pleurant à la fois de peine, de peur. Il pleurait pour Charlotte, et pour l'enfant qui ne connaîtrait jamais sa mère. Pour la violence de ce monde qui condamnait la différence et l'amour.

30

Étienne rouvrit les yeux en sursaut. Il s'était endormi d'épuisement au plus profond de la forêt. Le bébé pleurait et un cheval au galop fonçait vers eux. Étienne posa l'enfant avant de bondir sur ses jambes. Le cavalier n'était plus qu'à une dizaine de mètres.

Il inspira calmement. Bifurquer sur le côté au dernier moment et planter son épée dans le flanc de son adversaire. Voilà ce qu'il visait. Et, si la chance était avec lui, le désarçonner pour ensuite récupérer son cheval.

Cinq mètres.

Il bascula son appui sur sa jambe avant, prêt à bondir.

Trois mètres.

Le cheval s'arrêta brutalement, ruinant tous ses plans.

— Étienne ?

Cette voix… Son bras trembla.

— Étienne ! C'est moi.

L'homme descendit de selle et retira son tricorne, révélant des cheveux sombres, aussi sombres que son regard. Carnac ! Étienne n'abaissa toutefois pas son épée.

— C'est moi, Antoine, répéta-t-il avec calme.

Les mains en avant, il se rapprochait comme on se rapproche d'une bête sauvage. Toute la velléité combative d'Étienne disparut en un coup de vent. Ses forces l'abandonnèrent et il tomba à genoux.

Bien vite, Carnac se retrouva dans la même position, à moins d'un mètre de lui. L'angoisse et l'hésitation se lisaient dans ses prunelles aussi foncées que les écorces des arbres autour d'eux. Le comte semblait ne savoir que faire du peu de distance qui demeurait entre eux. Étienne non plus. Il était vide, si vide…

— Je n'ai pas pu la protéger…, gémit-il.

Ses épaules s'affaissèrent et les sanglots se bloquèrent dans sa gorge.

— Charlotte… Elle…

— Je sais, murmura Carnac. Mais vous n'auriez rien pu pour elle. C'était à moi de la protéger. Et je suis arrivé trop tard…

Étienne, le visage tourné vers le sol, serra les mâchoires. Les larmes lui montaient aux yeux. La colère, la peur et le désespoir revenaient avec force dans sa poitrine. Cependant il ne voulait pas pleurer. Pas devant Carnac. Pas encore. Pas tant que l'enfant ne se trouvait pas en sûreté.

L'enfant !

Il releva la tête, croisant le regard torturé de Carnac. Une pierre tomba dans son estomac. Ces événements avaient aussi profondément chamboulé le comte… La peine et les remords dévoraient son expression.

— Étienne, je…

— L'enfant, l'interrompit celui-ci. Il est là.

Du bout de son épée, il désigna les racines qui l'avaient accueilli. Les yeux de son compagnon s'ouvrirent en grand et il se précipita vers l'arbre. Étienne trouva à son tour la force de se relever, et se décala pour observer l'expression du comte lorsqu'il découvrirait le tout-petit. Sa main toujours refermée autour de son épée, il se rapprocha en silence, tandis que Carnac plongeait ses bras dans les racines.

Il en ressortit le bébé, emmitouflé dans son propre manteau. Le soulagement envahit son visage, ainsi qu'un sourire triste. Étienne frissonna. Les traits de Carnac exprimaient la joie et la tristesse, mais aucune surprise face à la couleur de peau de l'enfant. Aucune !

Étienne se détourna brusquement et s'éloigna. Les larmes emportaient le barrage qu'il avait tenté d'ériger jusque-là. Il pleura en silence, de colère, mais aussi… de soulagement. Et il s'en voulut immédiatement. Comment pouvait-il se sentir à ce point soulagé alors que Charlotte venait de mourir ? Il était horrible, tout à fait horrible !

— Étienne ?

Il s'accrocha à sa colère. Il devait se concentrer sur celle-ci pour ne pas craquer. Il devait être fort. D'un revers de main, il essuya ses larmes.

— Je suis désolé, lui déclara Carnac. Sincèrement désolé pour tout…

— Pas maintenant, trancha le jeune Kerdelec en se retournant vers lui. Est-ce que le village qui devait accueillir l'enfant est encore loin ? Allez-y, je me débrouillerai.

— Hors de question que je vous laisse ici.

Étienne releva les yeux. La vision de Carnac avec le bébé au creux de ses bras lui coupa le souffle. Il le tenait avec douceur, comme s'il craignait de le blesser. Malgré tout ce que ce petit être avait détruit dans sa vie, il demeurait tendre. Quelque chose se creusa dans l'estomac d'Étienne et il ne trouva plus les mots pour protester.

— Vous sentez-vous la force de monter à cheval ? questionna le comte en se rapprochant. Nous devons nous éloigner au plus vite.

— Oui, mais…

— Montez. Allez.

La voix de Carnac s'était affermie, ne tolérant nulle objection. Étienne frissonna et ne parvint pas à lutter. Il savait que le comte avait raison. Il obtempéra, et récupéra l'enfant une fois en selle. Alors, le comte monta à son tour derrière lui. Une vive émotion saisit le jeune Kerdelec, tandis que le buste du comte se pressait contre son dos. Ce dernier passa ses bras autour de lui pour prendre les rênes.

— Occupons-nous de cet enfant, chuchota-t-il à son oreille. Et puis, je vous le promets, je vous expliquerai tout.

— Vous ne me devez rien…

La chaleur du comte lui brûlait le dos malgré le froid ambiant. Il ne parvenait pas à se résoudre à s'appuyer contre lui. Non, il… il lui en voulait trop.

— Au contraire, je vous dois tout.

Ses paroles turent dans l'œuf les protestations d'Étienne. Carnac talonna son cheval et, malgré son obstination, le jeune Kerdelec dut se rendre à l'évidence : la fatigue menaçait de le terrasser et ses dernières forces devaient être consacrées à leur protégé, non à sa colère. Ses muscles se relâchèrent et il se laissa aller contre le cavalier. Un soupir ténu lui parvint de celui-ci, et ses bras se refermèrent un peu plus autour de lui comme pour former un cocon protecteur. Le cœur d'Étienne se crispa.

Ciel, qu'il détestait Carnac ! Ciel, qu'il n'aurait voulu être nulle part ailleurs.

31

Les deux compagnons s'enfoncèrent plus profondément dans la forêt. Une sorte d'engourdissement s'était emparé d'Étienne lorsqu'ils atteignirent enfin l'orée du sous-bois. Ils avaient marché longtemps et les ballottements du cheval avaient réussi à rendormir le tout-petit. Sa respiration, profonde, le soulageait.

— Pensez-vous pouvoir m'attendre ici, avec l'enfant ? Notre cortège attirerait l'attention…

Étienne acquiesça et confia son fardeau à Carnac tandis qu'il descendait. Il le récupéra ensuite sous le regard torturé du comte.

— Je me dépêche, assura ce dernier, toujours en selle.

Aucune réponse ne lui parvint. Épuisé, Étienne souhaitait juste en finir avec tout ça. Il se lova dans le creux d'un arbre, et Carnac élança sa monture vers la colline en contrebas.

Par chance, personne ne vint troubler l'attente d'Étienne et de son protégé. Une fine pluie commença à tomber, et il regretta de ne plus avoir son manteau.

Il se courba en avant pour protéger l'enfant de son corps, et resserra autour de ce dernier le vêtement de Carnac. Il lui offrait toute la chaleur qu'il lui restait.

Au loin, des cloches sonnèrent, mais Étienne ne prit pas garde au nombre de tintements. En revanche, quand elles se firent de nouveau entendre, il comprit que plus d'une heure était passée depuis le départ de son compagnon. Avait-il rencontré un problème ? Pourquoi tardait-il à ce point ?

Un nouveau tintement attira son attention. Le son, régulier, augmentait en intensité. Bientôt, il discerna une énorme vache brune à l'orée du bois, accompagnée d'une paysanne et de Carnac, à pied à côté de son cheval. Étienne se releva, le cœur battant, et se dirigea vers eux.

Des plaques rouges recouvraient les joues de la jeune femme, qui lui sourit d'un air affable. Une coiffe blanche cachait un chignon de cheveux châtains, et elle portait une sorte de grand drap en écharpe. Sans un mot, elle tendit les bras vers lui. Étienne hésita.

Son regard dévia sur le petit être contre lui. Alors… le moment de faire ses adieux était venu. La tristesse s'empara de lui, et il ne parvint pas à bouger.

— Tout va bien se passer. Clarisse a eu une petite fille, il y a quelques mois. Elle pourra allaiter le bébé et lui offrir tout ce dont il a besoin.

— Je vous le promets, assura l'intéressée avec un sourire rassurant.

Étienne acquiesça, et embrassa le front du nourrisson, avant de le tendre à la paysanne. Celle-ci l'accueillit avec tendresse. Elle rendit le manteau à Carnac et entoura l'enfant dans une couverture qu'elle avait apportée, avant de le placer dans l'écharpe autour de sa poitrine.

— Qu'il est beau, s'extasia-t-elle. Comment s'appelle-t-il ?

Étienne ne répondit pas, surpris par la question. Charlotte… ne lui avait rien confié. Il se tourna vers Carnac, et celui-ci sourit.

— À vous de le nommer.

— Moi, mais…

— Il vous doit la vie, ajouta le comte. N'ayez pas peur, choisissez.

Étienne se mordit la lèvre. Un nom avait beaucoup d'importance. Cette décision n'était pas à prendre à la légère.

— Honoré, souffla-t-il alors. Qu'il soit fier de son existence.

Carnac se pencha à son tour vers le bébé.

— Sois sage, bel Honoré. Et sois heureux. Prenez soin de lui.

La femme acquiesça et fit demi-tour avec sa vache. Étienne et Carnac les observèrent rejoindre la plaine. Le cœur lourd, le jeune homme détourna le premier la tête.

— Vous la connaissez ? Elle s'occupera bien de lui ?

— Oui, ne vous tracassez pas. Honoré est en sécurité. Grâce à vous.

Étienne secoua la tête en souriant. Ah, Carnac ne l'aurait pas avec de belles paroles !

— Vous avez promis…

— Pas ici, le coupa le comte en lui tendant le manteau qui avait servi à réchauffer l'enfant. Vous devez être frigorifié, affamé et épuisé. Trouvons une auberge.

Étienne ignora superbement le vêtement avant de répliquer :

— Non, si on nous voit, ce sera dangereux pour l'enfant.

— Alors, dévions vers l'est et arrêtons-nous là-bas. Saint-Malo est trop loin.

— Si vous le dites.

Une bonne heure plus tard, les deux voyageurs s'arrêtèrent dans un village. Là, ils dénichèrent une auberge à la propreté plus que douteuse, mais qui ferait l'affaire.

— Vos deux meilleures chambres, demanda Carnac en sortant une petite bourse de sa poche.

L'aubergiste grommela :

— Reste plus qu'une. J'peux vous ajouter une paillasse. Ou sinon c'est l'écurie.

— On prend, soupira le comte. Préparez-nous aussi deux repas.

— Comme si c'était fait.

Étienne n'avait plus la force de quoi que ce soit et, en silence, ils mangèrent un bol de gruau avec du pain sec. À l'étage, Carnac entra le premier dans la chambre. De la paille dépassait du matelas, ainsi que d'une paillasse sur le sol. Deux brocs d'eau avec des linges délavés reposaient sur des chaises à l'équilibre précaire. Une odeur de renfermé émanait de la pièce, mais au point où Étienne en était, il n'allait pas faire la fine bouche.

— Reposez-vous, déclara Carnac d'un ton hésitant. Demain, nous partirons dès les premières lueurs de l'aube. Je monterai toquer à votre porte.

— Où allez-vous ? s'agaça Étienne, alors que le jeune homme repassait la porte.

— À l'écurie.

— Ne jouez pas au sot. Il y a assez de place pour nous deux, gronda-t-il.

Que lui arrivait-il ? Il y a quelques semaines, partager une chambre avec Carnac lui semblait la pire idée du siècle. Était-ce la fatigue qui parlait pour lui ? Étienne ajouta néanmoins :

— Et si Fuguay nous attaque, nous devons nous tenir prêts.

Carnac semblait perdu. Son regard dérivait sur chaque élément de la pièce, et il passa ses doigts dans ses cheveux.

— Vous avez raison, capitula-t-il enfin. C'est peut-être plus prudent.

Il soupira et balbutia :

— Je vais vérifier notre cheval et tout préparer pour demain. J'en ai sans doute pour une grosse demi-heure. Ne m'attendez pas.

Sur ces mots, il quitta la pièce sans se retourner. Quand la porte se referma, Étienne s'appliqua à sa toilette. La terre et le sang formaient une croûte épaisse sur ses mains et ses bras. Sa veste était répugnante, tout comme les manches de sa chemise. Avec nervosité, il frotta, frotta, avant de renoncer. Qu'importe sa toilette, de toute façon… Il devrait garder les mêmes vêtements pour dormir. Il s'exécuta, le cœur lourd. Puis, comme un automate, il gagna le lit et se faufila sous les couvertures rêches.

À peine ses paupières se fermèrent-elles qu'il s'endormit profondément.

*

Le cœur battant à tout rompre, Étienne ouvrit les yeux. Une peur sourde glaçait ses os, et il n'osait plus bouger. Peu à peu, il s'habitua à l'obscurité. Les rayons de la lune éclairaient un mur recouvert de chaux, ainsi que le pied de son lit. Un lit ! Tout lui revint alors. Charlotte, l'enfant, Carnac… Carnac !

La peur le saisit et il se pencha vers le sol, avant de s'apaiser. Tourné dans sa direction, Carnac dormait par terre. Ses cheveux bouclés reposaient en une auréole brune autour de sa tête. Il avait retiré ses bottes, mais avait conservé son bas et sa chemise. S'était-il lavé ? Et dire qu'Étienne ne l'avait pas entendu !

Étienne. Non, à cet instant, l'affolement qui perçait dans sa poitrine l'empêchait de se penser comme tel. Voilà que Sophie dormait dans la même pièce qu'un homme ! Elle se rallongea dans son lit et remonta sa couverture jusqu'au menton. Bon sang ! Qu'est-ce qui lui avait pris ? Désormais reposée, elle se rendait compte du péril qu'elle courait. Dans sa fatigue, elle avait oublié de mettre son gilet. Est-ce que le bandage autour de sa poitrine se discernait sous sa chemise ? Par chance, elle avait bien renfilé son bas. Elle inspira pour se calmer.

Carnac dormait, et il se lèverait sans doute avant elle au matin. Non, elle ne risquait rien du tout. Progressivement elle s'apaisa et récupéra le masque de son personnage. Malgré tout, Étienne ne parvenait pas à se résoudre à dormir. Lentement, il se rapprocha de l'extrémité du lit, et pencha la tête.

Le comte reposait désormais sur le dos. La lune caressait les traits de son visage. Ceux-ci se crispèrent à plusieurs reprises. Des cauchemars le poursuivaient-ils ? Il se tourna dos à lui et la couverture glissa de son corps. Étienne n'avait déjà pas chaud sous les siennes, Carnac allait attraper la mort.

Avec précaution, il se pencha en avant. Ses doigts se tendirent pour attraper la couverture. Il y était presque... Carnac se retourna alors et son épaule percuta sa poitrine. La panique l'enveloppa, tandis que les prunelles sombres de Carnac s'ouvraient en grand. Il ne bougeait pas, sans doute encore confus de son réveil inopiné.

— Désolé, balbutia Étienne en ramenant les couvertures sur son corps. Je ne voulais pas vous réveiller.

— Vous pouvez abuser de moi, éveillé ou non, vous savez.

Ciel, Carnac ne pouvait pas s'empêcher de se montrer taquin !

— Ce n'est pas… Votre couverture avait glissé ! Je craignais juste que vous preniez froid !

— Vous vous inquiétez pour moi ?

Son cœur battait de plus en plus vite. Le visage tourné vers le mur, Étienne n'osait pas se retourner.

— Non. Je ne veux juste pas différer notre départ.

Un soupir lui parvint, suivi d'un « bonne nuit » qui le décontenança. Quoi ? Carnac abandonnait déjà ? Il ne lui déversait pas son flot de phrases piquantes ou de plaisanteries douteuses ? C'était stupide, mais… pourquoi s'en sentait-il d'un coup déçu ?

— Je suis désolé.

La voix du comte n'avait été qu'un murmure.

— Je suis désolé pour tout ce que vous avez dû subir par ma faute (sa voix devint plus éraillée), je ne voulais pas vous impliquer. Et je comprends que vous m'en vouliez.

— Oui, je vous en veux.

Cet aveu lui était sorti sans qu'il y réfléchisse, mais l'exprimer le soulageait.

— Pourquoi m'avoir laissé croire le pire de vous ? ajouta-t-il.

— Car j'avais promis de conserver le secret.

Si Étienne ne savait pas que Carnac se trouvait juste à côté, jamais il n'aurait reconnu sa voix tellement celle-ci était crispée.

— Je les avais surpris ensemble, il y a des mois de cela. Charlotte m'avait fait promettre de ne rien révéler à son père, qu'il ne s'agissait que d'une passade. Mais lorsque je l'ai vue, ce soir-là…

C'était… tout bonnement horrible ! Carnac avait découvert en même temps que lui la grossesse de Charlotte ? Les yeux d'Étienne s'écarquillèrent.

— Elle vous a accusé de la paternité sans vous prévenir ?

Son compagnon conserva un silence éloquent. Étienne n'osait imaginer la stupeur et la peine qu'Antoine avait dû ressentir, déchiré entre son amitié pour Charlotte et Jean-Pierre, et celle pour le capitaine. Sans compter qu'il avait été trahi… trahi par ceux qu'il avait couverts. Il comprenait mieux « l'instant de faiblesse » qu'il avait prétendu avoir lorsque Étienne l'avait confronté. Carnac ne parlait pas alors du fait d'avoir séduit Charlotte, mais bien d'avoir décidé de protéger ses amis, à son détriment.

— Vous ne méritiez pas qu'on vous traite ainsi.

— Jean-Pierre n'en savait rien. Sa relation avec Charlotte avait bien pris fin, et elle avait réussi à lui cacher à lui aussi son état. La dernière fois que je l'ai vu, il a failli me refaire le portrait. (Un rire sans joie lui échappa.) Il pensait vraiment que j'étais responsable.

Étienne contracta les mâchoires. Même après tout ce qu'il avait vécu, le comte tentait de trouver des excuses à son ami… Il poursuivit :

— En définitive, Charlotte n'avait pas le choix. Si nous avions suivi le contrat, son père aurait été averti de la couleur de peau de l'enfant. Vous savez bien ce qui se serait alors produit. Ami ou pas, Jean-Pierre ne méritait pas la torture qui l'attendait.

Le chagrin serra le cœur d'Étienne. Il inspira et ajouta :

— Médire d'une morte serait honteux, mais…

— Que dites-vous ? l'interrompit Carnac. Charlotte n'est pas morte !

Pas morte ? Étienne entendit son compagnon bouger sur le côté et tourna la tête à son tour. Carnac le fixait avec les sourcils froncés.

— Mais les coups de feu…

— Je les ai aussi entendus au loin, expliqua le comte, la voix plus ferme. Quand je suis arrivé, j'ai vu le capitaine soulever Charlotte sur son cheval, et elle était bien vivante.

— Bien vivante, répéta le jeune Kerdelec comme s'il n'y croyait toujours pas.

— Oui. Vu le sang qui la recouvrait, j'ai deviné qu'elle avait accouché. J'ai pensé qu'elle avait caché l'enfant quelque part… et là, j'ai retrouvé votre manteau. J'ai compris que vous n'étiez pas loin. Malheureusement, dans l'agitation, je n'ai pas pensé à le récupérer. De plus, ça aurait pu paraître suspect.

— Mon manteau ?

Étienne se sentait bête de rester bloqué sur les mots du comte. Néanmoins, il n'arrivait pas à se reprendre de son étonnement.

— À force de vous appuyer sur votre coude pour lire les actes notariés, le tissu commence à s'user, et deux de vos boutons ne sont pas alignés.

Le jeune Kerdelec le considéra étrangement, et Carnac se rallongea, l'empêchant désormais de le voir.

— Bref, si j'avais su que vous pensiez Charlotte morte, je vous aurais rassuré plus tôt. J'accumule les erreurs, pardonnez-moi, Étienne. Et merci, merci de m'avoir aidé alors que je vous ai menti. Merci d'être parti à ma recherche alors que je vous ai utilisé pour éloigner le capitaine. Promis, je respecterai votre volonté et, dès notre retour, vous ne me reverrez plus.

Le comte avait parlé d'une traite. Si vite que les mots s'entrechoquaient dans l'esprit d'Étienne. Il avait encore du mal à intégrer tout ce qu'il venait d'apprendre. Au lieu de se mettre en colère, un soulagement profond et libérateur l'envahit pour la énième fois.

— Alors Charlotte est vivante ?

— Oui, soupira Carnac.

— Et vous n'avez jamais partagé sa couche ?

— Jamais, confirma son compagnon, toujours aussi las.

Étienne se redressa, la gorge serrée.

— Et vous avez laissé les autres vous haïr juste pour les protéger ?

— Ma réputation n'en souffrira pas. Vous savez déjà à quel point… Aïe !

Étienne venait de lui lancer son oreiller sur la tête. La mâchoire contractée, il fixait Carnac qui s'était retourné, les sourcils froncés. L'énervement gagnait Étienne. Combien de fois Carnac avait-il agi ainsi ? Toute cette mauvaise réputation qui l'accompagnait… Étienne voyait désormais Carnac sous un tout autre jour. Sous son masque d'impertinence, il cachait en réalité une personnalité généreuse, mais également blessée. Malgré les coups, il continuait à se relever pour défendre ses amis envers et contre tout.

— Cessez de me regarder ainsi.

Le comte s'assit à son tour et présenta son dos à Étienne.

— Je ne veux pas de votre pitié.

Le jeune homme esquissa un sourire triste et, doucement, déposa ses pieds sur le sol.

— Dormez. Je vais descendre et…

Carnac se figea tandis que les bras d'Étienne se refermaient autour de son cou. À genoux derrière lui, le jeune homme prit garde à ne pas appuyer sa poitrine contre son dos. C'était risqué, mais il brûlait de le serrer contre lui.

— Que faites-vous ? murmura Carnac.

— Je vous enlace. Non car j'ai pitié de vous, mais parce que j'en ai envie.

La main de Carnac se referma sur la sienne, et il voulut se défaire. Étienne résista.

— Pardonnez-moi pour les propos cruels que j'ai tenus. J'étais blessé, car je me sentais trahi. Je tiens à notre amitié, Antoine.

À la prononciation de son nom, l'intéressé inspira de manière saccadée. Ses épaules se voûtèrent, et la poigne qui essayait de retirer le bras d'Étienne pressa ses doigts. Le jeune Kerdelec l'accompagna, posant sa tête contre son crâne. Est-ce que Carnac pleurait ? Il l'ignorait. Toutefois, il n'avait pas besoin de voir ou d'entendre ses pleurs pour savoir que son cœur saignait.

Les minutes s'écoulèrent sans qu'aucun d'eux ne bouge. Étienne savourait l'instant. Il n'avait pas envie de bouger, et Antoine apparemment non plus.

Au bout de longues minutes, Étienne desserra son étreinte.

— Venez.

Déjà, Étienne regagnait son lit. Carnac se retourna, le visage incrédule. Il dévisagea son camarade, puis le lit, avec une hésitation toute candide. Étienne, malgré sa gêne, se décala un peu plus et tâtonna le matelas à côté de lui.

— Venez là. Il fait froid par terre.

— Je ne suis pas sûr…

— Vous avez peur que j'abuse de vous ? tenta Étienne avec un sourire fripon.

Une étincelle s'alluma dans le regard sombre de Carnac et il dévia la tête avec un léger amusement.

— Je ne veux pas que ce soit mal interprété.

— J'aime les hommes, pas vous. Et c'est moi qui vous invite dans mon lit. La mauvaise interprétation pourrait venir de votre côté, et je vous promets d'être sage.

— Dans ce cas…

Carnac se releva et ne se fit plus prier : il se laissa tomber sur le lit face à Étienne. Proche. Très proche. Ce lit ne pouvait accueillir qu'une personne, aussi seuls quelques centimètres séparaient leurs corps. Ils s'observèrent longuement et Étienne déglutit. Le regard d'Antoine, posé sur lui, demeurait si intense… Son idée était peut-être la pire qu'il ait jamais eue.

Antoine rapprocha un peu plus son visage avec un air mutin. Le feu monta aux joues d'Étienne, qui lui présenta aussitôt son dos.

— Est-ce que moi, je peux vous prendre dans mes bras ?

Étienne faillit s'étrangler. À la place, il s'entendit murmurer :

— Oui…

Le bras de Carnac glissa le long du sien et ses doigts emprisonnèrent sa main.

— Vous êtes glacé, chuchota le comte.

Son corps se lova contre celui d'Étienne. Son torse pressa son dos, et alors qu'il s'attendait à sentir ses cuisses contre les siennes, Carnac se contenta d'appuyer son menton contre son crâne. Une douce chaleur s'empara d'Étienne. L'envie de fuir qu'il aurait dû ressentir se mua en un sentiment de paix, de bien-être et de sécurité qu'il n'avait plus connu depuis longtemps.

— Si cela vous gêne, je peux m'écarter, précisa Carnac. Ou alors imaginez que je suis votre grand-mère.

Un petit rire échappa à Étienne.

— En plus séduisant, bien entendu.

Le sourire aux lèvres, le jeune Kerdelec susurra :

— Bonne nuit, Antoine.

Il ferma les yeux et ramena la main du comte, toujours refermée sur la sienne, contre son ventre. Celui-ci resserra un peu plus son étreinte.

— Bonne nuit, Étienne.

32

Au petit matin, Étienne se réveilla seul. Le corps tourné du côté vide du lit, il émergea petit à petit. Sa main glissa sur les draps, encore tièdes.

Il se redressa et ses cheveux glissèrent sur ses épaules. Le ruban qui les retenait s'était dénoué durant la nuit. Son cœur fit un bond dans sa poitrine, et il le chercha partout dans le lit. Il fallait qu'il le récupère, il ressemblait déjà assez comme ça à une fille.

L'odeur de Carnac demeurait sur les draps, et il rougit en repensant à cette nuit. Après que son compagnon l'eut rejoint, il avait dormi sans plus aucun cauchemar. Il secoua la tête. Pourquoi rêvassait-il de la sorte ? Antoine avait eu besoin de réconfort, et lui aussi. Ils n'avaient rien fait de mal. Les hommes pouvaient bien partager le même lit. N'est-ce pas ?

— Tais-toi et dépêche-toi, se gronda-t-il.

Il se leva, retrouva ce qu'il cherchait, puis se rendit compte qu'il n'avait pas d'eau propre pour se débarbouiller. Pire, sa vessie le tiraillait. Par chance, il dénicha un pot de chambre propre et, un peu honteux, s'empressa de se soulager.

Il se dépêcha de se vêtir et, une fois prêt, regagna la salle commune. Son regard balaya la pièce et ses quelques tables, vides. Nerveux, il gagna l'extérieur et y découvrit deux chevaux sellés.

— Déjà debout ? s'exclama une voix familière. J'allais venir vous réveiller dans une petite heure.

Étienne n'eut pas le temps de se retourner qu'une épaisse cape en laine rejoignit ses épaules.

— Hélas, je n'ai pas trouvé mieux en si peu de temps, expliqua Carnac. Je vous aurais bien proposé une nouvelle fois mon manteau, mais vous ne semblez pas le trouver assez propre, ajouta-t-il en souriant.

Les yeux d'Étienne se posèrent sur ses joues, où une légère barbe poussait déjà.

— C'est parfait, marmonna-t-il.

Est-ce que Carnac allait comprendre son imposture comme aucun poil ne lui poussait sur le menton ?

— Étienne, prononça Carnac d'une voix rauque. Pourquoi ne me regardez-vous pas dans les yeux ? Vous êtes gêné ?

Le jeune homme s'empourpra et s'exécuta.

— Gêné, mais de quoi ?

— Vous rougissez. Auriez-vous eu des pensées indécentes sur ma personne cette nuit ?

Un sourire espiègle étira ses lèvres, et Étienne devint cette fois écarlate.

— Ab... Absolument pas ! Et c'est vous qui osez dire ça ? Alors que vous êtes parti comme un voleur ?

— Je plaide coupable.

Toujours avec cet air canaille, Carnac leva les mains bien haut et Étienne fronça les sourcils alors qu'il détachait les chevaux.

— Vous plaidez coupable de quoi, au juste ? bougonna le jeune homme, en récupérant le sien.

— De tout, ricana Carnac. J'ai préféré m'éclipser avant votre réveil afin que nos… réflexes d'homme ne vous gênassent point.

Il monta en selle, et Étienne demeura circonspect. De quels réflexes d'homme parlait-il ? Son ignorance le mettait mal à l'aise. Il mourait d'envie de l'interroger plus, mais il préféra se taire. C'était trop dangereux. Étienne se hissa à son tour.

— J'ai eu tort ? s'enquit Carnac.

— Mon… réflexe d'homme vous aurait dérangé ?

Étienne ne pouvait pas s'empêcher de creuser la question.

— Non, pouffa presque son interlocuteur.

— Alors, moi non plus.

Le comte tourna un regard brillant vers lui, un regard brillant et bouillant à la fois.

— Attention, Kerdelec. Je risquerais de vous prendre au mot la prochaine fois.

Étienne rapprocha son cheval du sien et sourit :

— Faites donc.

Il tapota la cuisse du comte d'un air taquin. Il talonna son cheval, et eut tout juste le temps de voir la tête de son interlocuteur se décomposer. Carnac, décontenancé ? Dieu que ça valait tout l'or du monde !

*

Le voyage de retour parut très court à Étienne. Passés les remparts, ils abandonnèrent leurs chevaux à un relais, et gagnèrent à pied l'hôtel de La Pommeraye. Carnac essayait de garder un air décontracté, mais son manteau ouvert alors que le vent soufflait un froid mordant ne détrompait pas : il se tenait prêt à dégainer à tout instant.

Étienne frappa à la porte de leur logement. À son second coup, il faillit bien percuter le domestique de la maîtresse de maison.

— Madame, ils sont là ! s'exclama ce dernier en reculant.

Étienne et Antoine entrèrent presque d'un même mouvement. Le battant eut à peine le temps de se refermer que madame de La Pommeraye se jeta sur eux. Un bras entoura le cou d'Étienne, un autre celui de Carnac et elle les enlaça à les en étouffer.

— Vous êtes vivants !

— Plus très longtemps… si vous continuez à nous serrer ainsi, toussota le comte.

La dame s'écarta. Elle avait les yeux rouges et cernés.

— Vous m'avez fait une de ces peurs, tous les deux !

— Yseult, l'interrogea Antoine, un peu gêné par de telles effusions, est-ce que vous avez des nouvelles… ?

La femme respira enfin tandis qu'Étienne, lui, suspendait son souffle.

— Nous avons beaucoup à nous raconter.

L'air grave de madame de La Pommeraye ne le rassura pas. Elle couva Étienne d'un regard doux et triste à la fois, avant de se tourner vers Carnac :

— Mais avant, allez vous laver. Vous puez !

Elle plissa le nez et en un tour de poignet ordonna à son domestique resté non loin de là :

— Oscar, préparez-leur un bain, et aussi du parfum. Beaucoup de parfum !

La bouche ouverte, Étienne ne sut que dire.

— Avez-vous encore votre baignoire deux personnes ? entendit-il Carnac répliquer. Je peux l'avoir ?

— Faites, faites.

Le comte se retourna et fit un clin d'œil coquin à Étienne. Ce dernier se rapprocha et murmura :

— Si je vous rejoins un jour dans votre bain, ce sera pour vous y noyer.

Il le dépassa et monta dans sa chambre, toujours nerveux, mais le cœur un peu plus léger.

*

Lavé et changé, Étienne se sentait mieux. Du moins, en apparence, car l'attitude sérieuse de madame de La Pommeraye ne le rassurait guère.

Elle avait demandé à Zilia et à ses domestiques de prendre congé, aussi se retrouvaient-ils seuls dans le petit salon, avec portes et fenêtres fermées.

Si Antoine avait d'abord fait un effort pour s'asseoir, il n'avait pas réussi à rester immobile longtemps. Nerveux, il fit les cent pas dans la pièce et raconta les événements de la veille.

— Le capitaine Fuguay ne s'attendait pas à ce que nous partions de Saint-Malo en bateau. Nous avons pu facilement nous éclipser via les flots, puis avons emprunté un carrosse discret. Je l'ai moi-même conduit, mais Charlotte n'allait pas bien. Nous avons dû opérer de nombreux arrêts, jusqu'à ce qu'une roue casse dans la forêt.

Le reste, Étienne le connaissait. Néanmoins, il dut tout de même narrer sa version des faits, ainsi que l'accouchement de Charlotte. Embarrassé, il ne parvenait pas à s'exprimer avec autant de clarté que Carnac. Il ne savait que faire de ses mains moites pendant qu'il parlait.

— Et vous, Yseult ? demanda Antoine d'un ton grave. Des nouvelles ? Vos oisillons ont-ils vu ou entendu quoi que ce soit ?

L'espoir perçait dans sa voix. Étienne releva enfin la tête. Madame de La Pommeraye semblait soucieuse.

— Un chirurgien a été mandé chez les Fuguay, et une servante est allée chercher des remèdes chez l'apothicaire… Le genre de remèdes qu'on donne aux femmes en sortie de couches.

Dieu merci ! Étienne ferma les yeux et se laissa aller contre le dossier de son fauteuil. Mais un autre sujet, qu'ils n'abordaient pas, le tracassait :

— Cela signifie-t-il que Charlotte ne reverra jamais son bébé ?

Cette fois, madame de La Pommeraye se rapprocha. Elle s'assit à côté de lui et, d'une voix calme, déclara :

— Une mère serait prête à tous les sacrifices pour sauver son enfant.

Une bile amère remonta dans la bouche d'Étienne. Il repensa à la sienne. Non, c'était faux.

— Charlotte m'a avoué qu'elle ne souhaitait pas en entendre parler, annonça Carnac d'une voix à peine audible. Elle désire oublier cette histoire et pouvoir mener une vie décente avec un mari que lui choisira son père.

Étienne ne pouvait y croire. La manière dont Charlotte embrassait l'enfant, dont elle le couvait des yeux… La main de madame de La Pommeraye se posa sur la sienne.

— Nous devons respecter sa décision.

— C'est injuste, murmura-t-il.

La dame pressa ses doigts. Il n'y avait hélas rien à ajouter. Madame de La Pommeraye et Carnac avaient raison : ils avaient fait tout leur possible. Qu'il n'y ait aucun mort relevait du miracle.

La maîtresse de maison se leva et gagna son secrétaire. La discussion semblait close. Étienne soupira et observa le repas sur la table. Bien qu'ils aient peu mangé dernièrement, son appétit était coupé.

Tout ce qui se succédait le fatiguait, et pas seulement physiquement. Il avait l'impression d'être prisonnier d'une spirale sans fin, qui l'emportait toujours plus loin dans les profondeurs. Quand est-ce que cela cesserait ?

Il se leva et s'inclina respectueusement vers madame de La Pommeraye.

— Si vous me permettez, je vais prendre congé.

— J'ai encore deux choses à vous dire, annonça-t-elle.

Poli, le jeune homme demeura debout, dans l'attente qu'elle continue. Antoine se rapprocha de la table et s'intéressa enfin à sa tasse de thé, ou peut-être faisait-il semblant.

— Votre ami, le vicomte de Chevigné, est passé plus tôt dans la matinée.

Étienne la dévisagea, surpris et décontenancé. Leur hôtesse s'empara d'un document posé sur une assiette en argent et poursuivit :

— Il est revenu plus tôt de son voyage, et conclut quelques affaires à Dinan. Il sera de retour après-demain et espère vous voir.

L'intéressé baissa la tête. Il n'avait nulle envie de retrouver Mathieu de Chevigné. Si, étrangement, l'information d'Yseult de La Pommeraye ne provoquait pas une embardée dans son cœur, il craignait que ce ne soit différent une fois Mathieu face à lui. Parviendrait-il à rester naturel alors qu'il avait donné son cœur à Louise ? Il verrait bien, mais il ne voulait pas y penser maintenant. Une pensée amère lui fit esquisser un sourire : encore un élément à ajouter à la fameuse spirale infernale.

— Merci, madame.

— Ce n'est pas tout…

Madame de La Pommeraye inspira et, d'une voix tremblante, conclut :

— J'ai ceci pour vous.

Elle lui tendit le feuillet. L'inquiétude saisit Étienne, qui se tourna vers Carnac. Ce dernier conservait les sourcils froncés. Lui aussi ignorait de quoi il retournait. Était-ce une lettre de Louise ? Était-il arrivé quelque chose à sa famille ?

Nerveux, Étienne récupéra le document. Ses yeux parcourent les lettres soigneusement tracées :

L'an mille sept cent soixante-dix du mois de janvier, le septième jour, moi notaire soussigné, ai recopié mot pour moi l'extrait du registre paroissial suivant.

La bouche d'Étienne s'assécha.

L'an mille six cent quarante et un… Charles Henri de Guerpillon…

Sa main libre vint se plaquer contre sa bouche et il releva la tête.

— C'est vraiment… ?

Yseult de La Pommeraye lui offrit un sourire plein d'émotions et acquiesça.

— Vous allez me manquer, monsieur de Kerdelec.

La nouvelle bouleversa Étienne. Sa tête lui tourna, et son rythme cardiaque s'emballa. C'est à peine s'il sentit les mains qui le rattrapèrent et le conduisirent jusqu'au sofa. Les expressions inquiètes de madame de La Pommeraye et de Carnac lui parvinrent, ainsi que le mouvement de leurs lèvres, mais il ne les entendit plus.

L'acte, l'acte manquant pour réclamer l'héritage ! Il l'avait enfin !

— Étienne ? Vous m'entendez ?

Les traits inquiets d'Antoine se rapprochèrent des siens. Antoine… Ils allaient enfin savoir qui de leur famille possédait la légitimité sur la fortune des Épiniac.

— Oui, pardonnez-moi… C'est juste que je n'y croyais plus…

Madame de La Pommeraye s'assit à côté de lui et lui tapota le dos.

— Ce n'était pas gagné. Les clercs ont dû réétudier les documents que vous aviez déjà parcourus. Un instant, moi aussi, j'ai cru que cet acte était perdu.

Alors Carnac et lui étaient passés à côté ? À y réfléchir, cela ne l'étonnait guère. Les conditions de lecture s'avéraient ardues, heureusement que madame de La Pommeraye avait pris les choses en main. Elle avait même réussi à faire se déplacer un notaire pour recopier l'acte le jour même. Elle était merveilleuse !

— Merci, gémit-il, la gorge serrée.

— Je suis heureuse que vous trouviez enfin ce que vous cherchiez.

Elle essuya discrètement le coin de sa paupière, et ajouta :

— Monsieur Dartois peut vous recevoir dès demain matin si vous le désirez.

Étienne sourit. Mais son sourire n'atteignit pas ses yeux. Pourquoi son cœur n'éclatait-il pas de joie à cette idée ? Il avait le document. Il était là, devant lui ! Il aurait dû sauter en l'air, danser, chanter avec gaieté. Et pourtant… il n'avait pas envie d'y aller.

— Allons donc, marmonna une voix rauque juste à côté de lui.

Étienne se tourna. Carnac, affalé contre le dossier du sofa et les jambes repliées, avait l'air parfaitement décontracté. Il ressemblait plus que jamais à l'homme qu'il avait jadis rencontré.

— Avez-vous donc peur d'avoir enfin la preuve de la supériorité de ma famille sur la vôtre ?

Oui, cet air hautain et arrogant appartenait tellement à l'homme qu'il détestait à Rennes. Néanmoins, Étienne ne ressentit ni colère ni agacement. Depuis le temps, il avait compris qu'il ne s'agissait que d'un masque. Madame de La Pommeraye le tança :

— Antoine, ne commencez pas !

— Confirmez le rendez-vous, déclara le comte. Il est préférable de régler l'affaire avant que le capitaine ne retombe sur ses pattes.

— Vous avez raison, soupira madame de La Pommeraye, je m'en charge immédiatement.

Étienne n'émit aucune objection. Il entendit juste ses talons quitter le salon. Il demeurait gourd, les yeux rivés sur le document. Le chat de la maison sauta sur ses genoux et il le caressa machinalement.

— Pourquoi réagissez-vous ainsi ? lui lança Carnac d'une voix plus douce. Vous attendez ce moment depuis tellement longtemps.

Oui, Carnac avait raison. Étienne n'avait vraiment aucune raison de se sentir aussi fébrile. Pourtant, il ne put retenir ses inquiétudes :

— Et si mon acte prévaut sur le vôtre ? M'en voudrez-vous ?

Le jeune homme releva la tête, rencontrant le regard surpris de Carnac. Celui-ci s'éclaircit la gorge et quitta sa posture nonchalante pour se rapprocher.

— C'est moi qui ai décidé de jouer. Pourquoi vous en voudrais-je de ma prise de risque ?

— Il n'est jamais plaisant de perdre.

Étienne se détourna, mais une pression contre son menton provoqua une embardée dans son cœur. Carnac l'obligea à le regarder.

— Tout dépend contre qui on joue…

Son souffle se coupa. Carnac s'avança encore… Pourquoi le jeune homme ne parvenait-il pas à bouger ? Même entre deux hommes, le peu de distance qui les séparait ne convenait pas. Et pourtant, il lui était impossible d'ordonner à son cerveau d'agir.

La bouche du comte se rapprocha de la sienne, et puis, d'un coup… Antoine soupira et se redressa. Sa main quitta le menton d'Étienne et s'aplatit sur le dessus de son crâne.

— Reposez-vous, monsieur de Kerdelec. Vous aurez ensuite les idées plus claires.

Il gagna la porte du salon. Lorsqu'il posa sa main sur la poignée de celle-ci, il sembla hésiter. Étienne retint son souffle. Le comte ouvrit alors le battant et disparut, plongeant le jeune homme dans une terrible déception. Une déception qu'il ne comprenait pas lui-même.

Carnac avait raison…

Il devait se reposer et redevenir maître de ses émotions.

33

— De toute ma carrière, jamais des héritiers ne m'auront fait attendre autant de temps pour récupérer leur dû ! pesta monsieur Dartois.

Assis à son bureau, le notaire fixait Étienne et Antoine avec de petits yeux cruels. Il les avait fait patienter une bonne heure avant de les recevoir, sans doute pour satisfaire une vengeance personnelle.

— Et je devrais vous accorder une entrevue rapide ? Vous avez la chance d'avoir madame de La Pommeraye pour amie. D'ailleurs, vous aurait-elle remis quelque chose à mon intention ?

Incrédule, Étienne observa Carnac tendre un carton d'invitation. Le notaire écarta ses lèvres fines et passa ses doigts dans les quelques cheveux qui lui restaient.

— Toujours aussi aimable. Venons-en à nos affaires. J'ai bien examiné vos documents respectifs et en suis venu à la conclusion suivante…

Étienne retint son souffle tandis que l'homme de loi saisissait un verre d'eau posé sur le côté. Le moment de vérité avait sonné.

Est-ce qu'il allait pouvoir sauver sa famille de la ruine ? Arracher ses sœurs et son frère au destin tracé par madame de Verteuil ? Pourrait-il annuler la promesse de fiançailles d'Étienne sans nuire aux finances des Kerdelec, et ainsi permettre à son jumeau de rentrer à la maison ?

Monsieur Dartois prenait tout son temps. Quand enfin il reposa le verre sur son bureau, il renifla et se saisit des documents. Carnac, une jambe repliée, gardait les mains jointes et fixait le notaire. Si ses yeux avaient été des pistolets, il lui aurait déjà tiré dessus.

— Monsieur de Kerdelec…

Étienne enfonça ses ongles dans ses genoux.

— L'héritage revient bien à votre famille.

La chape de plomb qui écrasait les entrailles d'Étienne disparut soudain.

— Monsieur de Carnac, si vous n'aviez pas tant tardé, vous auriez pu obtenir gain de cause. Monsieur de Kerdelec, vous avez eu de la chance que personne ne réclame l'héritage avant aujourd'hui.

Le jeune homme se redressa et n'osa pas regarder son compagnon. Comment se sentait-il ? Était-il déçu ? Triste ? Lui en voulait-il ? Le notaire Dartois fit soudain claquer une liasse de documents sur son bureau, bien en face de Carnac.

— Ceci vous appartient. Vous pouvez disposer.

Un sourire ironique étira les lèvres du notaire. Il devait rêver depuis belle lurette de dire ces mots à un noble et, qui plus est, à un *comte*.

— Monsieur Dartois, monsieur de Kerdelec.

Debout, Antoine de Carnac s'inclina respectueusement, ses titres sous le bras, avant de se diriger vers la sortie. Condamné à le laisser partir sans pouvoir s'assurer qu'il allait bien, Étienne dut prendre sur lui pour afficher une expression courtoise face au notaire.

— Alors, qu'est-ce que cela fait de battre à plates coutures une si illustre famille ?

Les mâchoires d'Étienne se serrèrent.

— Et si nous passions à la signature des documents ?

Monsieur Dartois gratta son long nez d'un air agacé, puis lui tendit les papiers en question.

— Les liquidités du défunt vous reviennent immédiatement. En revanche, il faudra attendre quelques semaines, pour que tous les contrats de négoce soient modifiés au nom de votre père. En vertu de la procuration que vous m'avez confiée, vous êtes à même de gérer ses affaires ou de désigner un administrateur apte à prendre les décisions adéquates. Ce que je vous conseille, bien sûr, vu votre inexpérience.

Étienne devait reconnaître que le notaire avait raison : il ne connaissait rien en commerce maritime ni en commerce tout court.

— J'ai d'excellents noms à vous proposer…

— Je vous remercie, j'y réfléchirai.

Le jeune homme se saisit de la plume et signa aux emplacements indiqués. Une demi-heure plus tard, il ressortait du bureau de monsieur Dartois étrangement léger.

Sophie pensait à Étienne. Au vrai Étienne. Une joie sans nom éclata dans son cœur. Elle s'imaginait déjà lui annonçant que tout était réglé pour l'héritage. Qu'il n'avait pas à épouser Constance. Que Sophie comprenait son départ, qu'elle lui pardonnait et l'aimait de tout son cœur. Oui, elle avait hâte de le retrouver pour partager toutes ces bonnes nouvelles !

— Eh bien, votre sourire ravirait le cœur de nombreuses demoiselles.

Carnac, les mains enfoncées dans les poches de son manteau, le fixait avec calme et bonne humeur. La poitrine d'Étienne se serra.

— Vous m'avez attendu tout ce temps ?

Le comte haussa les épaules.

— Je voulais être le premier à vous féliciter. Bravo, monsieur de Kerdelec. Vous avez amplement mérité cet héritage.

Il retira sa main droite de sa poche et la lui tendit.

— Ce fut un honneur de disputer ce duel avec vous.

Surpris, Étienne tendit le bras et ils se serrèrent la main. Il déglutit, et son regard plongea dans celui d'Antoine.

— C'était un honneur pour moi aussi.

Le comte conserva sa main dans la sienne, bien plus longtemps que ne le voulait la politesse, avant de soudain défaire sa poigne.

— Resterez-vous encore un peu, ou repartons-nous bientôt pour Rennes ?

Le jeune homme papillonna des cils. Avait-il bien entendu l'utilisation du pluriel ? Carnac sourit.

— Pensiez-vous vraiment que je vous laisserais rentrer seul avec le vicomte ?

Il se rapprocha de son oreille d'un air de conspirateur.

— Je peux même m'arranger pour que nous partions en douce, afin d'éviter de l'avoir avec nous. J'adorerais voir sa tête si…

Contre toute attente, Étienne pouffa. La tension qui l'avait envahi dernièrement, toute sa nervosité, s'échappait dans un rire incontrôlable.

— Je… je… suis… désolé.

Il se détourna, mais, courbé en deux, ne parvint pas à se reprendre.

— Pardon…

Il inspira profondément à plusieurs reprises et réussit enfin à retrouver son sérieux. Il essuya les larmes aux coins de ses yeux.

— Je suis heureux que cela… ne change rien entre nous.

— Je vous l'ai dit, vous avez gagné à la loyale, et je ne vous en veux pas. Et puis, qu'était ce petit héritage en comparaison de la fortune de ma famille ?

L'air hautain de Carnac ajouta à la bonne humeur d'Étienne.

— Au contraire, vous allez pouvoir mieux doter vos sœurs. Quoique… Sophie risque d'avoir plus de galants à ses trousses. Cela n'arrange pas mon affaire.

Étienne secoua la tête, amusé, tandis que Carnac débitait toutes ses âneries. Il n'avait donc pas renoncé à Sophie, à elle… Pourquoi cette pensée la réconfortait-elle ? C'était ridicule… Et pourtant. Avec le retour d'Étienne…

Elle se figea en pleine rue, le laissant prendre de l'avance. Si Carnac rentrait à Rennes, il comprendrait que quelque chose clochait quand le vrai Étienne reprendrait sa place. Ils avaient été trop proches, avaient partagé trop de choses pour pouvoir le duper.

— Vous venez ? Yseult sera heureuse d'apprendre la bonne nouvelle.

Étienne acquiesça, mais il avait perdu son sourire.

Son cœur saignait.

Il n'avait pas le choix. Antoine ne pouvait pas faire partie de sa vie. Il fallait qu'il le repousse, pour le bien-être de son jumeau, pour celui de sa famille. Les larmes lui montèrent aux yeux, et il inspira pendant que le comte frappait à la porte de madame de La Pommeraye.

Étienne le dévisagea. Comment avait-il pu changer à ce point de sentiments à son égard ? Comment, de la haine, pouvait-il à présent ressentir un tel désir de le protéger ? Comment faire pour couper les ponts sans le blesser ? Antoine tourna la tête vers lui et ouvrit des yeux surpris de se découvrir ainsi observé.

— Allons donc, cessez de vous tracasser. Considérons ce jour comme un jour de fête, vous vous occuperez de ce qu'il reste à régler demain.

La porte s'ouvrit, et il retira son chapeau. Madame de La Pommeraye les accueillit avec le sourire et Étienne les contempla avec une tendresse teintée de tristesse.

Oui, Antoine avait raison. Inutile de se torturer dès maintenant. Il trouverait une solution.

34

Étienne descendit avec calme l'escalier. Il avait passé la dernière demi-heure dans sa chambre à écrire des lettres. Une pour Mathieu, afin de l'avertir de la bonne nouvelle et de son départ imminent pour Rennes, une pour sa mère, et une pour Louise.

Un peu hésitant, il remit ses lettres à Oscar, puis gagna le petit salon. Seule Yseult de La Pommeraye s'y trouvait, de nouveau à son secrétaire. Sa manie de travailler tandis que les autres se récréaient lui manquerait. En réalité, tout lui manquerait chez elle. Et Étienne regrettait beaucoup que Sophie ne lui ait jamais été présentée.

— Vous semblez fort préoccupé, mon ami.

Elle posa sa plume et retira les lunettes de son nez.

— Dites-moi ce qui vous tracasse.

Étienne se rapprocha, un peu mal à l'aise.

— Madame, vous aurez ma reconnaissance éternelle pour tous les bienfaits…

— De grâce, Étienne. Pas besoin de ça avec moi (elle lui sourit gentiment et tapota le tabouret rembourré à côté d'elle), allez droit au fait.

— Eh bien…

Le jeune homme s'éclaircit la voix, s'assit et se lança :

— Je ne connais pas grand-chose aux affaires qui se tractent à Saint-Malo, et... disons que même si mon père recouvre la santé, ses choix commerciaux ont laissé à désirer.

« À désirer » demeurait un doux euphémisme alors qu'il avait coulé les finances de la famille.

— Et ?

— Et monsieur Dartois m'a proposé une liste d'administrateurs. Or, la personne que j'aimerais pour gérer mes affaires, c'est vous.

Madame de La Pommeraye battit des cils et posa ses doigts calmement sur son secrétaire.

— Étienne, prononça-t-elle à mi-mot. Il s'agit d'une fortune considérable. La placer entre les mains d'une femme...

— Allons donc ! s'agaça-t-il en se relevant. Vous tenez de brillants salons où chacun est au niveau de l'autre, quel que soit son sexe ou son rang social. Et voilà que, quand l'occasion se présente, vous rentrez dans votre carapace ?

Madame de La Pommeraye baissa la tête, un sourire peiné au visage.

— C'est pour vous, monsieur de Kerdelec. Car la bonne société ne pensera pas de votre façon. Là où vous voyez mes compétences, eux penseront que je suis votre maîtresse.

Sa maîtresse ? Étienne se tut. Il n'y avait pas songé...

— Alors soit. Ils penseront ce qu'ils veulent. Et, pendant qu'ils riront, vous les plumerez et nous enrichirez tous les deux.

Son amie redressa la tête, surprise. Étienne était sûr de lui.

— Je vous veux vous.

Les joues de son interlocutrice se colorèrent et elle s'éventa de la main.

— Attention à ce que vous dites, monsieur de Kerdelec. Dans un autre contexte, on pourrait se méprendre sur vos intentions.

Le jeune homme ne put s'empêcher de sourire. Pas de doute, Antoine avait dû beaucoup apprendre de madame de La Pommeraye dans ses taquineries. Amusé, il mit un genou à terre et déclara, solennel :

— Acceptez-vous ma proposition ?

Il tendit la main vers elle. Troublés, les yeux de madame de La Pommeraye brillaient.

— À une condition, souffla-t-elle.

Elle glissa sa main dans la sienne et lui fit signe de s'approcher. Elle chuchota à son oreille :

— Que vous acceptiez de venir au bal que j'organise ce soir dans ma résidence d'été.

Étienne retint un soupir. Le bal de madame de La Pommeraye… Kaerell avait déjà mentionné ces festivités avec beaucoup d'enthousiasme. À quoi cela ressemblait-il ? Était-ce une sorte de bordel pour les nobles ?

Une pression sur ses doigts lui fit relever la tête. Madame de La Pommeraye lui souriait avec chaleur, mais pas comme une amante, non. Plutôt comme une mère regarderait un jeune enfant.

— Je vois que vous avez déjà entendu des rumeurs à ce sujet. Je vais être franche, elles sont fondées. Toutefois, si vous restez dans la salle de bal, personne ne vous approchera et vos yeux resteront aussi chastes qu'à leur arrivée. Et, si vous êtes trop fatigué, vous pourrez remonter dans la chambre que vous occuperez sans qu'on vous importune.

Étienne hésitait, et elle pressa un peu plus ses doigts.

— J'ai passé beaucoup de temps à préparer ce bal. Venez au moins admirer la décoration et tous les efforts que j'ai faits pour plaire. S'il vous plaît, monsieur de Kerdelec. Étienne.

Une petite moue boudeuse sur les lèvres, elle pencha son visage vers lui.

— Et puis Antoine refusera de venir si vous restez ici. Allez, dites oui.

Ciel ! Yseult de La Pommeraye ne renoncerait pas ! La porte du salon s'ouvrit soudain sur Carnac, qui se figea comme une statue de glace en les voyant. Ses yeux s'écarquillèrent et il fit volte-face pour leur présenter son dos.

— Toutes mes excuses…

Étienne se rendit compte alors de leur position. Il ressemblait à un amant en train de conter fleurette. Le rouge lui monta jusqu'aux oreilles tandis qu'il se relevait et un doux rire échappa à madame de La Pommeraye.

— Allons donc, Antoine, ne vous méprenez pas. Je faisais juste du chantage affectif à notre ami, gloussa madame de La Pommeraye.

— Et ça a marché ? questionna le comte en se retournant avec un sourcil dubitatif.

— Bien sûr, n'est-ce pas, monsieur de Kerdelec ?

Elle lui offrit un clin d'œil coquin et celui-ci soupira, pris au piège.

— Oui…

Yseult de La Pommeraye applaudit comme une enfant. Voir une dame de qualité s'enthousiasmer pour si peu était très étrange.

— Parfait, préparons-nous alors pour partir ! J'ai encore pas mal de détails à régler.

— Pour partir ? répéta Antoine, qui ne comprenait pas.

Le voir si décontenancé et perdu avait quelque chose… d'amusant.

— Monsieur de Kerdelec va me faire l'immense honneur de venir à mon bal.

Un rire échappa à Carnac, comme s'il n'y croyait pas. Yseult le toisa de haut en bas d'un air outré, puis désigna Étienne.

— Quoi ? Il est assez grand, et vous ne pouvez pas le couver éternellement.

— Moi ? Le couver ? protesta Antoine. Mais… et puis, diantre, Étienne, ce n'est pas ce dont vous avez envie, n'est-ce pas ?

La surprise et l'inquiétude sur les traits du comte étaient à la fois touchantes et charmantes.

— Si, c'est bien le cas.

Yseult de La Pommeraye partit d'un petit rire avant de quitter le salon. Étienne traversa la pièce pour faire de même mais Carnac l'arrêta :

— Étienne, avez-vous bien compris que ce bal ne ressemblera pas à ceux que vous connaissez à Rennes ? Qu'il rassemblera la plupart des libertins de la région ?

Le jeune homme, amusé, tenta de conserver un visage neutre. Est-ce que la maîtresse de maison avait raison ? Est-ce que Carnac essayait de le materner ?

— Je ne peux pas quitter Saint-Malo sans goûter une des soirées de madame de La Pommeraye, s'exclama-t-il avec un petit air étudié. Kaerell me prendrait pour un lâche !

— Vous êtes sûr de vous ? soupira son compagnon.

— Certain.

Étienne lui offrit un sourire rassurant, et quitta la pièce. L'inquiétude de Carnac le touchait, mais il exagérait. Les soirées de madame de La Pommeraye ne pouvaient pas être pires que celles des bordels de Rennes.

N'est-ce pas ?

35

Une exclamation admirative échappa à Étienne. Madame de La Pommeraye se mit à rire tandis que Carnac secouait la tête, un beau sourire sur les lèvres. Assis à trois dans le carrosse, ils avaient pris une bonne heure pour atteindre le domaine de leur hôtesse, ou, plutôt, ce qu'elle appelait sa « malouinière », située à l'intérieur des terres.

Jamais encore Étienne n'avait vu telle splendeur, même à Rennes. Et plus il se rapprochait, plus ses yeux pétillaient.

La propriété champêtre d'Yseult de La Pommeraye était constituée d'une vaste demeure composée d'un corps de logis central et de deux ailes qu'on voyait apparaître de très loin dans la campagne.

Deux statues de molosses couchés gardaient l'ouverture d'un immense jardin. Leur voiture s'y engagea, et contourna une fontaine centrale, pour ensuite gagner une cour de gravier.

Une fois le carrosse garé – au moins une vingtaine d'autres auraient pu s'y ajouter –, ils pénétrèrent dans la demeure. Là encore, Étienne ne savait plus où poser les yeux : sur les boiseries sculptées, sur le mobilier, sans doute hors de prix, qui mettait en valeur toutes sortes de bibelots exotiques… À la décoration habituelle du lieu s'ajoutaient des compositions florales que les domestiques finissaient d'installer.

Comment madame de La Pommeraye avait-elle pu trouver autant de fleurs en plein hiver ? Curieux, Étienne s'approcha et ses doigts caressèrent les pétales : il s'agissait de tissu, sans doute recouvert de parfum vu l'odeur qui s'en dégageait.

— N'inspirez pas trop fort, certains ont des vertus aphrodisiaques, l'informa Carnac.

Étienne ouvrit grand les yeux. Se moquait-il ? Vu le petit sourire qui flottait sur son visage, il aurait juré que oui. Déjà une dizaine de serviteurs se pressaient autour de leur maîtresse, qui distribuait des ordres à tout va. Le jeune homme contemplait toujours les lieux : si l'hôtel particulier de Saint-Malo ne possédait pas de lustres immenses, la propriétaire s'était bien rattrapée ici. Les domestiques étaient en train d'ajouter des bougies sur les cinq niveaux de branches qui les éclaireraient dans l'entrée.

— Venez admirer la salle de bal.

Madame de La Pommeraye l'attrapa par le bras et l'entraîna dans une pièce immense. Du parquet recouvrait le sol jusqu'à une estrade où se trouvaient déjà clavecins, tambours et violons. En revanche, les murs et les plafonds… étaient recouverts de miroirs. Son expression étonnée revenait à Étienne de toute part et il ferma la bouche qu'il gardait bêtement ouverte.

— Pas mal, n'est-ce pas ? Les autres pièces en enfilade seront plus « privées ». Évitez de vous y rendre si vous ne voulez pas être gêné. Et alors…

Elle rebroussa chemin et attrapa la poignée d'une grande porte en bois.

— Prêt ?

Carnac soupira, tandis que l'appréhension gagnait Étienne. Qu'allait-elle encore leur faire découvrir ? Des deux mains, elle ouvrit les larges battants et entra dans une pièce inondée par la lumière extérieure.

Une pièce agréable, recouverte de tapis au sol et de coussins. Les murs étaient tellement garnis de vêtements qu'ils semblaient eux-mêmes faits de tissus. Sur plus de dix mètres à gauche s'alignaient des manteaux de robes et des jupes. Des pièces d'estomac reposaient par dizaines sur des tabourets. Pantalons, gilets, vestes et manteaux brodés recouvraient quant à eux le côté droit. Et, dans le fond, sur toute la largeur de la pièce, se trouvaient des bibliothèques décorées de masques plus extravagants les uns que les autres.

— Étienne, Antoine… Servez-vous ! Choisissez la tenue qu'il vous plaira.

Le regard du jeune homme demeurait rivé sur les masques en face de lui.

— Ah, oui ! s'exclama-t-elle, en apercevant son trouble. Il s'agira d'un bal masqué dont le thème est : les animaux. Tous mes invités ne viennent pas directement costumés et dénichent généralement ici les accessoires qui leur manquent. Ne soyez pas timides et choisissez les premiers !

Étienne se mordit la lèvre, tandis que Carnac souriait de toutes ses dents. Il mourait sans doute d'envie de rétorquer un « je vous avais prévenu ! ».

— J'ai déjà prévu mon propre costume, informa le comte.

— Oh, petit cachottier. Dans ce cas, pouvez-vous vérifier que tout est en place pour accueillir nos invités ?

— Je suis certain que vous…

— Allez.

D'un mouvement peu flatteur de la main, Yseult de La Pommeraye le mit à la porte sans que le comte parvienne à répliquer.

— Ah, j'ai bien cru qu'il ne vous quitterait jamais.

Étienne déglutit. Qu'est-ce que cela signifiait ?

— Avant que la fête ne commence, je dois vous informer des règles. Comme pour mon hôtel particulier, il y en a, voyez-vous ?

Bien droit, le jeune homme acquiesça. Son interlocutrice virevoltait de tissu en tissu, caressant velours, plumes et fourrures.

— Le bal est masqué pour une bonne raison : afin que chacun soit libre de faire ce qu'il veut dans le plus parfait des anonymats. Aussi, la plupart des convives ne prononceront pas le moindre mot afin qu'on ne reconnaisse pas leur voix. N'en soyez pas surpris.

— Oui, madame.

Jusque-là, cela lui semblait logique.

— Quel que soit le costume que vous emprunterez, n'oubliez pas la touche maîtresse.

— Le masque ? tenta Étienne.

— Les gants.

Madame de La Pommeraye se dirigea vers une petite commode où elle tira un premier tiroir. Des dizaines et des dizaines de gants de demoiselles s'y trouvaient, dans les plus beaux tissus. Elle le referma et ouvrit le second, dévoilant cette fois tout ce qu'il fallait pour ces messieurs. Étienne demeura un instant décontenancé, d'autant plus qu'un sourire mystérieux flottait sur les lèvres de son hôtesse.

Elle lui désigna alors ses propres mains encore gantées d'un cuir ivoire rembourré de fourrure.

— Écoutez très attentivement cette leçon. Quand les convives arriveront, ils porteront tous des gants, comme dans un bal classique. La similarité s'arrêtera là.

Du bout des doigts, elle retira son gant droit et agita les doigts libérés de leur carcan de tissu.

— Une demoiselle qui agit ainsi vous signifiera qu'elle s'intéresse à vous. Si vous lui portez le même intérêt, vous retirerez le gauche, afin que vos peaux puissent se toucher pendant la danse. La réciproque s'applique, même s'il est d'usage que votre cavalière prenne l'initiative.

Étienne s'éclaircit la gorge et madame de La Pommeraye partit d'un petit rire.

— Voyons, Étienne, vous êtes déjà tout rouge. Nous ne parlons que d'enlever un gant.

— Oui, bien sûr. Excusez-moi.

— Bien. À présent… enlever son dernier gant signifie que la personne désire aller plus loin avec l'autre. Si vous le faites…

— Je ne le ferai pas, contra-t-il sans réfléchir.

— Si vous le faites, reprit patiemment madame de La Pommeraye, la demoiselle en face de vous aura trois choix : remettre son gant, c'est-à-dire vous rejeter. Ne pas enlever le second, ce qui signifie qu'il est trop tôt pour elle et que vous devrez encore faire vos preuves. Ou le retirer… vous autorisant à vous montrer, disons, plus tactile.

Étienne se détourna, de plus en plus gêné.

— Bien sûr, elle peut à tout moment remettre son gant, vous signifiant par là de cesser. Il y aura des domestiques à l'entrée de chaque pièce, prêts à intervenir au moindre cri d'alarme. Je ne plaisante pas sur ces règles. Ceux qui sont mis dehors ne reviennent jamais.

— Ces hommes le méritent.

— Oh, vous savez, parfois ce sont des femmes que je dois mettre à la porte.

Il se retourna vers elle, surpris. La dame lui souriait avec affection.

— Mon cher Étienne… Vous êtes si naïf… J'espère que vous profiterez de cette soirée pour vous amuser. Que ce soit avec une demoiselle, ou un damoiseau.

Elle lui accorda un clin d'œil, avant de tapoter son bras d'un air taquin.

— Et si vous avez une urgence, vous me retrouverez sous les traits d'un paon.

Elle déposa un baiser sur sa joue, ce qui le rendit encore plus confus, et ajouta :

— Prenez le temps de choisir. Je vais occuper Antoine. À ce soir.

Madame de La Pommeraye lui offrit un énième sourire et disparut. Étienne ne savait plus quoi penser, une étrange inquiétude le gagnait, avec un autre sentiment, incongru : celui de l'excitation pour l'inconnu.

36

Madame de La Pommeraye leur avait attribué des chambres au deuxième étage de la demeure, là où aucun invité n'était censé s'égarer. La pénombre avait déposé un voile bleu nuit sur le ciel et, par la fenêtre, Étienne voyait les carrosses se garer les uns après les autres dans la grande cour.

Étienne essuya la sueur sur son front. Faisait-il à ce point chaud dans sa chambre, ou bien était-ce son déguisement ? Il avait choisi une culotte marron et des bas blancs. Il avait conservé sa chemise blanche, les autres étant trop larges pour lui, et avait sélectionné un gilet ainsi qu'une veste aux couleurs automnales. Du tissu en forme de feuilles avait été cousu sur toute la veste, de telle sorte qu'elle ressemblait à une ramure d'automne. Son masque, en cuir bouilli, était d'un beau cuivré et représentait un renard.

Si, sur le moment, les couleurs l'avaient attiré, il se sentait désormais mal à l'aise : la malice qu'il espérait que l'animal lui inspire ne le gagnait pas. Il avait l'impression de se retrouver des mois en arrière, lorsque Sophie attendait d'apparaître à son premier bal.

C'était stupide. Il en avait pourtant expérimenté d'autres depuis. Néanmoins, celui-ci était spécial. Et puis… lui-même avait changé.

Trois coups à la porte le firent sursauter.

— Étienne, tout va bien ? perça la voix de Carnac. Êtes-vous prêt ?

Le jeune homme prit une profonde inspiration, puis noua les rubans qui tenaient le masque derrière ses cheveux simplement attachés en une queue-de-cheval.

Lorsqu'il ouvrit la porte, il retint son souffle.

Antoine se tenait devant lui dans un costume entièrement noir. Des plumes recouvraient ses épaules et formaient la naissance d'une longue cape qui lui conférait les allures d'un seigneur. Son masque, lui aussi d'un noir de jais, présentait un bec recourbé. Des plumes noires, légèrement irisées sur les bords, dépassaient des côtés.

Étienne se pinça les lèvres pour ne pas sourire. De tous les costumes possibles et imaginables, son ami avait sélectionné le plus sombre. Comme lors de leur rencontre, comme lors de son premier bal…

— Eh bien, ricana Carnac avec assurance, je ne m'attendais pas à un tel choix de votre part. Mais il convient parfaitement à notre relation !

Il pivota sur le côté et lui désigna le couloir.

— Notre relation ? répéta bêtement Étienne.

— Oui, n'oubliez pas vos gants.

Les gants ! Le jeune homme écarquilla de grands yeux et récupéra les gants bruns dans sa chambre. Une fois dans le couloir, il s'empressa de les enfiler.

— Calmez-vous, Étienne. Ce n'est qu'un bal…

— Oui, oui.

Le jeune homme osait à peine regarder son ami. Son costume de corbeau lui allait fort bien et ajoutait à la prestance naturelle qu'il possédait déjà.

— Pourquoi nos costumes conviennent-ils à notre relation ? bredouilla le jeune Kerdelec tandis qu'ils descendaient les marches.

— Car en me montrant orgueilleux, j'ai lâché de mon bec l'héritage qu'un rusé renard a pu saisir.

Étienne piqua un fard. Oh, il identifiait désormais la fable à laquelle le comte faisait mention.

— Sauf qu'il n'y avait aucune malice…

— Je sais, je vous taquinais.

Ils arrivèrent dans un hall intermédiaire. De l'autre côté des portes entrebâillées, les invités entraient et se dirigeaient vers la droite après que des domestiques leur avaient retiré manteaux ou capes. Le stress d'Étienne s'accentua. La poitrine de certaines dames était tellement mise en valeur que leurs tétons en dépassaient. Le carcan qui emprisonnait déjà sa poitrine l'écrasa.

Carnac, qui avait avancé jusqu'aux battants, se figea.

— Vous allez bien ?

— Je…

Le jeune homme ne réussit pas à s'exprimer. Il s'appuya contre une table garnie d'un bouquet et essaya de reprendre sa respiration. Il se sentait ridicule. Pourquoi paniquait-il ?

— Vous n'êtes pas obligé d'assister à ce bal.

— Madame de La Pommeraye…

— C'est un bal masqué. Elle ne saura pas si vous êtes venu ou pas.

— Non, je…

— Étienne…

Entendre son nom lui fit l'effet d'une douche froide. Étienne… Il ferma les yeux. Non, c'était au-dessus de ses forces !

— Vous ne me tiendrez pas rigueur si je ne vous accompagne pas ?

— Non, je ne vais pas… en faire tout un fromage.

Le jeune homme tourna la tête vers Carnac. De son visage, il ne voyait que ses yeux et sa bouche, fendue d'un sourire rassurant. Hélas, sa tentative d'humour n'eut pas l'effet escompté.

— Merci.

Étienne se détourna pour gagner l'escalier.

— Je viens vous tenir compagnie.

Les chaussures du comte claquèrent derrière lui.

— Non. J'ai besoin d'être seul.

Le comte baissa la tête. L'avait-il blessé ?

— C'est vraiment ce que vous voulez ? chuchota Carnac.

— Oui.

— Entendu. Bonne nuit.

Le comte se détourna en un froissement de plumes. Il semblait… déçu.

À peine la porte de sa chambre passée, Étienne la referma derrière lui en la verrouillant.

Que lui arrivait-il ? Il y a quelques heures encore, ce bal suscitait en lui de l'enthousiasme. Alors, pourquoi ressentait-il une telle nervosité ? Non, il ne s'agissait pas que d'une appréhension, il y avait autre chose… Il éprouvait de l'amertume, voire… Était-ce de la colère ?

Il s'écarta du battant et croisa son reflet dans le miroir. Ses émotions grandirent encore dans sa poitrine, au point de lui donner envie de hurler.

Qui était cet individu en face de lui ? Quel était ce masque ridicule ? Il arracha presque le loup et le lança au sol. Même ainsi, les sentiments qui bouillonnaient en lui ne s'apaisèrent pas. Il se rapprocha du miroir et le saisit des deux mains. Il y voyait bien son visage, mais avait l'impression de ne pas s'y reconnaître. Même s'il avait jeté son masque, un autre demeurait collé à ses traits. Ses doigts s'enfoncèrent dans ses joues, comme s'il pouvait arracher cette peau. Cette maudite ressemblance, qu'il avait tant chérie, le révulsait à présent. D'un geste violent, il se débarrassa de sa veste et de son gilet. Ses mains arrachèrent presque sa chemise et ses bas.

Quasiment nu, il se retrouva face au miroir, face à lui-même. Seul le bandage qui masquait sa poitrine demeurait sur son corps. Ses doigts se mirent à trembler lorsqu'ils gagnèrent le nœud qui le maintenait en place. Et puis, lorsqu'il déroula le tissu une première fois, puis une seconde… l'étau qui le compressait de l'intérieur sembla se défaire lui aussi.

Pour la première fois, Sophie se regardait. Ses mains glissèrent sur sa gorge, sur les marques rouges autour de sa poitrine à force de trop la serrer, sur la blessure à son flanc dont elle conserverait une cicatrice.

Tout ça, c'était elle.

Elle avait cru aimer être Étienne. En réalité, elle ne désirait qu'une chose : être elle-même.

Ce soir, elle le comprenait enfin. Ce soir, il lui était impossible de faire semblant.

Elle en avait assez… de se cacher.

Elle tourna de nouveau la tête vers le miroir. Ses yeux rougis plongèrent dans les siens. Elle reconnaissait ces taches or dans le bleu de ses iris. Étienne avait les mêmes. À l'exception que celles-ci… lui appartenaient.

Un drôle de sentiment émergea alors dans sa poitrine. C'était fou… mais elle en mourait d'envie.

Ce soir, juste ce soir… elle ne voulait plus faire semblant.

Demain ou après-demain, Étienne devrait faire ses adieux. Des adieux qui lui déchireraient le cœur. Alors, juste pour une fois, pourquoi ne pas faire ce qu'elle désirait ?

Son regard se durcit, et une nouvelle volonté affermit son esprit. La même que lorsqu'elle avait volé l'épée de son père.

Ce soir…

Elle serait juste Sophie.

37

Dans la grande pièce aux déguisements, une ombre se saisissait de différentes étoffes. Seule, elle semblait presque flotter sur le parquet. Ses gestes étaient sûrs, comme ils ne l'avaient plus été depuis longtemps. À l'abri des regards, les tissus glissèrent sur ses courbes en harmonie avec la musique qui battait son plein.

Ses mains nouèrent son masque derrière sa tête, puis ses doigts glissèrent dans des gants d'une blancheur immaculée qui remontèrent jusqu'à ses coudes.

— Respire, s'encouragea-t-elle, en arrivant devant les portes ouvertes de la salle de bal.

La nervosité l'envahissait, mais une nervosité teintée de joie. De joie de ne plus faire semblant.

Sophie avança, se dévoilant aux premiers convives. Quelques regards se tournèrent dans sa direction, mais le fait de ne pas être annoncée par un domestique lui permettait d'entrer avec une relative discrétion. Elle flottait presque dans sa robe, tellement celle-ci était légère. Elle lui allait comme une seconde peau, et jamais Sophie n'aurait cru cela possible.

Pour se rassurer, ses doigts gagnèrent son masque, qui se trouvait toujours bien en place. L'animal pour lequel elle avait opté était un lapin… Quand elle avait vu le masque, blanc, avec ses longues oreilles cerclées de traits d'or, elle avait tout de suite pensé à Pilou et Cannelle. Par ce choix, c'était comme si sa famille l'accompagnait, et l'encourageait dans sa décision.

Tout avait commencé avec le lapin de son frère. Et tout s'achèverait ainsi.

Elle marcha, peu habituée aux paniers qu'elle avait attachés autour de ses hanches. Son jupon blanc y retombait sans la moindre fronce, et un magnifique manteau de robe blanc, brodé de lapins dorés, parachevait le tout. Les plis dans son dos se divisaient en deux tissus dorés évanescents, dévoilant un pompon de laine blanche censé représenter la queue de l'animal. La robe lui conférait une taille fine, et, par chance, proposait un décolleté juste parfait, qui soulignait la courbure de ses seins sans en montrer trop. Sophie avait parachevé sa tenue d'un tour de cou en dentelle, et d'une discrète perruque blanche qui dissimulerait la véritable couleur de ses cheveux. Ainsi déguisée, et avec le masque qui ne dévoilait que ses lèvres et son menton, bien malin celui qui aurait deviné son identité.

Nerveuse, Sophie s'efforça de marcher droit devant elle. Elle attrapa un verre au passage d'un domestique, et s'amusa à détailler les costumes présents : lion, tigre, aigle… Pour la plupart, les hommes avaient opté pour des animaux puissants, excepté un individu qui avait choisi… était-ce vraiment un masque de poisson rouge ? Elle esquissa un sourire. Les femmes, quant à elles, rivalisaient de grâce et de beauté : biche, perroquet, papillon, cygne… Plusieurs dames avaient d'ailleurs opté pour ces deux derniers costumes, aussi se retrouvaient-elles plusieurs à arborer des paires d'ailes au milieu de ces messieurs. Sophie crut en outre intercepter des échanges de regards acides. En revanche, elle ne trouva pas un seul lapin, et se félicita de son choix.

Une petite toux sur le côté attira son attention : un homme avec un masque de chat, lui fit la révérence, puis tendit sa main gantée vers elle. L'appréhension la ressaisit, mais au diable les scrupules ! Elle posa sa main dans la sienne et lui sourit.

Son cavalier la mena sur la piste de danse et ils se mêlèrent à la foule. Un quadrille endiablé se jouait, et Sophie prit beaucoup de plaisir à virevolter avec monsieur le chat. Si au départ elle craignait des gestes déplacés, elle se rassura vite : son cavalier se montrait tout aussi courtois que n'importe quel jeune homme dans un bal ordinaire.

Très vite, malgré l'amusement, elle remarqua des détails qui indiquaient que la soirée était tout sauf ordinaire. D'abord, un baiser déposé dans la nuque d'une jeune femme, puis des mains baladeuses… des corps qui se rapprochaient près, bien trop près pendant la danse… Toutefois, ces individus partageaient le même point commun : ils avaient tous retiré au moins un gant. Ce fameux gant mentionné par madame de La Pommeraye.

Après monsieur le chat, Sophie virevolta avec un cerf et un serpent. Elle se trouva même l'audace d'inviter monsieur le poisson rouge, puisque des dames prenaient les devants. Ce monsieur montra d'ailleurs une ardeur à la danse qui la fit rire, du moins, jusqu'à ce qu'il retire son gant. Le cœur battant, elle s'inclina à la fin de la danse pour le remercier, et se détourna. Du coin de l'œil, elle vit l'homme remettre son gant et ne pas tenter de la suivre, ce qui la rassura.

Sophie commençait à avoir chaud, mais elle s'amusait comme jamais. Ici, elle ne devait pas faire bonne figure devant les messieurs, ou encore écouter les mères qui déblatéraient sur les qualités de leur enfant. Ici, chacun agissait comme il le désirait, dans le respect de l'autre. Il n'y avait aucune stratégie matrimoniale, et la seule véritable attente… Elle rougit malgré elle. Oui, elle devinait bien ce qu'il en était, mais au moins, personne ne perdait du temps avec un cavalier ou une cavalière grâce à ce système de gant.

Une silhouette noire attira soudain son attention, et son estomac se contracta violemment. Là, de l'autre côté des danseurs, Carnac progressait le long des miroirs tel un oiseau de mauvais augure. Elle le reconnut immédiatement, et non parce qu'il était le seul en noir. Sa démarche, sa manière de se tenir droit…

Une femme, déguisée en lionne, s'approcha de lui et lui tendit un verre qu'il accepta. D'aussi loin, Sophie ne distinguait pas son expression, mangée qui plus est par le masque. Souriait-il ? La dame l'entraîna sur la piste de danse et, sans réfléchir, Sophie longea la salle pour se rapprocher. Jamais encore, elle n'avait vu Carnac danser. Les plumes sur ses épaules et la cape dans son dos gonflaient sans le gêner, lui conférant une aura supplémentaire. Il se mouvait avec aisance, virevoltant avec une grâce et un maintien qui soulignait son expérience. Une expérience qui ne se résumait pas à la danse… Cette étrange sensation crispa un peu plus l'estomac de Sophie et ses yeux s'arrêtèrent sur les mains de son ami… toujours gantées. Elle se sentit sourire, et se morigéna. Elle devait avoir l'air d'une idiote à sourire ainsi toute seule dans son coin.

Un passereau s'inclina devant elle, et elle lui désigna sa boisson en refusant poliment de la tête.

La musique touchait à sa fin, et la lionne… avait retiré un gant. Les doigts de Sophie se crispèrent sur son verre et elle ne parvint plus à détacher son regard d'eux. Tant pis si cela paraissait impoli. Carnac s'inclina avec courtoisie, et délaissa la jeune femme.

Le soulagement l'envahit, de courte durée. D'autres demoiselles se pressèrent autour de lui, et à force d'être également invitée, Sophie accepta de nouvelles danses. Son regard demeurait toutefois tourné vers Carnac, au point que les cavaliers la délaissèrent. Tant mieux, car elle se désintéressait d'eux également.

Le comportement de Carnac l'intriguait. Lui d'habitude si sûr de lui, pourquoi refusait-il tous ces gants qui se retiraient ? Une louve alla même jusqu'à ôter ses deux gants d'un même mouvement, avant de lui attraper la main et de le tirer hors de la salle de bal.

Le cœur de Sophie s'emballa. Ils avaient disparu de sa vue. Elle posa son verre sur un plateau et, l'air de rien, longea la pièce, pour en sortir à son tour. Est-ce qu'Antoine allait se laisser entraîner par cette demande si autoritaire ? Peut-être était-ce cela, après tout, qu'il attendait ? De tomber sur une femme assez audacieuse pour l'arracher du bal…

Mais pourquoi s'inquiétait-elle pour lui ? Il était assez grand, et cela ne la regardait pas…

Une expression étouffée lui parvint à l'entrée de cette nouvelle pièce. Il ne s'agissait plus d'une salle de bal, mais d'un vaste salon avec sofas, illuminé seulement par quelques chandeliers qui offraient une demi-pénombre aux personnes présentes. Des couples se trouvaient aux fenêtres ou assis, très proches les uns des autres… tellement que les corps se frôlaient, ainsi que les lèvres…

Le rouge monta vivement aux joues de Sophie et elle voulut opérer un demi-tour, lorsqu'elle fut soudain bousculée sur sa droite. Une dame avec un masque de loup piétinait le sol d'un air mécontent. Elle avait surgi d'une tenture. Ciel, Sophie n'avait pas remarqué les petites alcôves, sur la droite, cachées par des tissus !

Curieuse, elle conserva son attention rivée en direction de l'alcôve d'où provenait la louve. Elle brûlait d'envie d'aller voir, mais la prudence la retenait. Le tissu se souleva soudain, dévoilant… Carnac.

Le cœur de Sophie bondit violemment dans sa poitrine. Était-ce son costume qui lui donnait un air aussi sombre ? Ou bien la crispation de son corps ? La jeune femme détailla aussitôt ses mains : toujours gantées. Lorsque ses yeux se relevèrent, ceux du comte les emprisonnèrent.

Antoine esquissa un mouvement, et la peur, sourde et brutale, saisit Sophie. Elle fit volte-face et regagna la salle de bal.

Le suivre avait été une très mauvaise idée ! L'avait-il reconnue ? Se doutait-il de quoi que ce soit ? De nouveau mêlée aux invités, elle essaya de calmer les battements affolés de son cœur. Quelle idiote ! Elle se retourna.

Personne ne la suivait. Au lieu de mieux respirer… une pointe de déception la saisit.

De la déception ? Elle était complètement folle ! Pourquoi être déçue ? Elle devait se ressaisir, et danser. Oui, danser la distrairait et l'aiderait à redevenir naturelle. Elle se tourna vers la piste, à la recherche de son futur cavalier, lorsqu'elle le vit.

En face d'elle, de l'autre côté des danseurs, la fixait… un corbeau.

Carnac.

Antoine.

38

Séparés par la piste de danse où virevoltaient les invités, le corbeau et le lapin s'observaient. Malgré la distance, Sophie ne pouvait pas se tromper : c'était bien sur elle qu'Antoine fixait son attention. Et si elle pouvait en avoir le moindre doute, celui-ci s'évapora dès qu'elle esquissa quelques pas le long de la salle : le comte l'imitait.

Sa respiration s'accéléra, et elle se retourna pour partir de l'autre côté : ce qu'il fit aussi. Un homme dromadaire l'arrêta, et elle secoua la tête pour décliner son invitation. De son côté, Carnac repoussait une gazelle. Elle s'immobilisa, copiée par lui, et alors... commença à reculer à petits pas, puis de plus en plus vite. Le jeune homme répétait les mêmes gestes au même rythme qu'elle...

Elle en conçut de l'amusement et baissa la tête pour dissimuler un sourire. Dans un sens comme dans l'autre, ils atteindraient la sortie en même temps. Elle allait devoir l'affronter... alors pourquoi repousser l'inévitable ?

Sophie prit une grande inspiration, opéra un angle de quatre-vingt-dix degrés et avança vers la piste de danse. Son vis-à-vis ne réagit pas tout de suite, comme surpris. Allait-il se défiler ?

Avec un temps de retard, il s'approcha à son tour. La gorge serrée, Sophie continua à progresser avec calme. Les danseurs les évitaient et parfois s'amusaient à tourner autour d'eux. Mais ni l'un ni l'autre ne se quittaient du regard.

Cela avait une dimension amusante et fascinante à la fois.

À moins de deux mètres, Sophie se figea et fut bientôt imitée. Que voulait véritablement Antoine ? Était-ce un de ses nouveaux jeux ? Aucun n'osait bouger. Ils ne faisaient que s'observer... Un couple bouscula soudain Sophie, et elle perdit l'équilibre. Elle vacilla en avant, percutant à son tour... Carnac.

Celui-ci s'était rapproché et la tenait par les avant-bras pour l'aider à se redresser. Face à la puissance de son regard, elle eut envie de fuir, mais il s'inclina soudain en la relâchant... et lui tendit la main. Il l'invitait à danser.

Fébrile, la jeune femme accepta sa proposition et la musique changea pour une contredanse. Sans se quitter du regard, ils se rapprochèrent, reculèrent... Le tout à plusieurs reprises. Leurs paumes se touchaient presque tandis qu'ils se tournaient autour. Sophie demeurait à fleur de peau. La sensation était très étrange alors qu'Antoine ne l'effleurait même pas.

Toutefois, son sérieux l'intimidait. Plus encore, elle craignait d'être reconnue. Mais comment l'aurait-il pu ? Sophie était à Rennes et Étienne... n'avait pas choisi ce costume. De plus, il était enfermé dans sa chambre. Non, c'était impossible.

Alors, s'il la fixait avec une telle intensité… c'était… c'était…

Elle faillit s'étrangler, n'osant formuler dans son esprit ce que pourtant son cœur répétait dans sa poitrine.

La musique ralentit, offrant ses dernières notes. La panique commença à la gagner. Est-ce qu'après cette danse, Antoine s'éloignerait ? Même si la prudence lui faisait espérer cette possibilité, autre chose lui criait que ce n'était pas ce qu'elle voulait. Tandis qu'ils se courbaient d'une révérence pour se remercier, elle osa faire quelque chose dont jamais elle ne se serait crue capable.

Elle retira son gant droit.

Ses joues s'empourprèrent immédiatement, et son rythme cardiaque augmenta. Elle était folle. Complètement folle ! Cependant, si elle voulait la réponse à sa question… c'était le seul moyen de savoir. Carnac demeura immobile, de longues secondes, et cela sans manifester le moindre signe d'intérêt. Sophie en oublia de respirer. Quelle idiote !

Déjà les musiciens entamaient une nouvelle musique, plus lente. Morte de honte, la jeune femme s'écarta, bien décidée à quitter la piste de danse. Une pression contre sa main la retint alors. Sa tête se tourna en arrière… et elle découvrit la main d'Antoine autour de la sienne, libre de tout gant.

Son cœur bondit jusqu'à sa gorge et le jeune homme tira doucement sur son bras pour la ramener vers lui. Il se plaça alors dans son dos et, leurs mains non gantées en hauteur, l'entraîna dans la mélodie. Sophie ne le voyait pas, mais elle avait une conscience exacerbée de ses gestes.

De l'autre main du comte, qui avait trouvé la sienne et qui l'avait ramenée contre son cou.

De son bras qui avait glissé sur sa taille tandis que leurs corps s'envolaient.

Les couples dansaient de la même façon, Antoine n'avait donc rien inventé… mais, ô mon Dieu ! Sophie crut qu'elle allait défaillir. La main du jeune homme venait de se poser contre son ventre. Les plumes de son masque lui chatouillèrent la nuque et lui arrachèrent un délicieux frisson.

Ainsi à la merci d'Antoine, Sophie ne parvenait plus à réfléchir. Toutefois elle ne pouvait pas lui en vouloir. Elle avait retiré la première son gant. Était-ce cela, être libertin ? Si, de l'extérieur, un visiteur aurait trouvé ça malséant… elle n'avait envie d'être nulle part ailleurs.

Elle ferma les yeux quelques secondes, et quand elle les rouvrit, distingua les autres danseurs. Certains hommes avaient refermé leur main sur la poitrine de leur cavalière, et un individu avait même glissé ses doigts bien plus bas que ne lui permettait la décence. L'inquiétude la saisit et elle retira son bras du cou de Carnac pour la plaquer sur la main sur son ventre. Allait-il aussi…

— Laissez-vous bercer, entendit-elle chuchoter à son oreille. Vous êtes en sécurité avec moi, du moins, tant que vous ne retirez pas votre dernier gant.

Son masque lui caressa le cou et l'arrière de l'oreille. Une sensation voluptueuse parcourut son corps et elle relâcha sa poigne. Antoine accentua alors la pression de ses doigts sur son ventre, son torse vint appuyer contre son dos, entraînant Sophie dans un rythme plus soutenu. Ses mots l'avaient libérée de toutes ses craintes. Même s'il ne savait pas qui elle était, oui, Antoine était digne de confiance. Il le lui avait prouvé à maintes reprises.

La musique ralentit une nouvelle fois, et quand les violonistes reposèrent leur archet, Sophie ne parvint pas à reprendre ses esprits. Son cœur semblait palpiter sur le moindre centimètre de peau. Carnac, le premier, réagit. Tandis que les couples s'entraînaient dans une contredanse, le jeune homme porta sa main à ses lèvres et l'embrassa. Sophie, toujours dos à lui, trouva alors le courage de pivoter. Les doigts de Carnac contre son ventre glissèrent sur ses reins, et elle se retrouva face à lui. Proche, beaucoup trop proche.

Sa poitrine était collée à son torse, et elle ne réussit qu'à poser sa main libre contre lui. Elle comprenait désormais mieux pourquoi les jeunes femmes ne lui résistaient pas… En une seule danse, il avait réussi à bouleverser ses sens.

— Vous êtes brûlante, chuchota-t-il. Venez, allons prendre l'air.

Il s'écarta, sa main demeurant fermée sur la sienne. La raison lui disait de refuser, de lutter… mais quelque chose au fond d'elle l'encourageait à abdiquer.

Elle le suivit donc à travers les convives. Parfois, le comte écartait de lui-même un invité pour s'assurer qu'elle ne soit pas bousculée. Sa prévenance la gênait et la ravissait à la fois.

Arrivée au bout de la salle, face au salon où elle savait, ou plutôt, se doutait de ce qu'y faisaient les couples, elle freina. Bien entendu, Carnac sentit sa résistance. Il s'arrêta, et alors, eut une drôle de réaction. Il se rapprocha d'elle, saisit son propre gant et le lui enfila. Sophie se retrouvait désormais avec un gant de femme qui lui remontait jusqu'au coude, et un autre, d'homme, jusqu'au poignet.

Était-ce un autre code que madame de La Pommeraye avait oublié de lui expliquer ? Ou bien était-ce un moyen de lui signifier qu'il ne lui imposerait rien qu'elle ne désirât pas ?

Il tendit de nouveau sa main, et la curiosité l'emporta. Sophie décida une fois de plus de lui faire confiance. Antoine l'entraîna alors à plus vive allure, traversant la pièce dans la pénombre où les soupirs et les gémissements allaient bon train. Il les ignora, et poussa une porte qui menait sur un lieu sans sofas, plein de coussins au sol avec… des gens qui ne portaient plus que leur masque.

Des bouffées de chaleur emplirent Sophie, et ses doigts se refermèrent plus vivement sur ceux d'Antoine. Ce dernier ne s'arrêta pas.

— Attention à vos jolies oreilles, murmura-t-il face à un mur.

De sa main libre, il appuya contre un motif de fleur et un clic retentit, dévoilant une porte à même le mur. Un passage secret ? Sous son masque de corbeau, le comte sourit et se faufila le premier à l'intérieur. Ce côté aventureux plut aussitôt à Sophie, bien qu'elle se rendît compte qu'il l'éloignait de plus en plus des autres convives.

Carnac lui avait lâché la main afin qu'ils puissent avancer dans un couloir sombre et étroit. Avant que l'inquiétude ne perce, ils débouchèrent sur un petit salon aux murs creusés de grandes fenêtres. Le jeune homme s'y dirigea directement et ouvrit deux grandes portes vitrées. Aussitôt, un courant d'air bienvenu lécha les joues de la jeune femme. Elle ne s'était pas rendu compte que l'atmosphère du bal l'étouffait.

D'un geste de la main, Carnac la convia à avancer, et elle obtempéra. La pièce donnait sur un charmant balcon, avec une vue imprenable sur la Rance. La lune, pleine, les éclairait de son halo lumineux. Le ciel était clair et on apercevait les étoiles.

— Pour vous.

Sophie faillit sursauter. Carnac lui tendait un verre rempli de vin déniché elle ne savait où. Le rouge aux joues, elle l'accepta, et il s'écarta alors de trois bons mètres, avant de s'appuyer contre la rambarde de pierre. Il lui rendait son espace et ne tentait rien, ce qui l'aida à s'apaiser.

Non, Antoine n'essayait pas de la séduire. À la place, il fixait la voûte céleste d'un air songeur. Ainsi de profil, dans son costume sombre et son masque de corbeau, il était juste magnifique.

Les minutes s'écoulèrent sans que l'un ou l'autre engage la conversation. Alors, Sophie prit son courage à deux mains, retira le gant de Carnac et s'installa plus proche de lui.

— Je n'en ai pas besoin, commenta-t-il sans la regarder.

La jeune femme murmura :

— Moi non plus.

Elle espérait que parler bas empêcherait Antoine de reconnaître sa voix. Le contexte dans lequel ils se trouvaient ne devait normalement pas la trahir, mais il valait mieux être trop prudent. Elle rapprocha un peu sa main de la sienne. Seul le gant, en équilibre sur la rambarde, séparait leurs deux mains.

— Suis-je censé vous reconnaître, madame ? souffla son interlocuteur.

Sophie secoua la tête, peut-être un peu trop vite pour paraître naturelle. La main libre de Carnac se posa alors sur le gant, et leurs doigts se frôlèrent.

— Savez-vous pourquoi j'ai choisi un corbeau comme costume ?

Une nouvelle fois, Sophie fit non de la tête.

— Car j'aime ces oiseaux. J'aimerais être comme eux. Lorsqu'un corbeau trouve une partenaire, ils restent ensemble pour la vie. Ils se soutiennent, quoi qu'il arrive.

Sophie s'était attendue à tout, sauf à ça…

— Vous dites cela à toutes les demoiselles que vous amenez sur ce balcon ? tenta-t-elle avec humour en amenant son verre à sa bouche.

— Oui, est-ce que cela fonctionne ?

Elle faillit en recracher son vin par le nez et toussota, provoquant l'amusement de son compagnon. Elle avait voulu le mettre mal à l'aise et voilà qu'il retournait la situation à son avantage. Il lui tendit un mouchoir et elle l'accepta, penaude.

— Et vous, pourquoi un lapin ?

— Aussi pour sa symbolique…

Elle se tut, se rendant compte du risque qu'elle prenait si Carnac pensait à Cannelle. Après tout… c'était aussi à cause, ou, plutôt, grâce au lapin qu'ils s'étaient rencontrés.

— Peut-être qu'à défaut de trouver un partenaire, j'ai envie de sauter sur tout ce qui bouge.

Sa propre hardiesse la décontenança. Le comte la dévisagea, et elle ne sut soudain plus où se mettre. Alors, il éclata de rire. D'un rire franc et sincère, qui accéléra encore le rythme cardiaque de Sophie. Celle-ci sourit et… prise d'une envie subite, rapprocha encore sa main, son annulaire se mêlant au pouce de Carnac.

Le rire de celui-ci se fana, et il toussota, sans toutefois retirer sa main. Pourquoi Sophie agissait-elle ainsi ? Que lui prenait-il de badiner avec lui ? Elle le savait libertin, mais qu'est-ce que cela signifiait au fond ? Et avait-elle vraiment envie de le savoir ?

En réalité, son esprit ne parvenait plus à réfléchir correctement. En revanche, quelque chose d'inscrit très profondément en elle lui hurlait de se rapprocher. Oui, tout son corps la poussait vers Antoine.

Alors, lentement, elle s'avança vers lui. Carnac s'écarta pour se placer face à elle, pressant ses doigts entre les siens.

— Nous ferions mieux de rentrer, votre peau est déjà froide.

Est-ce que le terrible séducteur de ces dames cherchait une excuse pour fuir ? Son regard évita le sien, et il faillit reculer…

— Vous, vous êtes chaud…

Elle joua avec ses doigts, et il s'éclaircit une nouvelle fois la gorge. Alors, elle se laissa aller, appuya sa tête contre le torse d'Antoine, et ferma les yeux. Elle était si bien, ainsi… Elle entendait même les battements de son cœur, rapides, tout comme les siens.

Le bras libre du jeune homme glissa sur sa taille, puis remonta dans son dos, avant de rejoindre sa nuque. Le geste lui provoqua des frissons, et elle releva la tête. La main de Carnac frôlait sa joue.

Sophie avait l'impression d'être là où elle aurait toujours dû être.

Le cœur battant, ses yeux se noyèrent dans ceux couleur d'écorce d'Antoine. Si aujourd'hui, elle en était là, c'était grâce à lui. À aucun moment, il ne l'avait abandonnée. Si leur relation avait mal débuté, toujours, il l'avait poussée à donner le meilleur d'elle-même. Même s'il avait sans doute agi inconsciemment, elle lui en était profondément reconnaissante. Hélas, jamais elle ne pourrait le lui dire.

Non, mais son cœur, lui, pouvait le remercier d'une autre manière.

Avec lenteur, ses lèvres se rapprochèrent des siennes. Elles exerçaient sur elle une attraction contre laquelle elle n'avait plus envie de lutter.

— Non.

Carnac recula brutalement. Sa réaction blessa Sophie. Son poing se refermait, lorsque le jeune homme ajouta :

— Attendez... Juste...

Il tourna la tête et dénoua le ruban derrière son crâne. Le masque tomba entre ses mains, et il la regarda de nouveau. Son expression était trouble. Elle respirait la crainte, l'interrogation, mais aussi l'espoir. La jeune femme toucha machinalement son propre masque, et l'anxiété la saisit. Elle ne pouvait pas retirer le sien.

— Pardonnez-moi, chuchota-t-il avec un faible sourire. Je ne voulais pas que le bec de mon masque vous blesse...

Toute la belle assurance d'Antoine semblait s'être envolée. Bon sang, ce qu'il pouvait être beau... L'émotion qu'elle lut dans ses yeux la bouleversa plus encore. Tant de solitude, tant de crainte, mais aussi de tendresse... Lentement, elle rapprocha son visage. Cette fois, il ne recula pas. Sophie ferma les yeux et ses lèvres se posèrent sur celles d'Antoine.

Le rouge aux joues, elle s'écarta. Le comte continuait à la fixer sans bouger. Il ne la repoussait pas. Son cœur tambourinait dans sa poitrine et, surtout, elle en avait encore envie... Alors, elle lui sourit timidement et rapprocha de nouveau sa bouche. Cette fois, celle de Carnac vint à la rencontre de la sienne, et il lui rendit son baiser. D'abord leurs lèvres s'effleurèrent doucement, puis se pressèrent.

Les bras de Sophie glissèrent autour de son cou, tandis que les siens enserraient sa taille. Le goût sucré des lèvres d'Antoine l'enivrait. Ils s'embrassaient de plus en plus fort, avec de plus en plus de passion. Des sensations inconnues se déversaient dans le corps de la jeune femme. Elle se sentait brûler de l'intérieur et chaque effleurement d'Antoine la faisait s'embraser.

Bientôt, le baiser s'approfondit d'une façon à laquelle Sophie ne s'attendait pas. De surprise, elle s'écarta, ce qui n'échappa pas à son partenaire.

— Pardonnez-moi.

Il recula d'un bon mètre. Carnac avait les joues rouges, les yeux brillants, et l'air fortement agité.

— Je ne voulais pas vous brusquer.

Il fit un nouveau pas en arrière, comme s'il fuyait. Leur baiser semblait l'avoir complètement perturbé, encore plus que Sophie, qui respirait à vive allure. Néanmoins… c'était totalement fou, mais elle désirait tout sauf son départ.

— Attendez.

Antoine s'arrêta alors qu'il avait déjà un pied à l'intérieur du salon. Sophie tirait sur l'index de son dernier gant. Avec mesure, et le cœur battant, elle tira sur chacun de ses doigts, jusqu'à retirer totalement le tissu. Devant le regard médusé de Carnac, elle le laissa tomber au sol. Son impétuosité la surprit elle-même et, comme son compagnon demeurait statufié, elle se rapprocha.

À moins d'un mètre de distance, Antoine recula. Il percuta une table basse, renversant les objets qui s'y trouvaient au sol. Le regard du jeune homme demeurait rivé au sien, même lorsqu'il tomba à la renverse dans le fauteuil derrière lui.

Son air bêta la fit sourire. Jamais elle n'aurait cru le voir ainsi démuni face à une femme. Elle se pencha vers lui, et le regard de Carnac dévia sur sa poitrine. Elle n'en conçut toutefois pas la moindre gêne. Ses mains rejoignirent les épaules du jeune homme et firent glisser sa veste pleine de plumes au bas de ses bras, puis la jetèrent au sol. Alors, seulement, elle appuya son genou sur le côté du fauteuil, pour ensuite s'asseoir sur lui. Les paniers ne facilitaient pas la manœuvre, mais, heureusement, ils n'étaient pas trop raides et l'assise du siège était large.

— Je…, commença Carnac.

Sophie s'empara de nouveau de ses lèvres, l'empêchant de terminer. Elle le voulait pour elle seule ce soir, qu'importe où cela mènerait. Cette fois, c'est elle qui cherchait à expérimenter ce qu'il avait voulu lui montrer, et quand sa langue rencontra la sienne, Antoine laissa échapper un gémissement. Ses bras se refermèrent autour d'elle et il la plaqua contre lui.

Des frissons incontrôlables la saisirent et elle se pressa un peu plus. Antoine mit alors fin à leur baiser pour embrasser son cou. Les sensations qui l'envahirent la chamboulèrent. Une mer déchaînée semblait emporter son ventre et les flots augmentèrent de leur violence lorsque la bouche de son amant gagna la naissance de sa poitrine. Sa nuque partit en arrière et ses doigts se refermèrent dans les cheveux d'Antoine. La main de celui-ci quitta sa taille et elle la sentit remonter le long de sa cuisse…

Sophie écarta le buste, le souffle court. Antoine aussi respirait fort. Il suspendit ses gestes en signe de reddition et la jeune femme eut soudain une envie… Elle tira sur les pans de la chemise noire du jeune homme pour la déloger de la pièce du bas, lorsqu'il lui saisit les mains.

— Non, chuchota-t-il alors. Je n'ai pas retiré mon dernier gant.

La jeune femme s'immobilisa, confuse. La main libre du comte se posa alors sous son menton et il l'abaissa pour la regarder droit dans les yeux.

— Je le retire à condition que vous aussi.

Ses lèvres frôlèrent les siennes, puis glissèrent le long de son cou, appuyant juste assez pour la faire frissonner. Les dents de Carnac se refermèrent sur la fine peau, et elle gémit. Il bouleversait ses sens et elle adorait ça.

— Je l'ai déjà retiré, soupira-t-elle.

Il remonta vers elle et déposa un léger baiser sur ses lèvres. Il jouait. Comment osait-il ?

— Votre masque, précisa-t-il enfin. Je me donnerai à vous uniquement si, vous aussi, vous vous donnez entièrement à moi.

Son masque… Une pluie glacée refroidit aussitôt ses ardeurs. Par réflexe, Sophie y porta une main pendant que Carnac glissait à l'autre extrémité de son cou. Ses paupières se fermèrent alors que des sensations délicieuses la bouleversaient à nouveau. Mais son masque… Non, elle ne pouvait pas se révéler à lui. C'était impossible.

Tout ce qu'elle lui avait caché… Il ne le lui pardonnerait jamais.

Et puis… elle n'était plus sûre de ce qu'elle voulait vraiment. Ce moment ne devait être qu'une parenthèse, un songe sans aucune conséquence.

Elle allait partir à Rennes pour ensuite ne jamais plus le revoir.

Ses mains se posèrent sur les joues de Carnac, et il s'écarta pour la regarder. Patient, il glissa ses doigts le long de sa mâchoire, puis derrière son oreille, vers… le nœud du ruban qui maintenait son loup en place. La panique la saisit et elle arrêta son geste d'une main, pour emprisonner sa tête de l'autre.

Sophie l'embrassa alors.

Elle embrassa Antoine de tout son être, de tout son cœur, et les larmes s'échappèrent de ses paupières.

Tout aussi brutal qu'eut été son baiser, elle se détourna de lui.

Profitant de l'effet de surprise, Sophie détala… comme un lapin. Lâche, elle abandonnait son corbeau sans la moindre explication, tâchant de se persuader qu'il s'agissait de la meilleure solution.

Toutefois, au fond d'elle-même, quelque chose lui soufflait ce qu'elle craignait d'entendre. Elle avait franchi une limite avec laquelle elle n'aurait jamais dû jouer.

39

La nuit avait été agitée. Le moindre bruit avait réveillé Sophie en sursaut. Toutefois, elle avait pris sa décision.

Antoine n'avait pas découvert son imposture, sinon, il l'aurait déjà confrontée. Or, ses émotions se révélaient toujours trop intenses pour qu'elle les domine. Elle ne pouvait pas prendre le risque de paraître étrange. Aussi, ce matin, elle allait se comporter exactement comme son frère lorsqu'un problème le dépassait.

Elle allait fuir.

La fête avait battu son plein toute la nuit, les convives dormaient à poings fermés. Quand elle passa sur la pointe des pieds devant la chambre d'Antoine, Sophie, redevenue Étienne, ne put s'empêcher de se demander : avait-il trouvé une autre cavalière après sa fuite ? Avait-il… ? Non, ça ne la regardait pas. Absolument pas.

Discret, Étienne se dépêcha de gagner la salle des déguisements, où il rangea soigneusement le costume de lapin. Il avait abandonné celui de renard dans sa chambre, et ne souhaitait laisser aucune trace de celle qu'il avait été cette nuit.

Dans le hall, il croisa les premiers domestiques qui s'affairaient à allumer les cheminées.

— Pouvez-vous informer la maîtresse de maison à son réveil qu'Étienne de Kerdelec a dû partir plus tôt pour régler ses affaires ?

Ceux-ci parurent perplexes : cette tâche ne leur incombait pas, mais Étienne, impatient de partir, ne pouvait souffrir d'attendre le majordome. Aussi, il quitta la demeure en toute hâte et réquisitionna le premier cheval disponible dans l'écurie. Il s'efforça de marcher au pas dans l'allée jusqu'à la fontaine, puis, n'y tenant plus, il lança l'équidé au galop. Fuir le remplissait de honte, mais il arrivait à un stade où il n'avait plus la force de rien.

Le voyage jusqu'à Saint-Malo se déroula sans encombre, il avait juste dû patienter une bonne heure que le Sillon se dégage. Durant ce temps, ses yeux n'avaient cessé de guetter l'horizon derrière lui, et il s'en voulut de sa couardise.

Une fois son cheval remis à un relais – le personnel le ramènerait à madame de La Pommeraye par la suite –, Étienne prit la direction de la plage. Déjà les habitants se répandaient pour ramasser coquillages et crustacés laissés par les vagues qui se retiraient.

Un sentiment de nostalgie l'enveloppa. Saint-Malo allait lui manquer.

La mer allait lui manquer.

Personne d'autre ?

La petite voix dans sa tête lui fit serrer les mâchoires. Madame de La Pommeraye lui manquerait, mais il savait que ce n'était pas la réponse que son esprit perfide attendait. À moins que cette pensée ne provînt de son cœur ? Non, c'était ridicule.

— Étienne ?

L'intéressé sursauta avant de se retourner. Le soleil l'aveugla, sa lumière découpant la haute silhouette d'un homme grand et de son tricorne. Le cœur du jeune Kerdelec bondit dans sa poitrine.

Antoine ?

L'ombre s'écarta légèrement et retira son chapeau, dévoilant des cheveux blonds et des yeux bleus.

— Étienne, allez-vous bien ? Vous êtes tout rouge.

Mathieu…

Le jeune homme ne parvint même pas à prononcer tout haut le nom du vicomte. Une déception teintée de soulagement l'envahit. Une émotion qui accentua son trouble.

— Je suis passé à l'hôtel de madame de La Pommeraye, mais on m'a informé que vous n'étiez pas encore rentré. Et, des remparts, j'ai cru apercevoir votre silhouette. Est-il arrivé quelque chose ?

Étienne fixa son interlocuteur en silence. Il le revoyait pour la première fois depuis sa confession concernant Louise. Étrangement, la douleur à laquelle il s'était attendu n'éclata pas. Ni douleur, ni colère, ni frustration… cela en était encore plus déroutant. Le jeune Kerdelec s'efforça de sourire et balbutia :

— Toutes mes excuses, j'étais dans mes pensées. Voulez-vous marcher un peu ?

Même si la hauteur du soleil dans le ciel indiquait que les heures avaient filé sans qu'il s'en rende compte, il ne souhaitait pas rester immobile.

— Je vous suis. Nos balades me manquaient.

Ils s'avancèrent dans le sable fin, d'abord en silence. Étienne avait conscience de la présence de Mathieu à ses côtés, mais il ne ressentit pas le besoin de le contempler ni de guetter le moindre de ses gestes comme auparavant. Avait-il donc à ce point perdu tous ses repères ?

— Pardonnez-moi d'insister, prononça calmement le vicomte. Mais… vous semblez différent. Qu'est-il arrivé ?

Étienne se tourna vers Mathieu. Ses traits inquiets provoquèrent une légère chaleur dans son cœur, et il s'accrocha à ce sentiment familier.

— Je crois que j'ai juste un peu de mal à regagner la réalité, prononça Étienne. J'ignore si vous avez reçu mon courrier à ce sujet… J'ai récupéré l'acte manquant et obtenu l'héritage pour ma famille. Tout est réglé.

Mathieu s'immobilisa dans le sable et ses traits se métamorphosèrent. Apparemment, non, il n'avait pas appris la nouvelle. Sa bouche s'étira en un merveilleux sourire.

— Alors, vous avez réussi ! Vous avez sauvé votre famille !

Tout d'un coup, le vicomte l'étreignit. Cela ne dura qu'une brève seconde, son torse toucha à peine celui de son ami, mais il sentit parfaitement son bras dans son dos. Mathieu s'écarta aussi vite qu'il l'avait serré, conservant ses mains sur les épaules d'Étienne.

— Charles serait tellement fier de vous !

Le jeune homme ne put s'empêcher de rougir. Mathieu le fixait avec fierté, comme un grand frère contemplerait son cadet. Le cœur d'Étienne se gonfla d'affection et ses yeux dérivèrent vers l'un des bras de son compagnon. Il se sentait gêné, mais il n'y avait nul frisson, nulle sensation de chaleur qui enflait dans son ventre. Mathieu toussota, puis laissa retomber ses mains.

— Pardonnez-moi, cela ne me ressemble pas de me montrer si démonstratif…

— Ce n'est rien, bredouilla Étienne, quoiqu'un peu chamboulé par ce qu'il croyait comprendre sur ses propres sentiments.

Il se mordit la lèvre, puis toussota :

— Vous avez du sable sur le visage, vous permettez ?

Mathieu cilla, puis hocha la tête.

Depuis combien de temps Sophie rêvait-elle de ce geste ? De toucher le visage de l'être dont elle était secrètement amoureuse ? En un mouvement circulaire, elle retira les grains de sable invisibles.

Son cœur se serra et une amère déception l'étreignit.

Rien. Elle ne ressentait absolument rien.

Son pouls ne s'emballait pas, son cœur n'essayait pas de s'arracher de sa poitrine.

Le vicomte eut un léger mouvement de recul, et Sophie repoussa ses émotions pour mieux reprendre le masque d'Étienne.

Il récupéra sa main.

— Je crois que toutes ces aventures m'ont fatigué, déclara-t-il alors en se tournant vers la mer.

— Rentrons à Rennes.

Le jeune homme pivota vers le vicomte. Celui-ci ne souriait plus et une lueur étrange brillait dans ses yeux.

— Rentrons à Rennes dès demain, insista Mathieu en se rapprochant d'un pas. Vous êtes resté suffisamment longtemps éloigné de votre famille et vous avez obtenu ce que vous cherchiez. De grâce, ne différez plus notre départ.

« Notre départ » ? L'étonnement gagna le jeune Kerdelec. Pourquoi le souci barrait-il à ce point le front du vicomte ?

— Ne revenez-vous pas de Rennes ? s'étonna-t-il. Et n'avez-vous pas d'autres affaires à régler à Saint-Malo ?

Le vicomte embraya d'une voix si pleine de certitude que c'en fut déconcertant :

— Rien qui soit important. Et, hélas, non, j'ai dû réviser mes plans et faire un crochet par le domaine familial.

Étienne se mordit la lèvre. Que Mathieu n'ait pas pu rejoindre la capitale de Bretagne aurait dû le rassurer, mais cela signifiait aussi qu'il n'avait pas de nouvelles de sa famille à lui confier.

— Rien de grave ?

— Non, soupira le vicomte. Toutefois, je serai heureux de retrouver Rennes.

— D'accord, s'entendit-il alors répondre. J'ai encore quelques rendez-vous à honorer cet après-midi. Tout devrait être réglé pour demain.

— Je m'en réjouis ! (Son compagnon semblait à la fois soulagé et heureux.) Avez-vous mangé ? questionna soudain Mathieu. Il vous faut prendre des forces. Venez ! Partageons ce repas, j'insiste !

Sans lui laisser l'occasion de protester, il ouvrit la marche vers les remparts. Étienne soupira, et se tourna de nouveau vers la mer. Mathieu de Chevigné avait raison. Rien ne servait de s'attarder davantage. Il devait juste survivre à cette journée, jouer la comédie quelques heures de plus. Le jeune homme prit sur lui et rejoignit son compagnon au petit trot.

*

Le clocher sonnait deux coups lorsque Étienne se décida à regagner l'hôtel de La Pommeraye. Des affaires réclamaient sa présence sur les quais dans une heure, mais il tenait d'abord à remercier son hôtesse et à l'avertir de son départ prochain. Le repas avec Mathieu l'avait aidé à se détendre et il se sentait rassuré : il avait réussi à retrouver la maîtrise de ses émotions. Il se sentait prêt à faire comme si rien ne s'était passé la veille. D'ailleurs, rien ne s'était passé. Étienne n'avait rien à se reprocher.

Il frappa à la porte de l'hôtel de La Pommeraye, et ce bon vieil Oscar ouvrit, comme de coutume.

— Monsieur de Kerdelec.

Le majordome s'inclina et le laissa entrer.

— Je ne reste pas, est-ce que Madame…

— Étienne ! s'exclama celle-ci, comme si elle avait guetté sa venue. Où étiez-vous donc passé ? Nous nous sommes inquiétés en ne vous découvrant pas au château.

Sans lui laisser le loisir de s'expliquer, elle l'entraîna dans le petit salon. Le premier réflexe d'Étienne fut de balayer des yeux les sofas. Son rythme cardiaque s'emballa, une fine sueur couvrit sa peau. Puis, tout retomba en constatant qu'ils étaient seuls.

— Vous êtes-vous amusé hier soir ?

— Oui, c'était une belle soirée, bredouilla-t-il en essayant de sourire. Désolé d'être parti sans vous saluer, j'avais des rendez-vous pressants à honorer.

— Vous êtes trop sérieux, s'amusa Yseult de La Pommeraye en servant deux tasses de thé. Vous voilà riche, vous pouvez bien profiter un peu des plaisirs de ce monde.

Étienne toussota.

— Je voulais vous remercier pour tous vos bienfaits. Jamais je n'aurais pu rêver d'un meilleur accueil à Saint-Malo que le vôtre. Je vous serai à jamais reconnaissant.

Madame de La Pommeraye s'immobilisa et faillit dévier la trajectoire du thé. Elle pivota légèrement et Étienne s'inclina avec respect.

— Pourquoi vos paroles sonnent-elles comme des adieux ?

Désormais, la maîtresse de maison le scrutait d'un air soucieux.

— À la fin de cet après-midi, je n'aurai plus de raisons de rester, avoua-t-il d'une voix qu'il voulut calme. Voilà trop longtemps que je me suis absenté. L'état de santé de mon père…

— Vous n'avez pas à vous justifier.

Un long soupir échappa à madame de La Pommeraye. Elle se rapprocha de lui et posa une main sur son épaule. Ses yeux brillaient.

— Vous me manquerez, mon cher monsieur de Kerdelec. Sachez que vous serez toujours le bienvenu ici. De plus, ce ne sont pas vraiment des adieux. N'oubliez pas que vous m'avez confié vos affaires.

Un sourire espiègle étira les lèvres de la dame.

— Si vous ne venez pas à moi, c'est moi qui viendrai à vous.

— Merci.

La bonne humeur de madame de La Pommeraye réconforta Étienne. Il lui serra chaleureusement la main, puis, saisi d'une envie subite, y déposa un baiser. Celle-ci gloussa et la légère roseur sur ses joues l'amusa.

— Est-ce qu'Antoine est en haut ? questionna-t-il alors, en essayant de paraître naturel.

— Non, il est sorti depuis plusieurs heures. Et, à vrai dire, tant mieux, il était très nerveux ce matin. Il n'a pas prononcé un seul mot dans le carrosse nous ramenant à Saint-Malo.

Étienne reçut comme un coup de massue. Son départ impromptu du bal avait-il influé sur son humeur ?

Madame de La Pommeraye le scruta d'un air inquisiteur, puis lui pinça la joue.

— Allez, filez, vous allez être en retard à vos rendez-vous ! Si je vois Antoine, je l'informerai des nouvelles.

— Merci.

Un certain soulagement enveloppa le jeune Kerdelec. Il savait bien qu'il devrait se confronter à Carnac avant son départ, et surtout trouver un moyen pour le convaincre de ne pas l'accompagner… Le ciel lui offrait encore un peu de temps pour réfléchir à une solution. Il devait croire en sa chance. Oui, il n'avait pas le choix.

*

Étienne passa les heures suivantes à signer des documents et à se renseigner sur les différents commerces dont sa famille avait hérité. Il avait également regroupé une lourde paperasse qu'il souhaitait remettre à madame de La Pommeraye avant son départ. Celle-ci comprendrait sans doute mieux que lui tout ce jargon maritime. Un point le contrariait : les Épiniac semblaient avoir établi une partie de leur commerce sur la traite négrière. Étienne n'était pas sûr de lui, mais la mention des navires loués pour effectuer la traversée entre le continent africain et le Nouveau Monde l'alerta. Il était prêt à payer Yseult autant qu'elle le souhaiterait pour vérifier les comptes et la liste exacte des « marchandises » transportées. Étienne soupira. Il n'en revenait toujours pas que des hommes et des femmes puissent être considérés comme de vulgaires « marchandises ». Mais, après tout, pourquoi être surpris ? À partir du moment où Sophie s'était vu attribuer une dot, n'était-elle pas elle aussi devenue une « marchandise » à échanger ?

Le ciel s'assombrissait, tout comme son humeur. Le vent s'était levé, traversant les rues sinueuses en des bruits aigus. Les gens se pressaient, et même les goélands demeuraient discrets. Par réflexe, il resserra les pans de son manteau autour de son cou. Il lui restait une dernière affaire à régler à Saint-Malo.

Ses jambes le conduisirent vers cette rue qu'il avait évitée à plusieurs reprises. Il était temps de se confronter à son jumeau ou, du moins, de l'informer des aventures des derniers mois. Un fin crachin commença à tomber lorsqu'il se retrouva devant la grande porte en bois. Le faux Étienne inspira profondément. Il espérait tomber immédiatement sur son alter ego afin d'éviter l'étonnement de ses employeurs. Est-ce que le véritable Étienne lui tiendrait rigueur de ce manque de délicatesse ? Peut-être ferait-il mieux de lui laisser un mot ?

De grâce ! Qui avait fui ? Pourquoi prendre autant de pincettes alors que le véritable Étienne s'était contenté de partir sans donner la moindre nouvelle ? Le jeune homme inspira, et tira sur la poignée.

La porte ne s'ouvrit pas.

Il insista, en vain. Le commerce était verrouillé.

Un soulagement perfide l'envahit et se détesta de se sentir aussi lâche. Sophie ne se reconnaissait plus. Avoir emprunté tant de temps le costume de son frère l'avait-il finalement rendue comme lui ? À fuir le moindre désagrément, la moindre source d'inquiétude ? Elle poursuivit son chemin, mains dans les poches. La pluie tombait de plus en plus fort. Où était passée la jeune femme intrépide ? Celle qui ne craignait pas de foncer dans le tas, qui ne songeait pas aux conséquences ? Tous ces événements l'avaient-ils brisée ? Une bile amère emplit sa bouche. Non, elle était toujours là sous ce maudit masque. Elle était là, et son vrai moi hurlait de frustration. Peut-être était-ce là, l'essence du problème. Les barreaux de sa cage dorée lui semblaient désormais insupportables. Tout rentrerait dans l'ordre à Rennes.

Elle inspira profondément. Oui, il s'agissait de la seule explication. Sa tête se releva et son regard plongea dans celui de l'homme à quelques mètres d'elle. Toute la certitude qu'elle venait de réunir vola alors en éclats.

Antoine la dominait de toute sa hauteur, droit et fier, sous la pluie battante. Son cœur s'emballa, et une chaleur non désirée commença à se diffuser dans son corps.

La peur la saisit, mais ses jambes ne lui obéissaient plus. Elle ne pouvait pas fuir. Le comte de Carnac avança, et elle comprit qu'elle était perdue. Car, quoi qu'il lui demandât, elle savait qu'elle ne pourrait le lui refuser.

40

— Vous m'évitez ?

Carnac se trouvait désormais à moins d'un mètre de Sophie, un rictus moqueur aux lèvres. Sa décontraction et son air taquin la rassurèrent. Grand Dieu, il n'avait rien deviné de la supercherie ! Apaisée, Sophie parvint à redevenir Étienne.

— Vous êtes perdu sans moi, Carnac ?

Il lui rendit son sourire, et un ricanement sans chaleur s'échappa de son compagnon.

— Nous n'avons pas pu fêter correctement votre victoire, hier. Venez, allons boire un verre.

— Maintenant ? s'étonna Étienne.

— Quand, sinon ? ironisa Carnac. Demain, quand vous serez parti ?

Étienne se mordit la lèvre, mais il n'eut pas le temps d'ajouter quoi que ce soit. Le comte, ses doigts serrés sur l'avant-bras d'Étienne, l'entraînait déjà à travers les ruelles. Bientôt, ils pénétrèrent dans une auberge égayée par un accordéon. La chaleur obligea le jeune homme à déboutonner son manteau. Vite, une odeur de sueur l'incommoda. Est-ce que tout Saint-Malo s'était réuni ici le temps que la pluie cesse ?

Antoine trouva sans difficulté une table et héla pour qu'on leur apportât deux pintes, avant de s'installer. Penaud, Étienne l'imita. Autant commencer par le commencement :

— Désolé de vous avoir fait faux bond hier.

Une serveuse déposa leur commande sur la table et leur fit un clin d'œil avant de partir. Le sourire que lui offrit Carnac provoqua une sensation dérangeante dans le creux de l'estomac d'Étienne.

— Ce n'est rien, vous étiez fatigué, rétorqua le comte en cognant sa chope contre la sienne. Santé ! À votre héritage et à notre amitié !

Étienne se retint de grimacer. « À notre amitié » ? Pourquoi avait-il l'impression d'être monstrueux ?

— Yseult m'a averti que vous partiez demain, ajouta Antoine en élevant la voix pour qu'ils puissent s'entendre par-dessus la musique.

Son regard plongea dans le sien, et Étienne voulut se justifier, mais son ami poursuivit :

— Je ne pourrai, hélas, être des vôtres. J'espère que vous ne m'en voudrez pas.

Le soulagement envahit aussitôt le jeune homme. Il s'en voulait, mais cela arrangeait tellement ses affaires. Oui, il n'avait qu'à jouer la comédie jusqu'à demain, et tout rentrerait dans l'ordre. Tout, absolument tout. Confiant, il but une longue gorgée de bière rance.

— Bien sûr que je ne vous en veux pas. Allons danser, profitons de cette dernière soirée ! lança-t-il, soudain revigoré.

Si c'était sa dernière soirée avec Antoine… il voulait la marquer d'une pierre blanche, d'une pierre de l'amitié. Qu'importe ce qui s'était produit hier soir.

Cela ne concernait pas Étienne, mais la mystérieuse inconnue que Carnac ne reverrait pas.

Le jeune Kerdelec tira son compagnon par le bras et le mena au milieu d'une ronde endiablée. Ils tournèrent encore et encore, de plus en plus vite. Lorsque la musique cessa, Étienne avait l'impression de tanguer sur un bateau. Tout le monde changea de place, tant et si bien que, l'alcool et la chaleur aidant, Antoine échappa à son regard.

Lorsque la musique cessa, il était en sueur et une sourde inquiétude l'étreignait. Où était Antoine ? Il s'éclipsa de la piste de danse et repéra son ami à une table. Celui-ci croisa son regard et lui fit signe de les rejoindre. Oui, « les »… car assise sur ses genoux se trouvait une jeune femme blonde. Elle avait passé ses bras autour de son cou et riait.

Un seau d'eau glacée en pleine figure n'aurait pas fait plus d'effet à Étienne. Il ne sut pourquoi, mais il s'exécuta.

— Juliette me disait qu'un groupe de troubadours célèbres dans le Piémont se produirait dans une petite demi-heure, n'est-ce pas une chance ? s'enthousiasma Antoine.

Ses doigts attrapèrent sa chope sur la table tandis que son autre bras demeurait autour de la taille de la demoiselle. Que se passait-il ? Avait-il trop bu ? Étienne se crispa et ne parvint qu'à grommeler une réponse indistincte. Il essayait de ne pas les fixer pour ne pas paraître impoli, mais pourquoi s'embêtait-il ? Carnac ne semblait avoir d'yeux que pour cette gredine, et c'était réciproque. Elle lui chuchota alors quelques mots à l'oreille et le sourire du comte s'élargit.

— Étienne, le temps que la troupe arrive, voulez-vous monter à l'étage avec nous ?

Le sang de l'intéressé se figea dans ses veines.

— Non ? minauda Carnac, les yeux brillants. Alors, attendez-moi. Je ne serai pas long.

Antoine s'éloigna vers l'escalier, la fille de petite vertu se pâmant à son bras. Le jeune Kerdelec n'arrivait pas à réagir. Néanmoins, au plus profond de lui, Sophie, elle, sentait sa poitrine se déchirer à chacun de leurs pas.

Carnac touchait cette femme comme il l'avait touchée, elle, la veille. Et cela sans la moindre gêne ou la moindre honte. Il ne s'agissait que d'une vilaine plaisanterie.

Voilà qu'ils s'engageaient dans l'escalier.

La douleur pulsa si fort dans sa poitrine que sa vue se brouilla. L'air lui manquait. Il fallait qu'elle sorte d'ici, et immédiatement.

Sans savoir comment, elle parvint à franchir la porte. Une pluie glacée lui fouetta le visage et lui permit de se ressaisir suffisamment pour comprendre qu'elle devait partir. Les larmes coulèrent sur ses joues en même temps que la pluie battante. Comment avait-elle pu être aussi bête ? Comment avait-elle pu un seul instant penser que Carnac avait changé ? Pourquoi avait-elle l'impression que son monde s'effondrait ?

Les nuages avaient complètement assombri le ciel. Aucun insensé n'avait investi les rues, et le vent s'y engouffrait si violemment que son cri ressemblait aux lamentations d'une femme.

Ou bien étaient-ce les gémissements de Sophie ?

L'air glacé et l'eau plaquaient ses cheveux contre son visage. Elle avait besoin d'expulser toute la rage, la tristesse et le désespoir qui l'habitaient. Elle courut jusqu'aux remparts et hurla de toutes ses forces.

Juste à ce moment, une énorme vague se fracassa contre la muraille, répandant de l'eau jusqu'aux chevilles de Sophie. Son cœur s'envola, mais elle ne recula pas. Non, elle n'avait pas peur. La tempête qui sévissait autour d'elle ressemblait à celle qui l'habitait. Elle avait tellement mal à l'intérieur ! Son poing frappa contre sa poitrine, tandis que ses épaules s'affaissaient.

Elle détestait Carnac. Elle le détestait, lui, et tous les sentiments qui la dévastaient.

Et, pire que tout, elle se détestait !

Une vague, plus puissante que la précédente, fondit sur les remparts et la trempa. Un ricanement nerveux suivi d'un gémissement lamentable sortit de sa bouche, alors qu'elle se rapprochait un peu plus de la muraille pour mieux admirer le spectacle de la nature qui se déchaînait. Elle avait presque l'impression de pouvoir toucher du bout des doigts toute la peine qu'elle ressentait.

— Étienne ! Écartez-vous…

Elle se retourna, découvrant Carnac à une vingtaine de mètres vers la cité. Le vent souffla plus fort, et emporta sa voix vers lui :

— Que fichez-vous là ? Avez-vous donc conclu si vite votre affaire ?

Elle se retourna vers les flots tumultueux. Elle n'attendait aucune réponse. Elle voulait juste qu'on la laissât tranquille.

— Arrêtez vos caprices et revenez vers moi !

Une nouvelle vague claqua contre les remparts. Le froid, au lieu d'éteindre les flammes de sa colère, ne fit que la raviver.

— Laissez-moi tranquille !

— Rentrons !

Il se rapprocha, et, quand son visage fut enfin perceptible, quelque chose changea dans son expression. Ses yeux détaillèrent Sophie, mais celle-ci n'avait cure de ce qu'il pouvait voir. Elle était tellement trempée qu'il n'aurait pu faire la différence entre la pluie et les larmes sur ses joues. Et, à cet instant, elle avait plus envie de le tuer que de pleurer.

D'un geste violent, elle balaya son bras tendu.

— Retournez folâtrer dans les jupes de vos putains !

Elle se détourna, mais il la rattrapa.

— Arrêtez votre petit jeu puéril !

— Mon jeu puéril ? cracha-t-elle avec animosité tandis que l'eau fouettait ses genoux. Qui joue avec l'autre depuis le début ? Mais, rassurez-vous, bientôt nous ne nous reverrons plus jamais.

Il l'attrapa par le poignet et, cette fois, le serra pour l'entraîner avec lui.

— Lâchez-moi !

Sophie le frappa de toutes ses forces et, le vent l'aidant, son adversaire dut reculer d'un bon mètre.

— Que voulez-vous pour vous décider à rentrer à l'hôtel ? marmonna-t-il, les dents serrées.

Sophie leva les yeux au ciel. Il ignorait ses accusations comme s'il était innocent de tout ce qu'elle lui reprochait.

— Que vous disparaissiez !

— Est-ce vraiment ce que vous désirez ?

— Oui ! hurla-t-elle, la douleur pulsant et tordant ses cordes vocales.

Les larmes s'échappèrent violemment, mais elle se convainquit qu'il ne pouvait les voir. Carnac recula alors de plusieurs mètres tandis que Sophie reprenait sa respiration. Le lâche ! Il ne cherchait même pas à se justifier, à se défendre… Une dizaine de mètres les séparaient déjà, et elle secoua la tête, amère et déçue.

— Étienne ! s'écria soudain Antoine en tendant la main en avant.

Sophie se retourna et ses yeux s'écarquillèrent. Une vague bien plus haute qu'elle s'élevait au-dessus des remparts. Elle fit un pas en arrière, trop tard. La mer s'abattit et son corps fut repoussé en arrière. L'eau pénétra dans sa bouche ouverte de stupeur, et elle fut incapable de résister à la force des éléments qui allaient désormais en sens contraire, droit… vers le large.

Son corps échoua brutalement contre quelque chose de dur, sa tête heureusement ralentie par une surface plus molle. L'eau se retira tout aussi vite qu'elle l'avait emportée et, en toussant, elle distingua la silhouette sombre de la roche qui l'avait empêchée *in extremis* de passer par-dessus les remparts.

La roche, et le faciès douloureux de Carnac qui la tenait tout contre lui, une main fermement maintenue à l'arrière de son crâne.

— Pourquoi n'écoutez-vous donc jamais rien ? grommela-t-il.

Le cœur de Sophie bondit jusque dans sa gorge. Elle avait du mal à reprendre sa respiration, mais elle ignorait si c'était à cause de la vague ou du fait qu'ils étaient proches, bien trop proches ! Elle lutta contre lui, mais Carnac ne desserrait pas sa prise. Son contact la brûlait, l'étouffait. Elle ne pouvait pas le supporter.

— Je suis désolé, lui murmura-t-il alors.

De l'eau les recouvrit une seconde fois, mais le coin du rempart contre lequel ils étaient prostrés empêchait la mer de les emporter. Elle ne voulait pas écouter un traître mot de sa part, et, pourtant, il ne lui laissait guère le choix.

— J'ai été infâme. Je voulais vous faire réagir, mais pas ainsi. Pardonnez-moi.

Ses bras l'enlacèrent avec plus de force, tandis que celles de Sophie se désagrégeaient. La faire réagir ?

Qu'est-ce qu'il voulait dire ? Son cœur se mit à battre plus vite et elle cessa de lutter. L'étreinte de Carnac se desserra et elle parvint à s'écarter suffisamment pour lever son visage au niveau du sien.

Ses lèvres commençaient à prendre une couleur bleuie, mais il ne bougeait pas et ne la quittait pas des yeux.

— J'ai retiré mon masque depuis bien longtemps. Quand allez-vous enfin enlever le vôtre ?

Le bout des doigts d'Antoine vint caresser la naissance des cheveux de Sophie et elle ne parvint plus à respirer. Ses mains pressèrent contre le torse du comte tandis qu'il se redressait légèrement.

— Non, cette fois, je ne vous laisserai plus fuir, Étienne.

Les doigts de la jeune femme s'enfoncèrent dans la peau de Carnac, de plus en plus proche. Elle éprouvait des difficultés à respirer, suspendue à ses mots, comme si ceux-ci étaient capables de tout changer.

— Ou ne devrais-je pas plutôt vous appeler… Sophie ?

Son nom provoqua une embardée dans sa poitrine et des frissons incontrôlables remontèrent jusqu'au cuir chevelu de la jeune femme. Antoine esquissa un fin sourire et ses lèvres se posèrent sur les siennes.

41

Les lèvres d'Antoine s'étaient à peine posées sur les siennes, qu'il reculait. Le baiser avait été fugace, à peine un effleurement. L'émotion l'empêchait de réfléchir, elle se sentait complètement hors de son corps, stupéfaite par la révélation qu'il venait de lui faire.

— Venez, partons d'ici avant de nous noyer.

Une nouvelle vague vint les frapper. Une fois l'eau refluée, le comte se redressa, une main autour du bras de Sophie. Celle-ci se laissa manipuler telle une poupée de chiffon.

Aucune pensée ne traversait son esprit engourdi. Elle ne voyait qu'Antoine, la pluie dégoulinant sur son visage et ses cheveux trempés. Elle ignorait même comment ses jambes parvenaient à avancer.

— Oh, messieurs, vous êtes trempés !

Sophie remarqua seulement qu'ils étaient rentrés dans l'hôtel de madame de La Pommeraye.

— Je vais m'occuper de vos manteaux.

Oscar tendit les bras.

— Inutile, répliqua Carnac en entraînant déjà Sophie vers l'escalier. Nous les ferons sécher en haut. Désolé d'avance pour l'eau que nous répandons !

Sans attendre de réponse, un bras toujours sous le sien, il l'encouragea à gravir les marches.

— Allez, encore un peu de courage, nous y sommes presque.

Sophie était frigorifiée, ses doigts et ses orteils la brûlaient. La porte de sa chambre s'ouvrit et Carnac la poussa à l'intérieur.

— Changez-vous, vous devez vous réchauffer ou vous allez attraper la mort. Nous parlerons lorsque vous aurez enfilé des vêtements secs.

Hébétée, Sophie le dévisagea. Antoine l'observait avec un sourire bienveillant, qui contrastait avec l'anxiété dans son regard. La jeune femme se contenta de hocher la tête, et le battant se referma. Ses yeux parcoururent alors sa chambre… ou plutôt, la chambre du faux Étienne : le grand lit, le coffre qui contenait ses vêtements d'homme, ainsi que le miroir sur la commode. Son teint pâle et ses yeux creux l'effrayèrent.

Sophie secoua la tête. Pourquoi réagissait-elle aussi bêtement ?

D'un pas plus sûr, elle se dirigea vers la cheminée et retira son manteau trempé. Il avait déjà formé une flaque là où elle était restée immobile. Secouée de tremblements, elle attisa le feu, puis se dépêcha de se dévêtir. Ses doigts attrapèrent le premier linge à sa disposition et elle se frictionna vigoureusement. Puis elle bondit presque jusqu'à son coffre et attrapa des vêtements de rechange. Elle ne s'embêta pas à refaire le bandage qui dissimulait sa féminité : de toute façon, Antoine savait tout.

Elle se figea.

Il. Savait. Tout.

Depuis combien de temps ? Pourquoi n'avait-il rien dit ?

Son rythme cardiaque s'affolait. Elle avait désormais incroyablement chaud. Elle enfila la chemise sèche.

Elle avait besoin de réponses, ça ne pouvait attendre.

Ses jambes glissèrent dans la culotte et elle la referma avant de se rendre compte qu'elle avait oublié ses bas. Qu'importe ! Ses pieds nus plongèrent dans les bottes, et elle attrapa un gilet pour cacher la transparence de sa chemise. Tant pis pour la veste.

Sans crier gare, elle ouvrit en grand le battant et sursauta.

Antoine attendait dans le couloir, immobile, ses vêtements gouttant tout autour de lui. Le plancher de madame de La Pommeraye ressemblait à une mare.

— Pourquoi ne vous êtes-vous pas changé ? s'exclama-t-elle, pleine d'incompréhension.

Si son reflet lui avait renvoyé un visage blême, ce n'était rien comparé à celui d'Antoine.

— Ça n'a pas d'importance, annonça-t-il d'une voix qui trahissait son inconfort. Voulez-vous qu'on aille dans le salon pour discuter ?

Un instant, Sophie en oublia toutes ses interrogations. Était-ce une autre de ses ruses ?

— Je vous attends, changez-vous.

— Inutile.

— Je vous l'ai dit, prononça-t-il. Cette fois, je ne vous laisserai pas fuir. Pas avant qu'on ait discuté.

Sophie, surprise, le contempla. Le fait d'être trempé ne lui donnait pas fière allure. Toutefois, Antoine dominait de toute sa stature le couloir.

Ses yeux trahissaient son appréhension, mais ses épaules droites et la rigidité de ses muscles soulignaient sa volonté. La manière dont il la fixait ne laissait planer aucun doute. L'objet de sa détermination était Sophie.

— Écoutez, reprit-il, je vais bien, descendons…

Elle ne lui octroya pas l'occasion de finir. Sa main vint enserrer son poignet, et elle le tira à sa suite. Sans égard pour la bienséance, elle ouvrit la porte de la chambre de Carnac et y pénétra. Le comte, tout à son étonnement, ne protesta pas. Le battant claqua derrière eux, et elle le lâcha.

Déjà, l'expectative d'une discussion faisait monter en elle une vague de panique, qu'elle balaya. Mieux : elle tourna la clé dans la serrure, puis la posa dans la paume de son compagnon.

Celui-ci ne prononça pas le moindre mot. Son regard alla du fin objet en laiton à elle une première fois, puis une seconde.

— Alors ? s'impatienta-t-elle en croisant les bras.

Pas qu'elle s'agaçât de sa réaction, mais elle n'avait rien trouvé de mieux pour cacher sa nervosité.

— Je dois aussi vous aider à vous changer ?

— Non, je… je me dépêche.

Antoine resserra ses doigts autour de la clé, puis s'éloigna jusqu'à son coffre pour y retirer des vêtements secs. Il lui jeta un regard en coin et Sophie se rapprocha de la cheminée pour se trouver de l'occupation. Dans sa vision périphérique, elle distinguait encore Antoine contempler la clé, puis la poser sur son secrétaire avant de disparaître derrière un paravent en bois.

Elle ajouta une bûche dans le feu, tandis que les vêtements trempés d'Antoine se superposaient un à un au-dessus du rempart qui les séparait. Seules sa redingote et son épée demeuraient sur une chaise proche de l'entrée.

— Si je vous ai donné cette clé, ce n'était pas pour que vous la posiez à ma portée, grommela-t-elle, anxieuse.

Il ne répondit pas, mais elle entendait les froissements de tissus. Elle répliqua avec sarcasme :

— Ne craignez-vous pas que je profite de votre distraction pour m'enfuir ?

— Et vous, rétorqua-t-il du tac au tac, ne craignez-vous pas qu'un homme nu se lance à vos trousses ?

Bon sang, elle prenait seulement conscience de la situation dans laquelle elle venait de se plonger ! Être dans la chambre de Carnac en tant qu'Étienne ne posait pas de difficulté… Mais là, elle était Sophie ! Une jeune femme non mariée, dans la chambre d'un homme !

Quelle idiote. Un sourire sans joie étira ses lèvres. Pour elle, c'était la première fois que Sophie entrait dans la chambre de Carnac. Lui, en revanche, avait peut-être toujours su son véritable sexe.

Soudain, elle se sentit lasse. Tous ces mensonges, tous ces faux-semblants… Elle avait cru partager une véritable amitié avec Antoine. Ne s'agissait-il aussi que d'une tromperie ?

Un morceau de tissu tomba soudain sur sa tête, et elle sursauta.

— Vous avez oublié de vous sécher les cheveux.

Elle attrapa le linge et leva les yeux. Carnac frottait ses boucles brunes tout en fixant le feu. Il avait quitté le paravent et s'était contenté d'enfiler des bottes, une culotte et une chemise. Elle détourna le regard. Il n'était pas en sous-vêtements, mais le voir ainsi avait quelque chose de très personnel…

— Descendons, ajouta-t-il en reculant de quelques mètres.

— Non.

Des frissons remontèrent dans son dos. Les flammes dansaient face à elle, et elle se concentra sur ses cheveux. Antoine avait raison : ils avaient déjà mouillé une partie de sa chemise. Heureusement qu'elle avait pensé à mettre un gilet foncé.

— Parlons ici, insista-t-elle. Il y a moins d'oreilles indiscrètes.

Une personne de trop connaissait son secret, elle n'était pas prête à risquer davantage. Un cliquetis dans la serrure la fit sursauter et elle se retourna.

Antoine leva ses deux mains en signe d'apaisement. L'une tenait la clé de sa chambre.

— J'ai déverrouillé, expliqua-t-il. C'est une chose de vous empêcher de fuir, une autre de vous enfermer.

Était-ce une façon de la mettre à l'aise ? Lui semblait-elle si pathétique ? Sophie n'en pouvait plus, elle allait craquer :

— Que voulez-vous en échange de votre silence ?

— Rien du tout.

Sophie serra fort les paupières avant de les rouvrir. Le comte se tenait toujours en retrait, comme s'il ne voulait pas la brusquer.

— Cessez, Antoine, cessez de jouer avec moi !

Sa voix se tordit sous l'effet de la colère et du désespoir.

— N'essayez pas de me faire croire que vous ne voulez rien. Ce n'est qu'un mensonge.

— Non, je désire bien quelque chose, mais pas en échange de mon silence.

La voix du comte était devenue plus rauque, son regard plus sombre. Il ajouta :

— Et je ne joue pas. Ou, pour être tout à fait exact, je ne joue plus depuis longtemps.

Sophie ne parvenait pas à soutenir l'intensité de ses prunelles. Elle se sentait nue sous leur inspection.

On aurait dit qu'il réussissait à franchir tous ses remparts, et à lire en elle. Elle avait l'impression qu'il pouvait toucher jusqu'à sa détresse, et elle détestait cela. Personne, pas même son jumeau, n'avait le droit de la voir si vulnérable.

— Que voulez-vous ? articula-t-elle avec difficulté.

— Vous, que voulez-vous ? Au fond, c'est la seule question qui importe.

Antoine s'était rapproché d'elle, conservant deux bons mètres de distance. Il fixait les flammes. Il ne cherchait pas à imposer sa proximité, et elle s'en sentit rassurée. Avec un soupir, elle répondit :

— Si seulement je détenais cette réponse…

Ses mots n'avaient été qu'un souffle, mais la contraction des muscles du visage de Carnac lui indiquait qu'il l'avait entendue.

— Je ne suis même pas certain… (elle se reprit avec une grimace) certaine, de qui je suis.

— Vous êtes la personne la plus courageuse que j'aie jamais rencontrée.

Sophie eut envie de lui rétorquer de cesser ses bêtises, mais l'expression sérieuse de son compagnon, toujours fixée sur les flammes, la stupéfia.

— Pourquoi ne pas me poser vos questions ? proposa-t-il alors. J'y répondrai sans détour.

— Commencez par le commencement. Depuis quand savez-vous qu'Étienne et Sophie ne sont qu'une seule et même personne ?

Son avant-bras gauche s'appuya contre le dessus de la cheminée. Son attention se reporta sur les flammes, mais celle de Sophie demeurait rivée sur lui.

— Je crois que j'ai eu des doutes dès le début, quand je vous ai surpris à fouiller ma chambre.

Sophie frissonna, choquée par cette révélation. Carnac jouait avec elle depuis tout ce temps ?

— J'ignorais alors que vous aviez un jumeau, reprit-il en soupirant. Mais je l'ai vite appris. Les doutes se sont épaissis. Aussi vous ai-je provoqué en duel pour trancher la question.

— Vous ne vous attendiez pas à ce qu'une femme relevât le défi.

Le silence du comte parlait pour lui. Sophie ne pouvait lui en tenir rigueur.

— Vous voir arriver, prête à vous battre, m'a profondément agacé. Je suis normalement plutôt doué pour cerner les gens. Ma fierté en a pris un coup, jusqu'à votre demande si particulière…

Celle de jeter son corps dans le lac, afin que personne ne le retrouve. Oui, Sophie s'en souvenait.

— Mes doutes sont revenus en flèche.

— Voilà pourquoi vous m'avez épargnée, sourit-elle sans chaleur. Car vous ne pouviez vous résoudre à tuer une femme.

Même sous son déguisement, on ne lui accordait pas l'égalité qu'elle avait désirée.

— Vous vous trompez, asséna Carnac. Je ne suis pas un meurtrier. Et, malgré mes doutes, je ne vous ai pas considérée autrement que comme un rival. Même si cela me coûte de l'avouer, si je devais revenir en arrière en ayant la certitude de votre sexe, je ne retiendrais toujours pas mes coups.

Sophie fronça les sourcils, stupéfaite. Elle se souvenait de son coup de tête, ainsi que de son pied écrasant sa cage thoracique. Il l'avait battue et ridiculisée…

— Vous avez attisé ma curiosité, mon intérêt, ce qui est assez rare pour le souligner, concéda le comte. Alors, j'ai voulu apprendre à vous connaître. Et, je l'avoue, j'ai pris un malin plaisir à vous provoquer et à vous faire changer de personnage. Je savourais vos reparties glaciales, vos airs meurtriers. Je voulais voir jusqu'où vous seriez prête à aller, combien de temps vous tiendriez avant de vous trahir…

Sophie contracta les mâchoires. Elle avait donc raison. Durant tout ce temps, il s'était moqué d'elle… Son compagnon ajouta en un soupir :

— Mais je me suis fait prendre à mon propre piège. Votre amour pour votre famille m'a touché. Votre courage, votre détermination… étaient comme un brasier qui me fascinait. Tel un papillon dans la nuit, je ne pouvais m'empêcher d'être attiré par vous. Progressivement, mon intérêt s'est mué en admiration, puis en affection.

Sophie le dévisagea, la chaleur dévorait son visage. Elle passait par toutes les émotions, ce qui la troublait profondément : dépit, colère, amertume… Elle lui en voulait de tous ces faux-semblants, et, en même temps, n'avait-elle pas accepté de jouer tout comme lui ? Pouvait-elle décemment lui en vouloir après les décisions qu'elle avait prises ? Antoine semblait sincère, ce qui la déstabilisait encore plus.

— Pourquoi n'avoir rien dit durant tout ce temps ? gémit-elle presque.

Antoine s'écarta de la cheminée et lui fit face. L'hésitation le gagna, mais il finit par répondre :

— Pour plusieurs raisons. Tout d'abord, comme pour Kaerell et son secret, je souhaitais que vous me fassiez assez confiance pour me l'avouer.

Sombre, Sophie baissa la tête.

— Mais, surtout, car chacun devrait pouvoir choisir la vie qu'il souhaite mener. Vous vouliez être homme, alors je vous ai considérée comme tel.

Un faible sourire éclaira le visage de Carnac. Un sourire triste et tendre à la fois. Il se rapprocha d'elle et poursuivit dans un souffle :

— Qu'importe le corps dans lequel vous êtes née, ou votre nom, vous avez mon amitié et mon respect.

Sa main se leva et s'arrêta à quelques centimètres de son visage. Suspendue à ses lèvres, elle ne le repoussa pas, et ses doigts poursuivirent son chemin jusqu'à sa joue.

— Et, je n'en ai pris conscience que depuis peu…, bien plus encore.

Le cœur de Sophie bondit dans sa poitrine. Elle avait chaud et froid en même temps. Les propos d'Antoine résonnaient en elle et chassaient la peur, ainsi que quelque chose de plus profond. Antoine se fichait qu'elle soit Sophie ou Étienne… Il la voyait pour ce qu'elle était. Avec ses qualités et ses défauts. Des traits qui n'appartenaient ni à une femme ni à un homme, mais à elle. Jamais de son existence, elle n'aurait cru rencontrer quelqu'un qui la comprendrait aussi bien.

Le pouce d'Antoine caressa doucement l'extrémité de sa pommette. Sa main était bouillante contre elle, et elle ferma les yeux pour mieux profiter de cette caresse. Ses propres doigts se posèrent sur la main de son compagnon.

Quand elle rouvrit les paupières, le visage du jeune homme se trouvait près du sien. Il la contemplait avec une émotion qui la bouleversa encore plus. Une larme échappa alors à Sophie, une unique larme qui vint s'écraser sur la main de Carnac.

— Vous êtes bouleversée, murmura-t-il avec tristesse. Allez vous reposer. Je ne supporterais pas que, sous le coup de l'émotion, vous fassiez quelque chose que vous regretteriez ensuite. Je suis peut-être un goujat, mais je conserve quelques principes.

Il lui offrit un sourire plein de dérision. Puis, il se rapprocha et embrassa le dessus de sa tête, avant de chuchoter :

— Promis, demain, je me comporterai envers vous selon votre choix. Sophie ou Étienne. Quelle que soit votre réponse, vous conserverez mon amitié.

42

Les propos d'Antoine tournaient dans l'esprit de Sophie, tout comme son corps dans le lit. Elle s'était couchée, épuisée, incapable de descendre souper. Un tourbillon de pensées et d'émotions l'envahissait.

Elle avait pleuré, elle avait ri, alternant les phases de joie et de tristesse comme une insensée. Un poids immense avait quitté sa poitrine.

Son cœur battait comme un fou. Il criait, mais ses mots demeuraient incompréhensibles à Sophie.

Incompréhensibles ? *Vraiment* ? Ou bien était-ce elle qui se voilait la face ?

« Qu'importe le corps dans lequel vous êtes né ou votre nom, vous avez mon amitié et mon respect. Et, je n'en ai pris conscience que depuis peu… bien plus encore. »

Elle avait l'impression de suffoquer. Cette phrase repassait en boucle dans sa tête.

Allongée sur le dos, elle mourait de chaud malgré sa simple chemise de nuit. Il fallait qu'elle se calme. Antoine se souciait d'elle. Malgré son sexe, il l'avait aidée à s'améliorer à l'épée. Était-ce parce qu'il savait qu'elle aimait l'escrime ? Ou bien était-ce pour lui apprendre à se protéger ? Il avait eu de nombreuses attentions envers elle… et la dernière prit alors tout son sens. Depuis le début, il avait été attentif à tout ce qu'Étienne disait. Antoine l'avait-il invité sur ce bateau de corsaire parce que le vicomte de Chevigné avait mentionné les rêves d'enfant de Sophie ? Le vicomte…

Elle se redressa, se remémorant l'enthousiasme de Carnac avant leur départ pour Rennes et sa mauvaise humeur soudaine à l'arrivée de Mathieu. Elle ne se l'était alors pas expliquée, mais, oui… C'était de la jalousie !

Sa tête tomba entre ses mains et elle se maudit de s'être caché si longtemps l'évidence ! Il l'avait dit lui-même : Antoine ressentait de l'affection pour elle, bien plus que de l'amitié. Pourtant, il n'avait jamais rien tenté ou presque. Lors de la nuit qu'ils avaient partagée à l'auberge après avoir sauvé l'enfant de Charlotte, rien ne s'était passé entre eux. En revanche… elle n'avait pas rêvé la tension à *L'Oiseau de Nuit*, lorsqu'il s'était énervé et l'avait plaquée contre le mur. Ou encore dans la rue, lorsqu'elle s'était déguisée en femme et avait fui Rougemont. À ce moment, Antoine avait failli l'embrasser…

Comment n'avait-elle pas compris plus tôt ? Maintenant qu'elle y repensait, sa stupidité l'écrasait. Antoine était attiré par elle depuis longtemps et cette attraction – les souvenirs du bal affluèrent avec force – était partagée. Ses regards, la manière dont Antoine l'avait tenue dans ses bras après qu'elle avait failli se faire dévorer par les chiens… Oui, ses sentiments pour elle dépassaient la simple amitié !

Les larmes se frayèrent un chemin et elle ne parvint pas à s'arrêter. Elle se sentait à la fois terriblement craintive et heureuse. C'était ridicule, toutefois elle ne pouvait pas s'en empêcher. Elle avait envie d'être avec lui, là, maintenant. Hélas, elle craignait son rejet. Elle craignait de se tromper.

Et si elle avait tout faux ? Il ne s'était pas ouvertement déclaré.

« Qu'importe le corps dans lequel vous êtes né ou votre nom, vous avez mon amitié et mon respect. Et, je n'en ai pris conscience que depuis peu… bien plus encore. »

N'était-ce pas une forme de déclaration ?

Elle se releva et attrapa un peignoir de nuit. Antoine lui avait dit qu'ils parleraient demain, mais Sophie ne trouverait pas le sommeil tant qu'elle n'aurait pas la certitude de tout ce que cela signifiait réellement.

Le jeune homme s'était montré doux et patient, il n'avait pas voulu la brusquer à cause du chaos de ses émotions. Désormais, Sophie avait l'esprit clair. Demain, elle retournerait à Rennes. Cette nuit était sa dernière chance d'être elle-même.

*

La chambre du comte n'était pas verrouillée, aussi entra-t-elle à pas feutrés. La nuit avait obscurci les lieux, et elle n'avait pas emporté de chandelle pour passer inaperçue. Le feu de la cheminée était presque éteint, répandant une lumière tamisée dans la pièce.

Le premier réflexe de Sophie fut de regarder vers le lit. Celui-ci était vide, les draps défaits. Son estomac se contracta, jusqu'à ce qu'elle le vît.

Antoine demeurait allongé dans l'immense baignoire, les yeux clos. Ses bras, hors de l'eau, reposaient sur les bords. Les joues de Sophie s'échauffèrent. Elle ne put s'empêcher de détailler ses mains, puis les muscles de ses bras. Son regard remonta sur ses épaules, puis sa pomme d'Adam, mise en valeur par sa nuque pliée en arrière. Les traits de son visage étaient détendus et incroyablement beaux. Elle les caressa des yeux tout en se rapprochant. Le comte ne réagit pas, comme s'il s'était assoupi.

Doucement, elle se plaça derrière lui. Avec des gestes mesurés, son bras se leva et passa vers le cou du jeune homme pour y appuyer la lame dont elle s'était saisie. À peine le métal entra-t-il en contact avec sa peau qu'il sursauta. La main puissante du comte se referma sur son poignet. Il ouvrit grand les yeux et son regard plongea aussitôt dans celui de Sophie au-dessus de lui.

La dureté de ses traits s'éclipsa aussitôt, et ses doigts se relâchèrent, sans toutefois quitter son poignet.

— Alors vous avez pris votre décision, chuchota-t-il avec un sourire triste.

Il soupira, puis retira sa main de la sienne, avant de tendre un peu plus le cou, les yeux de nouveau fermés. La main de Sophie s'efforça de ne pas trembler. La réaction de Carnac… Elle ne devait pas flancher. Sa manière de faire était peut-être un peu extrême, mais il y avait trop en jeu pour reculer. Elle rapprocha son visage du sien, et ses cheveux détachés lui chatouillèrent les joues.

— Il y a une question à laquelle vous n'avez pas répondu.

Carnac fronça les sourcils, mais conserva les paupières closes.

— Laquelle ?

La lame appuyée contre sa gorge, Sophie souffla :

— Que voulez-vous vraiment ?

La pomme d'Adam de Carnac frémit, et il rouvrit les yeux. L'océan de douceur qu'elle y lut, qui contrastait tellement avec les émotions qu'il aurait dû ressentir de voir sa vie ainsi menacée, l'ébranla.

Il répondit en un murmure :

— Vous.

La main de Sophie trembla. Elle ne parvenait pas à se détacher de ses prunelles brûlantes. Elle recula, faisant tomber sa lame dans un bruit métallique. Son rythme cardiaque s'affola, mais elle avait obtenu la réponse qu'elle attendait et redoutait à la fois.

Le jeune homme se redressa. Elle l'ignora et marcha vers l'autre extrémité de la baignoire. Ses doigts détachèrent son peignoir, qui tomba sur ses chevilles. Sans regarder Antoine, elle glissa une jambe, puis l'autre dans le bain et s'assit.

— Que faites-vous ? balbutia le comte avec une surprise non feinte.

Il sembla alors concevoir l'inconvenance de la situation et s'enfonça un peu plus pour cacher son torse, tout en ramenant ses jambes vers lui. Sa réaction, très puérile, amusa Sophie et lui redonna confiance en elle.

Alors ce cher comte, qui l'avait provoquée tant de fois, se montrait désormais prude ?

Elle s'immergea jusqu'aux épaules, puis se rapprocha. Le dos de Carnac se plaqua contre la paroi pour l'éviter, ce qui lui arracha un rire. Elle s'avança encore, sentant désormais ses jambes, et redressa le buste. L'eau avait trempé sa chemise, et le regard d'Antoine dévia sur sa poitrine que le fin tissu blanc ne pouvait plus dissimuler. Il ferma alors les yeux.

— Que faites-vous ? Ce n'est pas…

— Je vous donne ma réponse, chuchota-t-elle en passant une jambe de chaque côté de lui, et en appuyant une main sur son épaule.

Il rouvrit des yeux étonnés, où perçait également un espoir insensé.

— Pour vous, je veux être Sophie.

— Cela ne signifie pas que vous devez…

Elle s'appuya tout contre lui. Têtu, il conservait ses bras le long de la baignoire, sans la toucher.

— Désormais, je sais ce que je veux, affirma-t-elle. Ce que je veux… c'est vous, Antoine.

Sa main remonta dans le cou du jeune homme, et celui-ci déglutit. Comme il ne réagissait toujours pas, elle lova ses mains autour de ses joues. Puis, ses lèvres vinrent à la rencontre des siennes. Doucement, puis de plus en plus gourmandes.

Antoine lui rendit son baiser, avant de reculer, la respiration saccadée. Son regard brillait toujours d'inquiétude. Aussi, elle lui sourit, et attrapa la main gauche du jeune homme pour la placer doucement sur sa taille, puis fit de même avec l'autre, qu'elle posa sur son épaule, juste à la naissance du tissu de sa chemise.

Elle rapprocha son visage du sien et il prononça en guise d'avertissement :

— C'est un jeu dangereux. Sophie, si vous continuez… Je ne crois pas pouvoir m'arrêter.

Elle souffla doucement sur ses lèvres, conservant son sourire.

— Je ne veux pas que vous vous arrêtiez.

Ses mains se pressèrent sur les joues du comte et elle l'embrassa cette fois avec passion. Un gémissement échappa à Antoine et ses bras se refermèrent puissamment sur elle. Ses doigts glissèrent dans ses cheveux, faisant naître des frissons incontrôlables sur la peau de Sophie. Elle pressa un peu plus son corps contre le sien, sa poitrine s'écrasant contre son torse ; ses hanches, contre quelque chose qu'une demoiselle n'aurait pas dû connaître. Toutefois, pour la première fois depuis longtemps, elle n'avait plus peur.

Sous les baisers d'Antoine, sous ses caresses, son cœur manquait de s'échapper hors de sa poitrine. Elle se sentait… heureuse.

Oui, peut-être pour la première fois de sa vie, elle se trouvait exactement où elle le désirait.

43

Soupirs, gémissements… Le cœur qui bat à vive allure, les sens à fleur de peau…

Frôlements, caresses, baisers au goût sucré et chargés de désir.

Des mains et des corps qui s'enlacent, des regards qui promettent l'éternité…

Abrités derrière les remparts de Saint-Malo, Sophie et Antoine ne faisaient plus semblant. Dans ce cocon hors du temps et de leurs devoirs, ils s'aimaient sans se soucier du reste. Ils laissaient libre cours à leurs émotions si longtemps réprimées, du moins jusqu'à ce qu'épuisés, ils s'endorment dans les bras l'un de l'autre.

Au petit matin, les premiers rayons du soleil vinrent lécher les paupières closes de Sophie. Elle bougea légèrement. Sa tête demeurait appuyée sur un corps chaud, tout comme sa poitrine, et elle n'avait pas envie de bouger. Un contact doux lui chatouilla l'épaule, puis le dos, avant de se muer en caresse. Progressivement, ses sensations physiques l'arrachèrent au sommeil et elle grogna.

Un petit rire la tira complètement des bras de Morphée, pour lui faire en retrouver d'autres, encore plus chauds et merveilleux. Allongé sur le dos, Antoine la gardait tout contre lui. Sophie prit alors conscience de son torse nu sous sa joue, et de sa propre poitrine, nue, elle aussi.

Ses joues rosirent et elle releva la tête, ramenant le drap contre elle. Antoine l'observait avec une intensité déconcertante.

— Bonjour, souffla-t-il.

Sophie ne répondit pas. Ce qu'ils avaient partagé cette nuit lui revenait en mémoire. Sa hardiesse ajouta encore du rouge à ses joues. Les bras d'Antoine la serrèrent, l'obligeant à reposer sa tête contre lui et il souffla :

— Accordez-moi juste une minute avant que vous ne partiez. S'il vous plaît.

L'émotion vrillait sa voix. Elle ferma les yeux et s'emplit de l'odeur de sa peau. Jamais elle n'aurait cru le comte de Carnac aussi peu sûr de lui. À vrai dire, elle s'était attendue à se réveiller seule, et non à le trouver ainsi, à l'enlacer comme si elle était la seule qui comptait pour lui.

Progressivement, son étreinte se relâcha, mais elle enfonça un peu plus son visage contre son torse.

— Je suis bien où je suis, murmura-t-elle.

La jeune femme le sentit se crisper juste avant qu'il ne demande :

— Alors… vous n'avez aucun regret ?

Sophie se redressa, battant des cils de surprise. L'expression du comte la bouleversa. Qu'avait-il vécu pour penser qu'elle allait l'abandonner ? Ses doigts rejoignirent ses boucles brunes, puis caressèrent l'ovale de son visage. Il ferma les yeux sous la caresse, puis lui saisit la main, avant de l'embrasser.

— Aucun, lui répondit-elle. Je suis même prête à recommencer.

— Vous êtes insatiable, s'amusa-il en replaçant une de ses mèches blondes derrière l'oreille.

— C'est votre faute, lui reprocha-elle. Vous me provoquez depuis trop longtemps.

— Et je vous provoquerai encore.

Le comte ricana avant d'entraîner sa tête contre son torse et de la serrer contre lui. Sophie se sentait en paix, ainsi, dans ses bras. Jamais elle n'avait connu un bonheur si grand. Hélas, le temps filait. Plus tard dans la matinée, le vicomte de Chevigné l'attendrait pour partir à Rennes. Elle avait des décisions à prendre, et encore des questions.

— Ne vous inquiétez pas, prononça alors Antoine en lui caressant l'épaule. Vous ne serez pas enceinte, je m'en suis assuré.

Sophie n'avait absolument pas songé à cette possibilité, mais le fait que son amant pense à la rassurer sur ce point lui réchauffa le cœur. La culpabilité la saisissait d'autant plus.

— Qu'y a-t-il ? Qu'est-ce qui vous tourmente ?

La jeune femme se mordit la lèvre, puis lâcha :

— Je vous fais pleinement confiance. Cependant… Ce à quoi je pensais… (Elle inspira profondément.) Je suis désolée pour le bal. Je n'aurais pas dû m'enfuir.

— En effet.

Le comte soupira et la relâcha doucement.

— Et moi, je suis désolé d'avoir joué avec vos sentiments dans la taverne.

Les regrets se lisaient dans ses prunelles sombres. Elle voulut parler, cependant il posa un index sur ses lèvres.

— Cela ne justifie rien, mais je tiens tout de même à vous expliquer. Votre apparition au bal m'a profondément surpris. Un espoir que je n'osais même pas caresser s'est ouvert à moi. Lorsque vous m'avez embrassé, en sachant pertinemment qui j'étais, je me suis senti à la fois idiot et heureux.

Incapable de soutenir son regard, il sourit, avant d'afficher une expression plus triste.

— Et je me suis enfuie, conclut pour lui Sophie.

Il hocha la tête et elle soupira, en colère contre elle-même. Elle n'osait imaginer la blessure qu'elle lui avait alors infligée.

— Votre absence au matin m'a inquiété, mais j'ai essayé de me convaincre de vous laisser du temps. Puis je vous ai vue, sur la plage avec le vicomte.

Ses doigts se resserrèrent sur son poignet et il grogna presque :

— Je me sentais le plus misérable des hommes, et j'ai laissé la jalousie m'emporter. Pardonnez-moi, Sophie.

Il embrassa sa main et elle se rapprocha un peu plus, l'obligeant à la regarder dans les yeux.

— Je vous pardonne si vous me pardonnez.

— Je n'ai rien à vous pardonner.

— Alors, moi non plus.

Ils se sourirent et un sentiment chaud gonfla la poitrine de Sophie.

— Comment avez-vous su que c'était moi, derrière le masque ?

Le comte laissa échapper un petit rire.

— Comment aurais-je pu ne pas vous reconnaître, plutôt ? Vos lèvres (il se redressa légèrement et les caressa du bout des doigts) et vos yeux… Cette couleur émeraude créée par les pigments dorés de vos iris… Je m'y suis déjà perdu tant de fois sans que vous le remarquiez…

Elle rougit et il s'empara de sa bouche, tendrement, puis avec de plus en plus de force. Entre ses confessions et son contact, Sophie recommença à perdre la raison. Elle avait envie qu'Antoine rapproche encore son corps. Ses doigts rejoignirent sa nuque, mais il rompit leur union le premier.

— Vous devez vous reposer, un long voyage vous attend aujourd'hui.

Sophie retira sa main du cou d'Antoine, et se mordit la lèvre.

— Moi seule ? prononça-t-elle.

Le comte s'écarta et appuya sa tête sur son coude, tout en la contemplant avec douceur.

— Vous ne m'avez pas encore fait part de votre décision. M'autorisez-vous à vous accompagner ? Comment dois-je vous considérer à l'extérieur ? Et surtout, qu'allez-vous faire ?

— Je l'ignore, confia-t-elle à demi-mot. Je suis… perdue.

Avouer ses doutes la libéra d'un poids. Elle ne craignait plus de se montrer faible. Au contraire, Antoine la mettait en confiance. Avec lui, plus rien ne semblait impossible. Il baissa la tête, et elle enchaîna :

— Mais je vous veux à mes côtés. Du moins, si vous le désirez aussi.

— Comment pourrait-il en être autrement ?

Il l'embrassa sur le front et lui caressa les cheveux. Sophie s'apaisa.

— Qu'en est-il de votre jumeau ? questionna-t-il. Lui est-il arrivé malheur ?

La jeune femme secoua la tête, puis soupira. Elle avait oublié qu'Antoine ignorait la vérité à ce sujet… Alors, elle lui raconta tout. Du moins, presque tout. Leur arrivée à Rennes, les fiançailles que son père voulait imposer à Étienne, sa fuite…

— J'ignore s'il reviendra un jour.

Antoine jouait avec ses doigts et les embrassa.

— Votre courage dépasse tout ce que j'avais pu imaginer (elle s'empourpra), vous n'avez pas à affronter la situation seule. Je suis là et, ensemble, nous trouverons une solution.

La certitude dans sa voix accéléra encore les battements de son cœur.

— Peut-être..., commença la jeune femme en le dévisageant, devrais-je rentrer à Rennes sous les traits d'Étienne. Puis une fois ma famille à l'abri de ma tante, redevenir Sophie.

— Cela me paraît une bonne idée.

Antoine lui sourit.

— Mais seulement si Étienne me donne d'abord l'autorisation officielle de vous courtiser.

Il embrassa la naissance de son poignet, sans la lâcher du regard. Un regard brûlant, qui lui provoqua des frissons au plus profond de sa chair.

Un sourire carnassier étira alors ses lèvres et il se redressa pour l'emprisonner. Ses mains appuyèrent de chaque côté de sa tête, et elle le regarda faire le cœur battant. Elle se sentit soudain intimidée par lui. Ce qui était idiot après cette nuit.

— Vous ne trouvez rien à répondre à ça, mademoiselle de Kerdelec ? ricana-t-il. Où est donc passée votre verve ?

— Je ne suis pas certaine d'avoir bien saisi vos intentions, souffla-t-elle.

— Je vous demande l'autorisation de vous faire la cour.

Désormais tout à fait au-dessus d'elle, il l'observait d'un air sérieux et gourmand à la fois.

— Pourquoi ? lança-t-elle avec une voix qu'elle voulait narquoise, mais qui tremblait trop à son goût. Vous ne vous formalisiez pas de mon avis jusqu'à présent.

— Je fais des efforts pour me montrer gentilhomme.

Sa déclaration fit rire Sophie. Un gentilhomme ? Vraiment ?

— Alors je crois que vous avez brûlé les étapes, monsieur de…

Elle ne parvint pas à finir sa phrase. La bouche d'Antoine avait fondu dans son cou, tandis que son corps se pressait contre le sien, lui révélant la force de son désir pour elle. Des papillons s'envolèrent dans son ventre. Le souffle chaud de Carnac vint ricocher contre son oreille, et il murmura :

— Je veux tout de vous, Sophie. Et je veux tout vous donner. Aussi, je vous courtiserai et demanderai votre main dans les formes, même si cela implique que je ne puisse plus vous toucher jusque-là.

Ses doigts glissèrent entre ses cuisses et elle retint son souffle.

— Et si je refuse ? le provoqua-t-elle.

Il s'écarta un peu, pour bien planter ses yeux dans les siens. Une lueur de défi y brillait sauvagement.

— J'ai encore beaucoup d'arguments à vous exposer.

Il embrassa son cou, sa poitrine, son ventre, faisant naître des frissons exquis sur toute sa peau. Sophie objecta :

— Quels que soient vos arguments…

Sa bouche s'ouvrit sous l'effet de surprise. Antoine l'embrassait désormais à un endroit auquel elle n'aurait jamais pensé. S'il s'agissait de l'un de ces fameux arguments… Alors, elle voulait tous les découvrir avant de lui donner sa réponse.

44

Des coups à la porte les firent violemment sursauter. Le corps de Sophie était encore ivre du plaisir qu'Antoine venait de lui procurer, et il lui fallut un peu de temps pour revenir à la réalité.

Les coups redoublèrent, et l'inquiétude emplit la jeune femme. Elle chercha des yeux ses vêtements. Antoine l'attrapa alors contre lui et tira le drap jusqu'au-dessus de sa tête.

— Qu'est-ce que c'est ? grommela-t-il, mécontent.

— Les règles de la maison, mon cher monsieur, répondit une voix féminine plus qu'agacée.

Sophie écarquilla les yeux en reconnaissant madame de La Pommeraye.

— Le jour se lève. Dites à la gourgandine que vous avez amenée ici de quitter la maison par les souterrains.

Comment ? Il y avait des souterrains dans cette maison ?

— Je ne vois pas de quoi vous parlez.

— Cessez de jouer à l'innocent. On vous a entendus toute la nuit.

Sophie faillit étouffer de gêne. Non, ce n'était pas possible ! Elle se débattit avec plus de force. Le drap descendit et elle découvrit le visage de son amant. Celui-ci souriait, nullement inquiet.

— Il ne s'agit pas d'une gourgandine, Yseult. Mais de la femme que je compte bien épouser.

Le regard de Sophie se troubla. Antoine avait beau parler à madame de La Pommeraye, dans ses yeux, elle voyait que ces mots lui étaient adressés.

— C'est ça, et je suis une sainte, gronda la maîtresse de maison.

— Je n'ai jamais été aussi sérieux de ma vie, ajouta-t-il avec le sourire. Je suis prêt à tout pour la femme qui se trouve à cet instant dans mes bras. (L'intéressée posa une main contre son torse.) Je ne peux pas la laisser partir maintenant, car je crains qu'elle ne l'ait pas encore véritablement compris.

Aucune voix ne parvint de l'autre côté de la porte, seulement des bruits de talon. Néanmoins, Sophie ne réussissait pas à se défaire des iris magnifiques d'Antoine.

— Pardonnez-moi, mais il m'était impossible de lui mentir, lui chuchota-t-il. Et ne vous en faites pas. Vous n'êtes pas obligée de vous révéler maintenant à Yseult. Vous pouvez vous retransformer en Étienne…

— Peut-être serait-il temps de lui dire la vérité. Je lui dois tellement.

— À vous de voir, mon amour.

Il l'embrassa sur le front et la serra contre lui. Sophie eut soudain très chaud, et ce n'était pas à cause du drap qui les recouvrait. « Mon amour ». La considérait-il vraiment… comme la femme de sa vie ?

Son estomac grogna soudain et Antoine se mit à rire.

— Reposez-vous, je vais descendre vous préparer quelque chose à manger.

Il l'embrassa sur la joue, puis bondit hors du lit. En un geste sûr, il enfila culotte et chemise. Son air débraillé et sa gaieté amusèrent Sophie. On aurait dit un enfant qui fêtait son anniversaire.

— Je vais essayer de faire vite, mais ne vous inquiétez pas si je tarde un peu. Yseult va certainement essayer de me tirer les vers du nez.

Sophie acquiesça, et Antoine se dirigea vers la porte tout en enfonçant ses bottes. Au dernier moment, il se retourna et contempla Sophie, les yeux brillants. En un coup de vent, il fut sur elle et l'embrassa avec passion.

— Ne bougez pas, d'accord ?

— Je ne vais nulle part, assura-t-elle.

— Promis ?

— Promis.

Un dernier regard et, en un soupir, il ouvrit le battant de quelques centimètres, vérifia à l'extérieur, puis disparut de l'autre côté.

La jeune femme se laissa tomber sur le matelas, le sourire aux lèvres. Elle se sentait juste… bien. Non, mieux que ça : incroyablement bien ! Heureuse.

Tout lui semblait désormais possible. Elle rentrerait à Rennes avec Antoine, trouverait une solution pour redevenir Sophie en douceur et, peut-être, oui, peut-être, elle accepterait sa demande en mariage.

Sa demande en mariage.

Elle serra les draps contre son cœur. Antoine l'avait appelée « mon amour ». Toutes ses peurs disparaissaient. Elle ne ressentait qu'une euphorie grisante et merveilleuse. Elle…

Oui, elle ne pouvait plus se le cacher.

Elle était amoureuse d'Antoine. Et cela depuis longtemps.

Elle se redressa, enfila sa chemise par pudeur, puis contempla la pièce, comme si les effets personnels d'Antoine pouvaient l'imprégner un peu plus de lui et l'aider à patienter jusqu'à son retour. Était-ce ça l'amour ? Un sentiment d'euphorie mêlé à un terrible manque quand l'autre n'était plus là ?

Ses doigts caressèrent le secrétaire et les encres. Une pile de courrier était nonchalamment empilée, mais elle n'y toucha pas, soucieuse de ne pas se montrer indiscrète. Ses mains effleurèrent ensuite la baignoire et elle rougit jusqu'aux racines en repensant à la veille. Comment avait-elle pu montrer autant d'impudence ? Une impudence… qu'elle se ferait un plaisir de réitérer.

Son cas était-il perdu ? Antoine l'avait-il débauchée à ce point ? Elle ignorait tout des relations « normales » entre un homme et une femme, excepté qu'avant le mariage, elles étaient sévèrement condamnées. Du moins… du côté de la jeune femme. Sophie aurait dû se sentir honteuse. Aux yeux du monde, elle était désormais impure, avait perdu toute valeur. En réalité, elle était fière et heureuse d'avoir pris son destin en main. Elle n'appartenait à aucun homme, que ce fût son père, son frère ou son amant. Elle s'appartenait à elle-même, et elle avait choisi Antoine pour cette nuit.

Et, si elle en croyait son cœur, elle le choisirait aussi pour les nuits futures comme… pour les journées.

Un gloussement ridicule lui échappa et elle s'administra une légère claque pour se ressaisir.

Ses yeux se posèrent alors sur le manteau d'Antoine, désormais sec. Elle s'en saisit, et, avec un regard légèrement coupable vers la porte, l'enfila. Bien sûr, il était trop grand pour elle. Son col remontait jusqu'au-dessus de ses oreilles, et il se terminait en dessous de ses genoux. Elle s'en fichait, car il conservait l'odeur d'Antoine, et était aussi chargé d'histoire. Il l'avait porté lors de toutes leurs rencontres, et ce depuis le premier jour. Elle serra les pans contre elle et ferma les yeux, avant de tournoyer avec le sourire.

Oh oui, elle était heureuse ! Ses yeux s'ouvrirent et rencontrèrent son reflet dans le miroir. Son ridicule la frappa derechef, et elle se pressa de retirer le vêtement. Si Antoine la voyait ainsi… il ne manquerait pas de se moquer, et il aurait bien raison !

Elle reposa le vêtement sur la chaise et entreprit de le défroisser pan par pan, lorsque ses doigts ripèrent contre une surface plus épaisse. Curieuse, elle avisa la doublure intérieure et son renfoncement. Une poche avait été cousue à l'intérieur du manteau, sans doute pour protéger les effets personnels d'Antoine. Ses doigts glissèrent dans le petit interstice et elle reconnut immédiatement le contact rêche du papier, amolli par l'humidité.

Juste ciel ! Quel que soit son contenu, ce document allait se retrouver en miettes si on ne le séchait pas au plus vite ! Avec mille précautions, elle parvint à déloger le papier de la poche. Son mauvais état lui fit craindre le pire et elle se rapprocha de la cheminée pour le faire sécher. Comme il était plié en quatre, chaque surface collait à l'autre et elle parvint avec difficulté à l'ouvrir tout à fait. Ses yeux cherchèrent un objet pour le maintenir bien à plat lorsque son attention se porta sur les premières lignes et l'écriture à peine lisible.

L'an 1641... notaire soussigné...

Ses entrailles se comprimèrent. L'écriture était chaotique, quasi impossible à déchiffrer. Une écriture... qui lui semblait cruellement familière.

Ai recopié l'acte paroissial.

Son regard chercha le nom de l'individu concerné.

— Charles Henri de Guerpillon, prononça-t-elle du bout des lèvres.

Ses jambes devinrent du coton et l'obligèrent à s'asseoir à même le sol. Non, impossible. Sophie chercha à nouveau la date à laquelle avait été recopié l'acte.

1641.

Il ne s'agissait pas d'une copie récente.

Une douleur sourde s'insinua en elle, fissurant son cœur, millimètre par millimètre.

Le document qu'elle avait cherché pendant des mois... Sa tante ne l'avait pas volé. Durant tout ce temps... Il était dissimulé dans le manteau d'Antoine !

Son souffle se coupa, une lourdeur terrible envahit sa poitrine, tandis que son monde s'écroulait en mille morceaux.

45

Une bonne dizaine de minutes plus tard, des pas résonnèrent dans le couloir. La porte s'ouvrit alors sur un jeune homme tout sourire, un plateau recouvert de victuailles en tout genre.

— J'espère que vous avez faim, j'ai…

Antoine se figea en découvrant l'expression froide de Sophie.

— Que se passe-t-il ? s'alarma-t-il aussitôt.

Il déposa son plateau sur la chaise à proximité et, la porte refermée, courut jusqu'à elle. Les lèvres de la jeune femme faillirent trembler, mais elle les serra fermement. Toujours en chemise, elle avait seulement enfilé son peignoir, ne voulant manquer le moment où il reviendrait dans sa chambre. Les mains d'Antoine vinrent se poser sur ses bras, et elle eut un vif mouvement de recul.

Les sourcils de son compagnon se froncèrent.

— De grâce, expliquez-moi !

Elle lui tendit le fameux document. Le bras droit, elle osait à peine respirer, les yeux rivés sur l'expression d'Antoine.

Celui-ci se saisit du papier, et blêmit. Ses traits se décomposèrent. Sa tête tourna vers son manteau. Les paupières de Sophie se fermèrent brutalement. Ses doutes s'envolaient, arrachant avec eux le peu d'espoir qui lui restait. Tout le bonheur qu'elle avait ressenti il y a peu… Elle tombait de haut, de bien trop haut.

— Je peux tout vous expliquer, s'affola Carnac.

Ses doigts se reposèrent sur elle, mais elle se dégagea avec violence. Les paupières rouvertes, elle le dévisageait désormais avec un air glacé. Elle refusait de verser la moindre larme à cause de lui.

— Je vous écoute.

Le comte ouvrit la bouche, aucun son n'en sortit. Était-il à court de mensonges ? Avait-il besoin d'aide ?

— Depuis le début, vous êtes la cause des tourments de ma famille. Et moi, je vous ai fait confiance.

Elle secoua la tête, et voulut le contourner, mais il s'interposa.

— Non, je vous jure que j'ignorais que le document se trouvait dans mon manteau jusqu'à il y a peu. Je vous le jure !

Soudain, il la prit dans ses bras et le cœur de Sophie, ce maudit cœur, bondit dans sa poitrine.

— Je ne l'ai découvert qu'après que les domestiques l'ont nettoyé, lorsque nous avons aidé l'enfant de Charlotte à s'enfuir. Madame de La Pommeraye avait retrouvé l'acte et il m'a semblé inutile de…

— Comme c'est commode, souffla-t-elle.

Il s'écarta, les yeux brillants, et posa sa main sur sa joue.

— Je vous en supplie, croyez-moi.

C'en était trop pour elle, elle le repoussa à nouveau et cracha :

— Ne me touchez plus !

La main toujours en l'air, Carnac grimaça et referma le poing, comme blessé. Comment osait-il afficher cette expression alors qu'il lui avait menti ?

Les explications de madame de La Pommeraye lui revinrent alors en mémoire. Les clercs qu'elle avait engagés avaient retrouvé le document dans les actes que Sophie et Antoine avaient déjà lus… Ses yeux s'écarquillèrent.

— Vous aviez repéré l'acte dans les archives et vous avez fait exprès de ne pas le signaler. Sans madame de La Pommeraye, je ne l'aurais jamais retrouvé ? N'est-ce pas ?

— Non, mais vous entendez-vous ? grommela Antoine, soudain fâché. Je sais que les apparences sont contre moi, mais je ne suis pas perfide à ce point !

— Vous n'avez pourtant rien dit quand vous l'avez découvert !

— Oui, car j'avais peur. Peur de votre réaction !

Sophie secoua vivement la tête.

— Comment voulez-vous que je réagisse autrement ? Vous m'avez menti ! Et vous essayez de me faire croire que ce document est arrivé comme par magie dans votre poche ? Si ce n'est pas vous qui l'y avez glissé, alors qui ? Qui ?

Les lèvres de Carnac se fermèrent et ses yeux la fuirent.

— Je ne peux pas vous en dire plus.

Sophie se rapprocha de lui, si près que leurs visages se touchaient presque.

— Vous savez quelque chose. Dites-le-moi.

— Non, c'est impossible.

Elle le dévisagea. Elle avait l'impression de ne plus reconnaître l'homme devant elle. La peine et les regrets sur ses traits ne ressemblaient plus qu'à un masque qu'elle pouvait toucher du bout des doigts. Elle qui s'était finalement convaincue qu'il avait retardé la réclamation de l'héritage par amour pour elle… Comme elle avait été stupide ! Et tout ça… l'avait conduite directement dans son lit.

— Je ne veux plus jamais vous revoir.

Antoine baissa la tête et Sophie inspira. Elle le contourna cette fois complètement, et, arrivée à quelques mètres de la porte, son compagnon réagit enfin :

— J'ai des sentiments pour vous, Sophie.

— Ne perdez pas votre temps. Vos mots ne résonneront jamais plus que comme des mensonges à mes oreilles. Adieu.

— Et mes actions ?

Elle n'eut pas le temps de se retourner que, déjà, il fondait sur elle. Le bras gauche d'Antoine enserra sa taille, le droit sa tête, et il l'embrassa à s'en damner. De surprise, elle répondit à son baiser. Leurs lèvres se pressèrent fort, avec une passion qui lui coupa le souffle. Sophie se détestait de sa faiblesse, et tenta de le repousser, alors que son corps se collait à lui et explosait de désir pour ce traître. Il l'embrassa avec encore plus de force, et elle le mordit.

Le goût du sang explosa dans sa bouche, et le comte recula, le regard blessé, à l'image de sa lèvre ouverte. Les larmes s'étaient frayé un chemin jusqu'aux joues de Sophie. Elle haïssait Antoine, elle le haïssait pour les sentiments qu'il lui faisait éprouver ! Le trouble gagna les pupilles du comte, et il prononça en un souffle :

— Pardon… pardon Sophie…

Elle tira sur ses bras pour le repousser, et il ne s'opposa pas.

— J'ai besoin d'être seule. Je rentre à Rennes, et je ne veux pas de votre présence.

Cette fois, elle parvint à gagner la porte et à la refermer derrière elle sans être retenue.

46

Un gouffre de souffrance avait remplacé le cœur de Sophie. Toutefois, elle refusait de se laisser abattre. Au lieu de s'écrouler sur le lit et de pleurer tout son saoul, elle s'était lavée pour effacer l'odeur d'Antoine qui lui collait à la peau. Elle se frotta jusqu'à ce que sa peau devînt rouge. Puis, elle se rhabilla en homme et prépara ses bagages.

Carnac ne méritait pas ses larmes. De plus, elle n'avait pas besoin de lui ou de son amour. L'héritage en sa possession, elle retrouverait sa famille et tout s'arrangerait. Oui, il ne fallait pas qu'elle pense à ses étreintes, à ses baisers…

Une larme coula sur sa main, et elle l'écrasa avec colère, avant d'inspirer à fond.

Ses affaires empaquetées, elle salua comme il se devait madame de La Pommeraye, Zilia, Oscar et le petit chat, s'efforçant de manger un peu pour affronter le voyage.

Une fois dehors, elle ne se rappelait même plus les derniers propos échangés avec la maîtresse de maison. Elle avait dû paraître impolie, et elle se promit de lui écrire.

Son regard voulut s'attarder sur la façade de l'hôtel, mais elle se morigéna. Elle ne souhaitait surtout pas revoir le comte. Aussi, elle emprunta un autre chemin que celui qui menait directement au Sillon. Elle savait que le vicomte l'y attendrait avec un cheval. Avant cela, elle avait un dernier endroit à visiter.

Arrivée devant l'enseigne *Valais, père et fils*, elle inspira profondément. Il était temps de mettre son jumeau face à ses responsabilités.

Le véritable Étienne devait savoir la vérité. Puis la décision lui reviendrait. Toutefois, ce n'était plus à Sophie de jouer son rôle. Elle en avait trop fait et, il s'agissait peut-être d'un vœu égoïste, mais elle aussi avait le droit de vivre la vie qu'elle désirait.

Sa main tira sur la poignée et elle baissa la tête pour mieux dissimuler son visage sous le chapeau que lui avait donné madame de La Pommeraye en remplacement du sien, perdu. Une clochette annonça son entrée. Une nouvelle fois, une forte odeur de térébenthine lui sauta aux narines.

Elle avisa le comptoir désert, puis les étagères de livres et la presse, au fond. Se pouvait-il que personne ne soit encore levé ? Non, cela lui paraissait peu probable. Elle refusait de rebrousser chemin. Elle avait rassemblé tout son courage pour entrer dans cette imprimerie, il fallait que cela serve à quelque chose.

Un bruit étouffé attira son attention. Sophie fronça les sourcils et, essayant d'amortir le choc de ses bottes sur le sol, s'enfonça dans l'atelier. Plus elle avançait, plus il lui semblait capter des rires ténus ainsi que des chuchotements. Avec précaution, elle s'immobilisa à l'abri d'un renfoncement de mur et tira le cou en direction de la petite alcôve du fond.

Ses yeux s'écarquillèrent. Là, face à elle, se tenait Étienne. Son Étienne, son jumeau, dans des vêtements pauvres recouverts d'encre. Son air débraillé contrastait avec le magnifique sourire à ses lèvres, car assise entre ses jambes se trouvait la fille de boutique, coiffe retirée et robe largement ouverte. Soudain, il l'embrassa avec une fougue qui fit rougir Sophie. La vendeuse se mit à glousser et noua ses bras autour du jeune homme, répondant à son baiser avec tout autant d'ardeur.

— Je t'aime, lui déclara-t-il d'une voix rauque. Je t'aime et je veux passer le restant de mes jours à tes côtés.

Pour toute réponse, l'inconnue passa ses cuisses autour de ses hanches et ses mains glissèrent dans ses cheveux… Sophie se détourna, la gorge serrée. Les larmes lui montèrent aux yeux et elle détala le plus discrètement possible.

Hors de la boutique, elle s'autorisa à respirer. Le regard de son frère… tout l'amour et le bonheur sur son visage… Ils lui rappelaient avec force ce qu'elle avait vécu plus tôt, ce qu'elle avait perdu. La douleur faillit la paralyser, mais elle la repoussa tout en s'éloignant de l'imprimerie.

Toutes ses résolutions s'envolaient. Son frère était amoureux et, semblait-il, s'épanouissait enfin. Sophie ne pouvait être l'instrument de son malheur. Si son jumeau trouvait son bonheur en tant qu'apprenti, pourquoi le forcer à devenir baron ? Et s'il n'était pas réapparu plus tôt… Cela signifiait que son choix était fait. Un choix où se fiancer à une autre le détruirait pour de bon.

Sophie avançait de plus en plus vite. Le soleil réchauffait son visage et attisait les flammes de ses nouvelles résolutions. Après tout… qu'est-ce que cela lui coûtait de jouer Étienne un peu plus longtemps ? Pas grand-chose. Pas grand-chose, sinon ce goût amer en bouche.

— Étienne, je suis Étienne, se répéta-t-elle alors que son cœur lui criait le contraire.

Bientôt, elle aperçut le château et ses tours. Progressivement, un plan se formait dans son esprit. Un plan certes fou, mais qui résoudrait les dernières difficultés qui s'imposaient à elle.

L'esprit calme, elle rejoignit le cavalier et le cheval qui l'attendaient en bordure du Sillon. À son approche, Mathieu de Chevigné lui offrit un beau sourire, celui de l'ami qui lui manquait cruellement. Néanmoins, jamais Sophie ne pourrait avouer la vérité au vicomte. Désormais, elle comprenait que ce qu'elle avait éprouvé pour lui n'était qu'une simple amourette d'enfant, incomparable avec la confiance ressentie pour Carnac ou le lâcher-prise possible avec lui. Même si cela n'avait été qu'une illusion.

— Vous êtes pile à l'heure, Étienne.

— J'espère que vous ne patientez pas depuis trop longtemps.

Elle lui tendit la main et il serra son avant-bras avec fraternité. Oui, comment un seul instant avait-elle pu croire qu'elle était amoureuse de lui ? Elle en aurait presque ri.

— Absolument pas.

Sophie s'empressa d'attacher son bagage à son cheval, puis monta en selle.

— Attendons-nous encore quelqu'un ? questionna Mathieu, un regard perplexe posé vers l'intérieur des remparts.

— Non, assura Sophie. Personne ne nous accompagnera.

L'expression triomphante de son ami lui provoqua un léger pincement au cœur, mais elle n'ajouta rien. Le vicomte l'avait prévenue à maintes reprises de ne pas se fier à Carnac. Elle ne pouvait s'en prendre qu'à elle-même.

Ils talonnèrent leur cheval pour rejoindre la route qu'empruntaient déjà habitants et commerçants lorsqu'une voix les héla :

— Attendez !

Des sueurs froides envahirent Sophie. Non, ce n'était pas possible ! Mathieu arrêta son cheval et se retourna. Son froncement de sourcils confirmait ce que la jeune femme ne voulait pas accepter.

— Allons-y, je n'ai rien à lui dire.

Elle continua à avancer, Mathieu légèrement en retrait. Les bruits de sabots se rapprochaient et la voix d'Antoine se haussa :

— Monsieur de Kerdelec, un mot !

Sophie serra les mâchoires pour toute réponse, son cheval s'engageant un peu plus sur le Sillon. Un bruit métallique attira alors son attention et elle regarda en arrière. Mathieu avait tiré son épée de son fourreau et la pointait vers Antoine.

— Chevigné, grommela le comte, en portant sa main à la ceinture.

— Monsieur de Kerdelec ne souhaite pas vous parler, annonça-t-il d'un ton agressif.

— Je ne vous ai rien demandé !

Des éclairs semblaient jaillir de part et d'autre, à tel point que les mécontents qui grognaient contre les chevaux qui leur bloquaient le passage se mirent à faire de grands cercles pour les éviter.

— Une minute. Je ne vous donne qu'une minute ! vociféra Sophie.

Elle fit opérer un demi-tour à son cheval et le vicomte voulut la retenir.

— Vous n'avez pas à…

— Il est temps que monsieur de Carnac comprenne que nous n'avons plus aucune affaire ensemble.

Mathieu inclina la tête et Sophie le dépassa tandis que le comte retournait sur la berge, à l'écart des oreilles indiscrètes. Sophie l'inspecta de pied en cap : il portait son manteau, et des sacs harnachaient son cheval. Il se tenait droit et fier sur sa selle. Il n'avait pas l'attitude d'un homme repentant, mais celui d'un soldat prêt à rejoindre le front.

— Je viens avec vous, annonça-t-il de but en blanc.

— Hors de question, cracha presque Sophie.

Elle dut tirer sur les rênes pour empêcher son cheval, nerveux, d'avancer.

— Ce n'étaient pas des paroles en l'air, je ne veux plus jamais vous voir.

Le regard sombre de Carnac plongea dans le sien, à la recherche d'un démenti, d'une trace de mensonge, mais la jeune femme tint bon.

— Étouffez vos remords, reprit-elle d'un ton plus dur. Nous avons chacun obtenu de l'autre ce que nous désirions. J'ai l'héritage. Et… n'ai-je pas moi-même remonté mes jupes comme vous l'aviez prévu ?

Le regard du comte se troubla, comme si elle venait de lui porter le coup de grâce.

Sophie talonna son cheval et rejoignit le Sillon. Un poids terrible écrasait sa poitrine. Elle savait que, si elle se retournait, elle risquait de ne jamais trouver la force de partir.

— Que lui avez-vous dit ? la questionna monsieur de Chevigné quand elle parvint à ses côtés. Il a fait demi-tour… C'est la première fois que je le vois abdiquer.

Étrangement, cette nouvelle la blessa davantage. Le regard tourné vers l'horizon, elle s'efforça de sourire, mais ce sourire avait un goût de sel.

— La vérité. Rien de plus ou de moins que la vérité.

47

Le chemin du retour s'effectua sans heurt, dans une ambiance étrange. Sophie éprouvait le plus grand mal à réinvestir la peau de son jumeau. Cependant, elle resta courtoise avec le vicomte. Celui-ci lança plusieurs sujets de conversation, mais elle prétexta la fatigue et l'urgence de retrouver ses proches pour justifier son côté peu disert.

Quand la nuit tomba, ils s'arrêtèrent dans une auberge et louèrent chacun une chambre. Au grand soulagement de Sophie, elle avait désormais de quoi payer et ne dépendait plus de la bourse de quiconque.

— Étienne, déclara Mathieu de Chevigné avant de se coucher. J'ignore ce qu'il vous est arrivé durant mon absence. Vous savez que vous pouvez tout me dire, n'est-ce pas ?

Sophie lui sourit, le cœur lourd.

— Merci, Mathieu. Je suis juste las et fatigué. Tout va bien.

Le vicomte n'insista pas. Au fond, elle savait qu'il n'était pas dupe. Mathieu était un homme intelligent.

S'il avait connu Étienne adulte plus d'une heure, il aurait déjà découvert depuis longtemps la supercherie. Pour leur bien à tous les deux, elle espéra qu'il ne l'apprendrait jamais. Ses tromperies avaient déjà fait suffisamment de mal autour d'elle comme ça.

Le lendemain, en début d'après-midi, Rennes pointa le bout de son nez. Majestueuse, elle s'étendait fièrement avec ses aires de promenades et son quartier récemment reconstruit. Toutefois, sa pierre claire ne parvenait pas à illuminer le cœur de Sophie. Le granit sombre de Saint-Malo lui manquait, tout comme l'air marin et le cri des goélands. Certes, quelques oiseaux se perdaient à l'intérieur des terres, mais il ne s'agissait pas du tout de la même atmosphère. La belle société se bousculait dans les quartiers chics, se répandant en potins, politique et nouvelles alliances matrimoniales. Le côté sauvage de la cité corsaire et la compagnie apaisante de madame de La Pommeraye lui manqueraient.

— Vous ne prenez pas la direction de l'hôtel de Verteuil ? s'étonna Mathieu.

— Mes excuses, bredouilla Étienne. Je dois d'abord régler quelques affaires avec mon notaire.

— Oh, se contenta de répondre le vicomte.

Il tourna la tête dans la direction qu'il avait pensé emprunter. Son visage ressemblait à celui d'un homme déçu.

— Allez-y.

Sophie ne put s'empêcher de sourire, peut-être le premier sourire vrai depuis qu'ils avaient pris la route.

— Allez saluer ma sœur, vous en mourez d'envie.

Les joues du vicomte s'empourprèrent et il balbutia des syllabes sans queue ni tête avant de hocher la tête.

— Monsieur de Kerdelec, prononça-t-il d'un ton solennel.

Lorsque la silhouette de son ami disparut, le sourire de Sophie prit le même chemin. Enfin seule. Elle n'avait plus à jouer la comédie. Ses talons pressèrent les flancs de son cheval. La jeune femme n'avait plus de temps à perdre.

*

Immobile devant les grilles de l'hôtel de Verteuil, Sophie tentait de maîtriser sa respiration. Elle craignait ce qu'elle allait découvrir de l'autre côté. Sa grand-tante avait-elle déjà mis à exécution ses sombres desseins ? Arrivait-elle trop tard ?

Qu'importe. Sophie était prête à parcourir tout le royaume de France pour récupérer chaque membre de sa famille s'il le fallait. Elle n'avait pas vécu toutes ces épreuves pour renoncer à présent.

Pleine de détermination, elle franchit les grilles et frappa à la lourde porte. Un domestique ne tarda pas à lui ouvrir.

— Monsieur de Kerdelec.

Il s'inclina bien bas. Tendue, Sophie entra. Rien n'avait changé : le mobilier luxueux, le lustre qui pendait avec lourdeur et ostentation au plafond… Elle laissa le serviteur la débarrasser de son manteau, chapeau, épée et de ses sacs, lorsqu'une voix éclata au-dessus de l'escalier :

— Tu es rentrée !

Le cœur de la jeune femme bondit dans sa poitrine et elle releva la tête. Une traînée de chiffon blanc et rose dévalait les marches. Sophie eut tout juste le temps d'ouvrir les bras qu'Héloïse sauta sur elle.

Les deux jeunes femmes s'enlacèrent. Entendre la voix de sa cadette, elle qui d'habitude ne prononçait pas le moindre mot, remua Sophie jusqu'au plus profond de ses entrailles. Ses bras la serraient du plus fort qu'elle le pouvait. Héloïse lui avait tellement manqué ! Les larmes lui montèrent aux yeux, elle ne parvenait pas à se détacher d'elle. Sa cadette sentait bon les fleurs et la rosée du matin. Elle sentait la maison, elle sentait sa famille.

— Tu es là ! s'écria une voix beaucoup plus jeune.

Sophie s'écarta de sa sœur, juste à temps pour recevoir un boulet de canon. Pilou, la veste de travers et décoiffé, lui enserra les hanches, puis se mit à pleurer.

— Ne pars plus jamais, s'il te plaît ! Tu m'as trop manqué !

Les doigts de Sophie plongèrent tendrement dans les mèches blondes de son petit frère. Héloïse lui souriait, des larmes coulant sur ses joues qui s'étaient creusées depuis son départ.

— Hum, pardonnez-moi. Je vais vous laisser à vos retrouvailles.

Mathieu de Chevigné avait émergé du salon, accompagné de Louise. Un sourire gêné ornait ses lèvres. Louise, quant à elle, était magnifique dans sa robe bleue, ses cheveux noirs remontés derrière la tête, avec quelques boucles en dépassant. Elle semblait avoir complètement oublié la présence de son invité et gardait ses yeux bleus rivés sur Sophie.

Les lèvres de celles-ci tremblèrent, mais elle parvint à s'incliner devant le vicomte. Le pauvre fit la révérence aux demoiselles de Kerdelec, puis franchit la porte ouverte par le domestique. Son petit frère toujours contre elle, Sophie tendit la main vers sa sœur aînée, incapable de prononcer le moindre mot.

Celle-ci ouvrit la bouche, inspira de l'air comme si elle avait retenu son souffle, et se précipita pour l'enlacer également.

— Oh, j'ai eu si peur de ne jamais plus te revoir !

La jeune femme serra Louise avec son bras libre, et Héloïse s'ajouta à ce câlin groupé. Les Kerdelec pleuraient de tout leur saoul. Le cœur de Sophie se gonflait d'amour et de tendresse pour chacun d'entre eux. Elle les embrassa tour à tour, incapable de s'arrêter, si heureuse de les retrouver tous ensemble, et en parfaite santé.

— Je suis là, je suis là, répétait-elle pour les apaiser.

Le bonheur envahissait Sophie. Sa famille. Elle avait retrouvé sa famille. Là où était sa place.

— Comme c'est touchant, cingla une voix glacée.

Un aboiement aigu conclut la déclaration, et le sang fouetta dans les veines de Sophie. Son frère et ses sœurs s'écartèrent, dévoilant madame de Verteuil en haut de l'escalier, son fidèle basset breton collé à sa jambe. Habillée d'une robe pervenche au col lui remontant jusqu'au cou, sa tante conservait ses cheveux gris tirés en arrière, accentuant encore son air austère. Ses lèvres fines, quasi inexistantes, demeuraient pincées, et ses yeux lançaient des éclairs. Sophie soutint son regard avec détermination.

— Bonjour ma tante, prononça-t-elle d'un ton sûr.

La porte s'ouvrit à cet instant et une voix suraiguë retentit :

— Étienne ! Mon garçon ! Vous êtes rentré !

Ignorant le domestique qui tentait de la débarasser de son manteau, la baronne de Kerdelec plongea sur son enfant et l'étouffa de ses bras. Sophie, qui n'avait pas l'habitude des marques d'affection de sa mère, se figea. Toute sa belle assurance s'envolait soudain, et elle se retint tout juste de reculer.

— Oui, mère.

Elle s'efforça d'emprunter une voix plus grave.

— Je viens de rentrer de Saint-Malo et je rapporte l'héritage de monsieur d'Épiniac.

— Mon fils, mon cher fils… Comme je suis fière de vous !

Henriette de Kerdelec s'écarta, englobant les joues de Sophie entre ses mains potelées. Les larmes aux yeux, elle souriait, et un drôle de sentiment saisit la jeune femme. Sa mère lui semblait tellement sincère…

— Nous sommes sauvés.

— Pas tout à fait, prononça sèchement tante Rosaline en descendant avec superbe l'escalier.

— Toutes les formalités pour l'héritage sont accomplies, je n'ai rien laissé au hasard, protesta Sophie, en redressant les épaules. Votre plan pour éloigner Philippe et mes sœurs est caduc. Renoncez, vous avez perdu.

— Un plan ? Quel plan ? balbutia la baronne, qui ne comprenait rien.

Au lieu de paraître inquiète, Rosaline de Verteuil sourit.

— Il s'agit des belles positions que j'ai trouvées pour vos enfants, Henriette.

— Des belles positions ? s'étouffa presque Sophie en faisant un pas vers elle. Héloïse au couvent, Philippe dans une église et Louise mariée à n'importe quel homme fortuné ? Vous ne pensiez pas à leur bonheur, vous avez profité de la maladie de notre père pour asseoir votre pouvoir sur cette famille !

— Rosaline, est-ce vrai ?

La baronne de Kerdelec les dévisageait tour à tour, les traits perdus. Pilou, qui venait sans doute de comprendre le sombre destin auquel il avait échappé, se serrait tout contre Héloïse, qui conservait le silence.

Louise observait ses pieds, comme chaque fois qu'elle devait affronter l'autorité de ses aînés.

— Ne l'écoutez pas, siffla la maîtresse de maison. Oui, j'ai cherché une solution pour que vos enfants ne se retrouvent pas à la rue, mais ce à quoi vous assistez ici, ma chère Henriette, n'est qu'un acte de rébellion dûment orchestré par votre cadette.

Le sang de Sophie se figea dans ses veines.

— Héloïse ? prononça sans comprendre la baronne.

— Non, Sophie.

— Mais Sophie est partie chez une de vos amies, vous l'avez vous-même…

— Elle m'a obligée à vous mentir. Sophie se fait passer pour son frère depuis des mois. C'est elle que vous avez devant vos yeux !

La jeune femme se sentit incapable de répliquer. Ses sourcils froncés d'incompréhension, la baronne avança vers sa fille, et la regarda sous un tout autre jour.

— Sophie, c'est vous ?

Son regard détailla ses vêtements d'homme avec stupéfaction.

— C'est vraiment vous ?

— Oui, mère.

Un bruit de carrosse résonna alors dans la cour de l'hôtel de Verteuil, et la maîtresse de maison ajouta d'un ton sec :

— Votre fille vous a trahie. Après son introduction au bal, elle s'est fait passer pour votre fils et a mené une vie scandaleuse. Elle a vécu comme un homme, sans souci pour notre réputation.

— Je l'ai fait pour sauver notre famille !

Sophie serra les poings. Tout son corps tremblait de rage.

— Alors, pourquoi ne rien avoir dit à votre mère ? Pourquoi être partie en douce à Saint-Malo en compagnie de jeunes hommes ? Avez-vous bien profité de cette vie de luxure ?

La nausée avait envahi Sophie. Sa tante ne pouvait-elle pas se contenter de perdre la tête haute, il fallait qu'elle s'assure de détruire sa famille ?

— Je n'ai honte de rien. J'ai fait ce qu'il fallait pour les miens et j'assumerai mes actes.

Contre toute attente, un large sourire étira les lèvres de madame de Verteuil :

— Alors c'est le moment.

Elle adressa un signe derrière eux et son domestique ouvrit en grand la porte, révélant deux hommes corpulents en habit de médecin.

— Vous allez très gentiment suivre ces messieurs. Ils vous conduiront dans un asile réputé et soigneront la maladie qui vous pousse à vous prendre pour un homme.

La peur saisit Sophie.

— Ne vous inquiétez pas, ils en ont maté des plus têtues que vous.

La jeune femme secoua la tête et recula.

— Non ! s'écria Pilou en fonçant sur les deux hommes, bientôt rejoints par deux autres.

Héloïse et Louise s'interposèrent à leur tour.

— Allons, mesdemoiselles, n'empirez pas la situation. Sophie, voulez-vous vraiment que cela se passe ainsi ?

— Vous n'avez pas le droit ! s'horrifia Louise en ouvrant grand les bras. Vous n'avez pas l'autorité…

— Qui a l'autorité ? ricana-t-elle. Votre père malade ? Étienne ?

Un des quatre hommes attrapa fermement Sophie par le bras, et un deuxième se posta de l'autre côté.

Celle-ci se débattit, mais elle avait laissé son épée au domestique en entrant. Aucune arme ne lui permettait de se protéger.

— Arrêtez !

Une voix grave, puissante et sonore jaillit de l'extérieur. L'espace d'un instant, tout le monde se tourna dans sa direction. Une silhouette d'homme se découpa alors en contre-jour de la porte.

*

Mathieu de Chevigné !

— Que se passe-t-il, ici ? Pourquoi tant de violence envers monsieur de Kerdelec ?

Agité, le chien de tante Rosaline grognait, sans quitter sa maîtresse. Celle-ci déclara sur un ton distrait :

— Rien qui vous concerne, mon cher vicomte. Je mets juste de l'ordre dans cette maison.

— Monsieur de Chevigné ! s'exclama Louise en se jetant sur lui. Ils veulent prendre mon frère. De grâce, sauvez-le !

La jeune femme lui saisit le bras, et celui-ci la décala sur le côté, avant de mettre la main à l'épée.

— Foutaises ! vitupéra madame de Verteuil. Il s'agit de Sophie. Sophie qui vous a berné depuis le début, monsieur le vicomte !

— Non, c'est faux ! protesta Louise, prête à mordre.

— Dois-je demander à la déshabiller pour que vous cessiez vos mensonges éhontés ?

Les yeux de tante Rosaline brillaient de l'envie d'en découdre. Elle en était tout à fait capable. Les hommes de l'asile attendaient les ordres, mais leur poigne ne desserrait pas Sophie.

— Louise, soupira la jeune femme, au comble du désespoir.

Son regard triste croisa celui de Mathieu. Elle refusait de continuer à lui mentir. Le jeune homme écarquilla alors les yeux, et ses traits se crispèrent face à son absence de négation. Tante Rosaline conclut :

— Elle en a assez fait, il est temps de soigner son esprit malade.

— Je vous en supplie, prononça Louise, les yeux larmoyants. Elle n'a agi que pour nous protéger !

Mathieu de Chevigné secoua la tête, les mâchoires contractées, puis se dirigea vers la porte. Un ricanement cruel et victorieux émergea de la gorge de madame de Verteuil, et les médecins tirèrent sur les bras de Sophie pour la forcer à avancer.

La tête basse, Sophie se laissa conduire en direction de la porte. Elle se sentait vide, tellement vide.

— Monsieur, écartez-vous.

Surprise, Sophie redressa la tête. Le vicomte de Chevigné se trouvait toujours à l'entrée, bloquant le passage.

— Non, marmonna-t-il alors.

Sophie retint son souffle. Jamais encore elle n'avait vu une telle froideur dans ces beaux yeux bleus. Mathieu, d'habitude si prévenant, ressemblait à un bloc de glace.

— Si vous voulez emmener cette jeune personne, il faudra d'abord me passer sur le corps.

Le vicomte pointa son épée vers eux.

— Un jour, j'ai fait une promesse, gronda-t-il en fixant de sa lame les quatre intrus auxquels il barrait la route. Celle de protéger cette famille, si plus aucun mâle ne le pouvait. Et je tiens toujours parole.

La chaleur envahit la poitrine de la jeune femme. Oui, elle se souvenait de cette promesse…

— Cessez vos sottises ! Seriez-vous donc prêt à risquer votre vie pour cette menteuse ? hurla presque madame de Verteuil.

— Monsieur, vous n'avez aucune autorité pour nous retenir, ajouta solennellement un médecin. Si vous ne baissez pas votre épée, nous reviendrons avec les forces de l'ordre.

Sophie était perdue. Elle ne voulait pas que Mathieu pâtisse de ses choix. Et pourtant le jeune homme demeurait droit, l'arme à la main, bien décidé à les empêcher de l'emmener.

— Personne ne touchera un seul cheveu d'un Kerdelec, aboya-t-il.

Les deux sbires les plus musculeux s'avancèrent, chacun avec un large bâton en main. La peur saisit Sophie, elle entendait les pleurs de ses sœurs derrière elle. Elle secoua alors la tête en direction de Mathieu pour le supplier de renoncer.

Les hommes plongèrent dans sa direction et le vicomte releva son épée pour mieux feinter vers eux.

— Assez ! s'écria une voix suraiguë.

Leurs gestes se figèrent, tandis qu'une silhouette rondelette bousculait les médecins et leurs hommes de main.

— Vous, dehors ! Lâchez-la et sortez de cette maison !

— Mais madame…

— Vous vouliez une autorité compétente ? aboya la baronne de Kerdelec. Je suis sa mère ! Et je vous interdis d'emmener mon enfant Dieu sait où ! Sortez et ne revenez plus jamais !

Des deux mains, elle les bouscula et les brutes lâchèrent Sophie. Celle-ci, dévastée par l'émotion, ne parvint pas à demeurer debout. Ses jambes flageolèrent et la baronne l'accompagna au sol. Dans sa vision périphérique, Sophie distingua à peine le vicomte et ses sœurs chasser ceux qui voulaient l'enfermer. Non, tout ce qu'elle voyait, c'était sa mère. Sa mère, qui, pour la première fois de son existence, prenait sa défense.

Les lèvres de Sophie tremblèrent, ses yeux s'embuèrent de larmes.

— Je suis désolée, balbutia madame de Kerdelec. Désolée de n'avoir rien vu, désolée que vous ayez dû traverser tout ça…

La baronne la serra contre elle. La jeune femme l'agrippa et de violents sanglots la secouèrent.

— Ma pauvre enfant… Mon bébé…

Sa mère embrassa ses cheveux et Sophie s'accrocha encore plus à elle. Son parfum, la chaleur de ses bras… tant d'éléments qu'elle était venue à détester à force de les avoir tant espérés.

— Ne pleurez pas. Tout va s'arranger à présent.

— Vous êtes folle, Henriette, cingla la voix de tante Rosaline au-dessus de leurs têtes. Après tout ce que j'ai fait pour vous et votre famille, et toutes les tromperies de Sophie… Avez-vous conscience du scandale qui nous éclaboussera ?

— Taisez-vous, Rosaline.

La baronne de Kerdelec avait énoncé ces mots d'une voix ferme, sans la moindre hésitation. Le basset breton tournait autour d'elle en grognant, comme prêt à attaquer. Leur tante n'en avait pas fini :

— Non ! Car vous ne regardez pas plus loin que le bout de votre nez ! Pensez-vous vraiment que Sophie ait obtenu cet héritage par la force de sa volonté ?

Sa mère aida l'intéressée à se relever.

— Cette fille, cracha presque madame de Verteuil, a perdu sa vertu en chemin. Elle provoquera votre ruine si vous ne vous en débarrassez pas…

Une claque retentissante fit sursauter la jeune femme. Bouleversée, elle demeurait comme hors de son corps. Néanmoins, à cet instant, elle vit clairement sa tante se tenir la joue, et le regard furieux de sa mère.

— Je ne suis peut-être pas très intelligente, mais vous, si, Rosaline. Vous saviez tout depuis le début, et vous avez laissé faire. Si cette famille doit tomber, ce ne sera pas la faute de Sophie, mais la vôtre.

— Surveillez votre langage, vous n'êtes rien sans moi.

Une lueur de défi brillait dans les yeux d'Henriette de Kerdelec.

— Nous partons, déclama-t-elle haut et fort.

Leur tante ricana :

— Et où ça ?

— Je peux vous loger, annonça le vicomte de Chevigné.

Le regard du jeune homme passa sur Sophie et se détourna aussitôt. Le cœur de celle-ci saigna.

— Ma fille, murmura la baronne, tournant doucement la tête dans sa direction. Avez-vous les clés de la demeure des Épiniac ?

Progressivement, Sophie reprit ses esprits et se remémora les plans qu'elle avait tissés avant son arrivée.

— Oui, et j'ai déjà demandé qu'on aille la préparer.

— Monsieur de Chevigné, pardonnez-moi ma demande si incongrue. Pouvez-vous nous aider à transporter mon époux ?

— Oui, baronne.

— Emballez tous vos affaires ! Louise, dès que Gustave sera de retour, dites-lui d'aller chercher un carrosse. Nous partons !

Tante Rosaline grommela :

— Vous commettez une grossière erreur…

— Peut-être, articula avec mépris Henriette de Kerdelec. Mais ma place est avec mes enfants. Et nulle part ailleurs.

Ses bras se refermèrent sur Sophie, et elle l'entraîna à l'étage, tandis que tout le monde s'activait avec empressement. La jeune femme, elle, continuait de dévisager sa mère.

— Ne croyez pas que je ne suis pas en colère contre vous, chuchota celle-ci, une fois à l'écart.

Son habituel ton mordant donna des frissons à Sophie. Toutefois, lorsque la baronne tourna son visage vers elle, elle n'y lut que de la douceur.

— Mais je le suis encore plus contre moi de n'avoir pas pu vous protéger. Vous nous avez sauvés, mon enfant. Même s'il est un peu tard… permettez-moi d'agir enfin comme une mère.

L'émotion balaya toute sa rancœur et ses peurs. Sophie acquiesça, s'en remettant entièrement à sa mère.

Sa « mère ». Pour la première fois, ces mots résonnaient avec chaleur dans son cœur, et elle s'y accrocha. Peut-être, dans le fond, que tout n'était pas perdu pour elle.

48

L'effervescence des heures qui suivirent donna l'impression à Sophie de naviguer dans un rêve éveillé. Quand le soleil commença à décliner, Louise, Héloïse, Philippe et leur mère se trouvaient dans le hall de l'hôtel particulier d'Épiniac.

Des draps repliés reposaient sur un coussin et des domestiques s'empressaient de terminer de dépoussiérer les meubles. Le feu qui brûlait dans le grand salon ne parvenait pas à réchauffer les pièces aux fenêtres grandes ouvertes pour chasser l'odeur de renfermé. À la mort de monsieur d'Épiniac, tout avait été laissé en l'état, si bien qu'à part leurs effets personnels, il semblait y avoir tout le nécessaire.

— *Il y a même des draps !* signa Héloïse, à l'étage.

— Et des vêtements d'homme dans une penderie ! annonça Pilou, Cannelle entre ses bras.

Accroché à son lapin, le jeune garçon n'avait pas été très utile pour porter les bagages. Il avait même tiré la langue au chien de leur tante avant de partir, tout heureux de révéler l'animal qu'il avait réussi à cacher jusque-là, comme un dernier pied de nez à leur hôtesse.

— C'est poussiéreux et passé de mode, commenta leur mère, mais ce sera parfait. Car c'est notre demeure.

Son sourire rendait confiance à ses enfants. Très vite, une autre voiture s'arrêta avec Louise, Gustave, le baron de Kerdelec et le vicomte de Chevigné. Sophie leur prêta assistance pour soulever leur père, qui gardait les yeux ouverts, l'air hagard.

— La première chambre du haut, indiqua la baronne, qui avait ordonné aux domestiques présents de soigner en priorité cette pièce.

En quelques heures, monsieur Delville avait fait des miracles. En lui rendant visite, Sophie avait insisté sur l'urgence de préparer la maison, mais elle ne s'était pas imaginé qu'il prendrait ses instructions au pied de la lettre.

— Je vais vous laisser, décréta Mathieu de Chevigné en s'inclinant auprès de la baronne. Faites-moi savoir si vous avez besoin de quoi que ce soit.

Il passa devant Sophie sans la regarder. Louise esquissa un pas dans sa direction, mais il ne lui accorda pas plus d'attention. Il les ignorait. Sophie n'insista pas, son aînée non plus, encore trop chamboulée pour savoir comment réagir.

Habillée en Étienne, la jeune femme aida à dépoussiérer et à installer leurs affaires. Toujours engourdie par ce qui venait de se produire, elle se laissait dicter ses mouvements. « Peux-tu aérer les draps ? », « faire l'inventaire de ce qu'il reste en cuisine ? » Ne pas devoir penser l'aidait à surmonter l'émotion qui manquait à tout instant de l'emporter. Tout le monde s'activait, et bientôt ce fut Gustave qui leur prodigua conseils et recommandations, tel un véritable chef d'orchestre. Les rires et la bonne humeur finirent par emplir la maison. La chaleur revenait dans cette riche demeure laissée à l'abandon, et dans le cœur de Sophie.

— Louise, écrivez vite une lettre à Jeannette pour lui demander de nous envoyer deux de ses filles le plus tôt possible. Du moins, si nos finances nous permettent d'engager deux domestiques de plus... Sophie ?

La baronne se tourna d'un air interrogateur vers sa cadette. Surprise d'être interrogée, celle-ci acquiesça. Ils auraient même pu en prendre cinq, mais elle jugea préférable de ne pas le préciser.

— Je ne veux pas d'inconnus dans ma maison, mais des serviteurs de confiance, ponctua Henriette de Kerdelec. Gustave, si nous nous chargeons de la cuisine, pensez-vous pouvoir vous débrouiller pour le reste, le temps qu'elles arrivent ?

— Oui, Madame.

— Mère, vous allez vraiment cuisiner ? s'étonna Louise, en la dévisageant.

— Ne vous inquiétez pas, personne ici ne mourra de faim ! annonça haut et fort la baronne de Kerdelec.

Loin de leur tante, leur mère semblait métamorphosée. Pourtant, au domaine de Kerdelec, elle n'avait jamais montré autant d'entrain. Certes, le baron était toujours là, à la tête de la maisonnée... Henriette avait peut-être juste besoin qu'on lui offre sa chance.

Sophie sourit, heureuse de voir sa famille virevolter autour d'elle. Néanmoins, quelque chose manquait à son bonheur. Quelque chose... Ses yeux s'écarquillèrent. Non, pas quelque chose. Quelqu'un !

— Mère, Louise ! s'exclama-t-elle, alarmée. Où est notre grand-mère ?

Leurs visages s'assombrirent et Sophie eut un terrible pressentiment. Elle répéta, dans un souffle :

— Qu'est-il arrivé à Nanou ?

49

Malgré la soirée bien avancée, on laissa Sophie, sous les traits d'Étienne, entrer dans l'hospice pour femmes. Des frissons glacés gagnèrent son dos en songeant qu'elle avait échappé de peu à ce genre d'endroit.

— Monsieur de Kerdelec, commença le chirurgien en la guidant à travers un couloir sombre bordé de pièces où des femmes toussaient et gémissaient. Je crains bien qu'il ne reste plus beaucoup de temps à votre grand-mère. Elle refuse de s'alimenter. C'est à peine si nous arrivons à la faire boire. Et encore, nous sommes obligés de la forcer.

— De la forcer ? répéta Sophie, les cordes vocales tendues.

— Voyez par vous-même.

L'homme l'invita à la précéder dans une longue pièce éclairée faiblement par une bougie. Des rangées de lits accueillaient des vieilles femmes au teint pâle et au regard caverneux sur chaque longueur de mur. Comment avait-on pu abandonner sa grand-mère ici ? Son sentiment d'alarme augmenta et elle dépassa le médecin, à la recherche du visage tant chéri.

— Nanou !

Sophie se précipita au chevet de sa grand-mère. Ses longs cheveux blancs étaient emmêlés, ses yeux creux et ses traits émaciés. La jeune femme saisit ses doigts noueux et les embrassa.

— Nanou, c'est moi. Ouvre les yeux.

— Ses phases de démence se sont accentuées, soupira le médecin.

La vieille femme tourna la tête vers Sophie et ses doigts se refermèrent sur les siens.

— So… phie.

— Vous voyez, se désola le praticien. Elle ne reconnaît plus…

— Laissez-nous.

L'homme, peu content, s'exécuta. Lorsqu'il se fut éloigné, elle caressa tendrement les cheveux de sa grand-mère.

— J'ai eu tellement peur. Nanou, ma Nanou. Pourquoi refuses-tu de manger ?

— Ils ne me proposent que des vers et de la pourriture, expliqua la vieille femme d'un air bougon. Sophie est partie à cause de moi. Étienne aussi. Et mon fils. Tout est ma faute.

Sa grand-mère retira sa main de la sienne, puis ferma les yeux.

— J'ai été égoïste et Dieu me punit.

Sophie ne comprenait rien à ses propos. Toutefois, voir sa grand-mère, la femme qui l'avait éduquée, ainsi déprimée lui lacérait le cœur.

— Étienne va bien, Nanou. Je l'ai vu, à Saint-Malo. (Elle baissa la voix.) S'il ne revient pas… c'est parce qu'il est amoureux. Il fréquente une jeune femme.

— Une jeune femme ?

Nanou éclata d'un rire rauque, et rouvrit les paupières pour dévisager Sophie.

— Notre Étienne, si timide et peureux, a réussi à déclarer sa flamme à une jeune femme ?

Sophie ne put s'empêcher d'espérer. Sa grand-mère semblait revivre.

— Et nous avons tous déménagé dans une maison bien plus jolie. Notre maison à nous. J'aimerais tellement que tu ailles mieux pour la voir, Nanou.

— Une nouvelle maison, répéta sa grand-mère, avant de ciller. Sophie, Sophie c'est bien toi, n'est-ce pas ?

— Oui.

Elle lui sourit tendrement et les yeux de sa grand-mère s'embrumèrent.

— Je t'ai vue tomber du pommier et des gens t'ont emmenée au loin. J'ai cru qu'à cause de moi, tu ne reviendrais jamais…

Les doigts de sa grand-mère crochetèrent ses vêtements. Il fallait absolument que Sophie la sorte de là. Elle la serra fort contre elle.

— Oui, je suis là, je vais bien. Et je ne veux plus qu'on soit séparées. Mais pour ça, il faut que tu manges.

— Et après, je pourrai rentrer avec toi ?

— Oui, lui assura Sophie, tout sourire.

— Docteur ! s'époumona soudain Nanou. Docteur, docteur, docteur !

La jeune femme dut plaquer ses mains sur ses oreilles tellement Nanou criait fort. L'intéressé arriva en courant, paniqué.

— Que se passe-t-il, une autre crise ? Infirmière !

Nanou s'assit bien droite sur son lit, et d'un air noble déclara :

— Docteur, j'ai grand faim. Pourriez-vous m'apporter de quoi me sustenter ?

Elle lui sourit aimablement, d'un sourire de petite grand-mère bien innocente qui contrastait avec le démon qu'elle avait dû incarner ces dernières semaines. Le médecin se tourna vers Sophie, qui ne put se retenir de rire devant son air stupéfait.

*

Malgré les protestations du personnel soignant, Sophie ramena sa grand-mère dans leur nouvelle maison.

— Nanou ! s'extasia Pilou en lui sautant dans les bras, bientôt imité d'Héloïse.

Sophie la maintint fermement pour qu'elle ne tombe pas. Tant de jours à rester au lit avaient eu raison de ses muscles. Qu'elle tienne debout relevait du miracle, ou bien d'un entêtement propre aux Kerdelec.

— C'est charmant ici, commenta Nanou avec les yeux grands ouverts. Ça manque juste un peu de fruits.

Louise arriva à son tour, ainsi que la baronne. Au lieu de paraître agacée, comme Sophie le craignait, Henriette de Kerdelec s'empressa de rejoindre Nanou et de lui serrer les mains.

— Bienvenue chez vous, grand-maman.

— Tu es aussi ronde qu'une pomme, mon enfant. Cela me donne envie de te manger.

Nanou pinça la joue de sa belle-fille, qui gloussa. Enfin, Sophie pouvait s'apaiser. Sa famille était réunie.

— *Merci de nous l'avoir ramenée*, signa Héloïse. *Et pardon de ne pas avoir pu la protéger. Nous ne savions plus quoi faire comme elle ne mangeait plus.*

— *Tu n'as pas à t'en vouloir*, répondit Sophie. *Et tout ira mieux à présent.*

— *Oui, grâce à toi.*

Sophie leva la tête vers l'étage où se trouvait le dernier membre de sa famille. Les jambes lourdes, elle grimpa pendant que sa fratrie s'enthousiasmait du retour de Nanou. Arrivée en haut, elle poussa la porte de la chambre du baron de Kerdelec. Sa respiration profonde indiquait qu'il dormait. Le déménagement l'avait épuisé.

— Il n'y a aucune amélioration depuis ton départ.

La voix de Louise fit sursauter Sophie, et elle referma le battant.

— Néanmoins j'ai bon espoir, confia son aînée dans le couloir. Peut-être suis-je paranoïaque, mais j'ai vu notre tante lui administrer ce qu'elle prétendait être un tonique…

Sophie dévisagea sa sœur. Pensait-elle comme elle ? Louise hocha la tête en guise de réponse, et elles fixèrent la porte du baron, tendues à l'extrême.

— Si notre tante l'a drogué à notre insu… Nous le saurons vite.

— Tu dois me trouver horrible, gémit Louise, mais j'ignore si je souhaite voir père sortir de son mutisme. L'idée que notre tante ait pu faire ça, après tous ses bienfaits…

Louise ne parvint pas à finir sa phrase. Même si ça l'écœurait, Sophie comprenait l'affection de sa sœur pour leur tante. Après tout, elle avait passé tous ses hivers avec elle. Madame de Verteuil l'avait introduite dans la société, lui avait offert tout ce qu'il seyait à une jeune femme pour trouver un mari.

— Mes filles.

La baronne émergeait de l'escalier, le visage triste.

— Allez vous coucher. Nous avons tous besoin de repos. Cette nuit, je veillerai sur votre père et Nanou.

Nous aurons tout le temps de discuter et de nous inquiéter demain.

— Oui, mère.

Louise esquissa une révérence et se retira. La baronne se rapprocha de Sophie, lui caressa doucement la joue, puis pénétra dans la chambre de son époux. Le cœur battant, la jeune femme dut reconnaître la justesse de ses propos. Il serait toujours temps de s'inquiéter et de se poser des questions demain. En attendant, un grand lit l'accueillait. Un grand lit qu'elle pourrait partager avec Héloïse et Nanou. Un grand lit qui la ferait revenir en enfance, où l'amour et la chaleur des siens pouvaient guérir toutes ses blessures. Ses pensées la ramenèrent à Carnac et son cœur recommença à saigner. Hélas, même si elle se berçait d'illusions, Sophie n'était plus une petite fille.

50

Réveillée par les ronflements de sa grand-mère, Sophie se leva la première. Elle avait dormi d'un sommeil sans rêves. Malgré les soucis qui la rongeaient, elle s'attendrit quelques minutes à regarder Héloïse et Nanou dormir. Leurs visages paisibles lui donnaient la force d'affronter la journée.

Un goût de cendre dans la bouche, elle s'habilla en silence, reprenant le costume d'Étienne. Il faudrait qu'elle ait une conversation avec sa famille à ce sujet, mais avant… sa conscience lui imposait de garder le masque quelques heures de plus.

Il restait une personne envers qui Sophie, ou plutôt sa version d'Étienne, avait une responsabilité.

Malgré sa longue absence, elle retrouva sans mal le chemin de la demeure bourgeoise qu'elle visait.

— Allez, courage.

La tension l'envahissait de la tête aux pieds. Elle redoutait ce moment depuis longtemps, mais sa conscience lui imposait d'en finir au plus vite avec cette mascarade. Après seulement deux coups à la porte, un domestique lui ouvrit.

— Bonjour, prononça-t-elle aimablement. Je sais qu'il est tôt, mais serait-il possible de s'entretenir avec mademoiselle Constance Lambert ?

Le serviteur le détailla avec curiosité. Sophie n'avait pas besoin de se présenter pour qu'il reconnaisse Étienne. En tant qu'homme, elle avait suffisamment rendu visite à la jeune femme.

— Le maître est déjà parti…

— Je serai bref.

— Un instant, je vous prie.

Le serviteur le pria d'attendre dans le vestibule et Sophie obtempéra. Malgré elle, elle ne pouvait s'empêcher de regarder en direction de la sortie. En un sens, cela l'arrangeait que monsieur Lambert ait déjà quitté les lieux. Elle avait prévu de le rembourser, mais sa priorité était Constance. Un soupir lui échappa. Constance… La honte l'enveloppa. Comment devait se sentir la jeune femme ? Même si le cœur n'y était pas, Sophie, sous le masque d'Étienne, l'avait assidûment fréquentée. Sa compagnie lui avait semblé agréable, mais autant l'avouer : elle s'était moquée d'elle.

Est-ce que Constance avait développé des sentiments pour Étienne ? Comment avait-elle accueilli ce soudain départ à Saint-Malo ? Et, surtout, caressait-elle toujours la chimère de l'épouser ?

— Monsieur de Kerdelec ?

Sophie sursauta presque. Constance Lambert, habillée d'une robe grise aux manches étroites qui recouvraient ses poignets, et d'un col qui remontait jusqu'au haut de son cou, la contemplait. L'émotion sur son visage ébranla Sophie : elle y lisait de l'inquiétude, mais aussi de l'espoir. Un espoir qu'elle se maudit de lui inspirer.

— Mon père est absent. Peut-être serait-il préférable…

— Je ne serai pas long, assura Sophie.

Le regard de Constance fuit vers les domestiques, puis elle hocha la tête et l'invita à la suivre dans un salon aux décorations étouffantes. Les objets les plus riches – vases, tapisseries, mobilier – recouvraient la pièce sans aucun souci d'harmonie.

La servante de Constance se faufila dans un recoin, et Sophie maudit les convenances qui imposaient systématiquement un chaperon.

— Je vous en prie, asseyez-vous.

Constance lui indiqua des fauteuils autour d'une table basse où trônaient déjà un service à thé et des pâtisseries.

— Puis-je vous servir à boire ?

Sophie secoua la tête et s'installa en face d'elle.

— Non merci, je n'ai ni faim ni soif. Et j'aimerais vous parler… en privé.

Elle tourna la tête en direction de la domestique, qui ne bougea pas.

— J'insiste.

Le regard de Constance se troubla, et l'hésitation la gagna. Toutefois, elle prononça :

— Emmanuelle, laissez-nous. Et toquez deux fois à la porte si mon père entre à l'improviste.

— Oui, Mademoiselle.

— Je vous en prie, asseyez-vous, lui intima Sophie.

Constance s'exécuta un peu roidement. Une lumière blanche baignait les fenêtres et accentuait la pâleur et les taches de rousseur de la jeune femme. Était-ce la carnation de sa peau, ou bien était-elle blême ?

— Avez-vous fait bon voyage ? demanda-t-elle, sans oser regarder Sophie.

— Oui, merci, répondit la jeune Kerdelec. Néanmoins, je suis là pour vous entretenir d'un sujet important. J'aurais dû le faire bien avant, mais…

— Merci pour vos lettres et vos cadeaux. Ils m'ont fait très plaisir.

Constance se pencha pour prendre la théière. Quelles lettres et quels cadeaux ? Sophie se mordit la lèvre : Louise ! Louise avait forcément couvert son départ. Encore. L'hypocrisie qui bordait leur relation lui donna envie de vomir. Elle devait vraiment mettre fin à tout ça.

— Vous devriez goûter à ce thé.

La voix de Constance était devenue vacillante, et sa nervosité ne faisait que croître.

— Il est délicieux et…

Sophie posa ses mains sur les siennes pour l'arrêter. Les joues de Constance se colorèrent aussitôt, et une boule se forma dans l'estomac de Sophie.

— Mademoiselle Lambert, je ne peux pas vous épouser.

Les yeux de l'intéressée se mirent à briller et elle récupéra ses mains pour leur servir deux tasses.

— Ce thé vient d'Orient. C'est le meilleur que j'aie goûté…

— Mademoiselle Lambert, m'avez-vous écouté ?

La jeune femme ne prononça pas un mot et termina de verser le liquide. Une larme s'écrasa alors sur chacune de ses joues et elle souffla :

— Pardonnez-moi.

En un bond, la fille Lambert se leva et s'écarta des fauteuils pour présenter son dos à Sophie. Le cœur de celle-ci se déchira. Ce qu'elle craignait venait de lui être confirmé… Alors, la si gentille Constance était tombée amoureuse de l'Étienne qu'elle avait joué. Sophie se mordit la lèvre à sang. Au fond, elle ne valait pas mieux que Carnac ! Elle avait donné de l'espoir à la jeune femme juste pour sauvegarder les affaires de sa famille. Sophie était horrible, elle ne méritait pas ses larmes.

— Dites-moi ce que je dois faire pour que vous changiez d'avis, la pria alors Constance. Je sais que je ne suis pas belle, et que j'ai peu de talents. Mais je vous promets d'être une épouse exemplaire, et de tout faire pour vous rendre heureux. Vous n'aurez jamais à vous plaindre de moi et…

Elle inspira et tâcha d'étouffer le sanglot qui montait dans sa poitrine.

— Non, Constance, non.

Sophie se leva, dévastée. Les convenances lui interdisaient de toucher sa compagne. À cet instant, elle aurait voulu la prendre dans ses bras, mais ça n'aurait fait qu'empirer les choses.

— Pardonnez-moi. Pardonnez-moi de vous avoir fourni de faux espoirs. Sachez que ma décision n'a rien à voir avec vous. Vous êtes belle, Constance. Vos qualités m'ont tout de suite marqué. Vous êtes douce, calme et réfléchie. Votre cœur est bon et mérite un homme qui pourra vous aimer à votre juste valeur. Et cet homme, ce n'est pas moi.

— Si, c'est vous. Cela ne peut être que vous.

Constance ne parvenait pas à maîtriser ses larmes. Malgré tout, elle déclara avec conviction :

— Il faut que ce soit vous. Si vraiment vous voyez ces qualités en moi, alors peut-être qu'avec le temps, vous ressentirez la même affection que j'éprouve pour vous.

Constance hésita, puis ses doigts vinrent se déposer sur la joue de Sophie. Celle-ci les retira de son visage.

— Vos sentiments ne sont qu'un leurre.

— Non, je sais ce que je ressens…

— Écoutez-moi, insista Sophie en lui relevant le menton.

Constance était si belle… Ses joues rougies par leur proximité et ce contact dont elle n'avait pas l'habitude, ses yeux brillants… et son expression si douce, malgré tout ce que Sophie lui avait dit. Elle méritait cette si terrible vérité.

— L'Étienne que vous pensez connaître n'existe pas. Je suis la jumelle d'Étienne. Et cela depuis notre premier rendez-vous.

Les sourcils de Constance se froncèrent, et elle secoua la tête.

— Qu'est-ce que…

Sophie recula de deux bons mètres, et retira son manteau, puis sa veste. Il n'y avait qu'une seule manière pour que son interlocutrice la crût.

— Monsieur de Kerdelec, que faites-vous ? (La panique enflait dans sa voix.) C'est indécent !

Constance jeta un coup d'œil vers la porte et recula. Sophie s'était déjà débarrassée de son gilet, il ne lui restait plus que sa chemise, qu'elle remonta jusqu'au bandage qui dissimulait sa poitrine.

— Vous êtes… Vous êtes…

— La jumelle d'Étienne, confirma Sophie.

Constance demeurait stupéfaite, aussi pâle qu'un linge. Même ses taches de rousseur ne parvenaient plus à colorer son visage.

— Je suis désolée, souffla la jeune Kerdelec en se rhabillant, les doigts tremblants. Mon frère a disparu, et j'ai pris sa place pour protéger ma famille. Tout ça…

Sophie se mordit la lèvre.

— J'allais dire que j'y étais obligée, mais non. Je vous ai trompée, Constance. J'ai choisi d'entrer dans ce jeu cruel, et je m'en veux terriblement. Haïssez-moi, causez ma ruine si cela peut apaiser votre douleur. Je ne mérite pas votre pardon.

Constance se détourna. Des sanglots silencieux secouaient sa poitrine, et elle essayait bravement de les retenir. Sophie s'était attendue à des cris, à des accusations, à des plaintes, mais la jeune femme en face d'elle souffrait en silence. Et ce silence était pire que toutes les insultes qu'elle aurait pu lui lancer au visage.

— Vous méritez bien mieux, insista Sophie. Adieu, mademoiselle Lambert.

Habillée, elle traversa le salon jusqu'à la porte. Son corps tremblait sous le coup de l'émotion. Un profond dégoût d'elle-même lui retournait le ventre. Toutefois, elle savait aussi qu'aucune autre possibilité s'offrait à elle.

— Monsieur de Kerdelec ! s'exclama alors Constance.

Sophie se retourna, fébrile. Mademoiselle Lambert, malgré les larmes qui maculaient ses joues, conservait un air noble qui l'impressionna.

— Vous voulez vraiment vous faire pardonner ?

L'intéressée ne parvint qu'à hocher la tête.

— Alors, épousez-moi.

La consternation envahit Sophie.

— Ne m'avez-vous…

— Si, j'ai très bien entendu, assura Constance.

Elle inspira profondément et ajouta :

— Assumez vos actes jusqu'au bout et épousez-moi.

51

Sophie n'en revenait toujours pas de la direction que cette conversation avait prise. Constance avait eu l'air si brave en lui faisant cette demande.

« Prenez le temps d'y réfléchir. En attendant, il vaut mieux pour nous deux que mon père n'en sache rien. Au revoir, monsieur de Kerdelec. »

Trop secouée par sa réaction, Sophie n'avait su quoi répondre à Constance lorsqu'elle l'avait congédiée. Désormais à quelques mètres de la demeure des Épiniac, la foule de questions qu'elle aurait dû poser se déchaînait.

Comment Constance pouvait-elle vouloir l'épouser après son aveu ? Elle, une femme ! Un tel mariage ne serait rien d'autre qu'une vulgaire farce. En définitive, ce qu'elle avait d'abord perçu comme du courage n'était peut-être que de la lâcheté.

Non, Sophie ne devait pas être aussi dure. C'était elle qui l'avait bernée, qui l'avait poussée à un tel désespoir.

À moins qu'à son image, mademoiselle Lambert n'ait aussi joué un double jeu ? Pendant que Sophie se faisait passer pour Étienne, la fille du banquier revêtait le masque d'une parfaite fiancée, douce et attentive… Peut-être qu'elle aussi s'était fait berner ? Constance caressait-elle les mêmes objectifs que son père : son unique but avait-il toujours été de gagner un titre de noblesse ?

Sophie n'en pouvait plus. L'héritage, le voyage, le déménagement, et… (non, elle ne voulait pas songer à lui) l'avaient épuisée. À cet instant, elle rêvait seulement de gagner son lit et de ne plus penser à rien.

Hélas, quand elle franchit la porte de la maison, un déluge de jupons s'abattit sur sa personne.

— Par tous les dieux, tu es là !

Louise se précipita sur elle, le visage inquiet.

— Que se passe-t-il ? s'enquit son aînée. Pourquoi cette mine ? Encore une mauvaise nouvelle ?

Sophie soupira, tandis que Gustave, fidèle à son poste, la débarrassait.

— Je crois que j'ai commis une erreur.

— Une erreur ? répéta Louise, la voix blanche.

— Oui…

Sophie gagna la première pièce garnie d'un fauteuil et s'y laissa tomber, épuisée.

— Je reviens de chez les Lambert. J'ai annoncé à Constance que je ne pouvais pas l'épouser. Et… je lui ai avoué mon imposture.

— Comment ? s'exclama Louise d'une voix si aiguë qu'elle vrilla les tympans de Sophie.

Celle-ci ne parvint qu'à laisser tomber sa tête entre ses mains.

— Ce n'est pas tout. Elle veut toujours m'épouser. Ou plutôt, épouser le simulacre d'Étienne que je représente.

— Tu n'aurais jamais dû lui révéler la vérité. Et, surtout, tu aurais dû m'en parler avant de décider seule !

Louise commença à faire les cent pas face à elle, les nerfs à fleur de peau.

— As-tu conscience de tous les efforts que j'ai déployés pour qu'on n'ait pas de problèmes avec les Lambert ? Des cadeaux et des lettres que j'ai envoyés en ton nom ? De tout...

— Je ne pouvais pas la laisser dans l'ignorance, la coupa Sophie, d'une voix plus sèche.

La migraine lui montait, ainsi qu'une colère, bien plus facile à affronter que le désespoir qui menaçait de la noyer.

— Tu recommences, persifla Louise. Tu agis, et tu réfléchis après. Mademoiselle Lambert n'est pas ta famille. Tu ne lui dois rien, tu...

— Personne ne mérite qu'on joue avec ses sentiments ! Personne !

Sophie se releva de son fauteuil avec les larmes aux yeux.

— Imagines-tu un seul instant la détresse et le sentiment de trahison qui sont désormais les siens ? Je ne pouvais pas faire durer plus longtemps cette mascarade ! Cette mascarade que tu m'as poussée à tenir ! Dans cette histoire, tu es aussi horrible que moi !

Le visage de Louise se décomposait à vue d'œil, mais Sophie ne parvenait plus à s'arrêter.

— Tu n'as aucune idée de ce que c'est, que d'être amoureuse, et d'être trahie par l'objet même de tes sentiments. (Les larmes menaçaient d'emporter le barrage qu'elle avait érigé, mais elle serra les poings très fort.) C'est comme un poignard qui s'enfoncerait dans ta poitrine, encore et encore, même quand tu n'y penses plus. Cette douleur est insupportable et, hélas, rien ne l'apaise !

— Sophie…

Désormais, même son poing fermé tremblait.

— J'ai peut-être eu tort, mais Constance méritait la vérité. Si elle trahit mon secret, j'en affronterai les conséquences. Je vais retourner dormir.

Sophie quitta la pièce, passant devant sa mère. Avait-elle entendu leur conversation ? Sophie l'ignorait et elle n'en avait cure. Quatre à quatre, elle remonta les marches et gagna sa chambre, par chance vide. Elle s'affala sur le matelas et enfonça sa tête dans un oreiller pour étouffer ses pleurs. Sa poitrine se déchirait avec force. Même à des kilomètres de Carnac, celui-ci continuait de la hanter. Ses bras lui manquaient, ses baisers… Ses ongles s'enfoncèrent au-dessus de sa poitrine et elle se griffa comme pour essayer de faire taire la douleur. Elle se sentait si misérable de continuer de penser à lui !

Elle le haïssait tellement !

Et, plus encore, elle se haïssait de ne pas pouvoir l'oublier.

*

Sophie avait perdu pied avec la réalité. Seuls une douce fourrure contre son visage, puis des bras noueux autour de ses épaules, parvinrent enfin à la calmer. La douce odeur de lavande couplée à la voix rauque de sa grand-mère l'aidèrent à plonger dans un sommeil sans rêves.

À son réveil, Nanou était là, contre elle, et lui souriait d'un air tendre. L'espace de quelques secondes, Sophie se sentit comme une enfant, protégée et invincible, car sa grand-mère veillait sur elle.

— J'ai faim, prononça alors Nanou avec un sourire malicieux.

La jeune femme lui rendit son sourire. Elle n'avait pas envie de quitter le lit, mais sa grand-mère devait reprendre des forces. Et puis, sa famille avait encore besoin d'elle.

— Laisse-moi te coiffer d'abord.

Sa grand-mère attrapa une brosse, retira le catogan et s'employa à démêler la chevelure blonde de sa petite fille. Ses mouvements, à la fois doux et précis, apaisèrent Sophie. Le contact contre son cuir chevelu la détendait, jusqu'à ce qu'un chuchotement dans son cœur la ramenât à ses souvenirs. Aux doigts d'Antoine qui plongeaient dans ses cheveux, qui descendaient dans son cou et l'attiraient à lui pour l'embrasser… Sophie inspira profondément et arrêta d'un geste sa grand-mère.

— Merci, c'est parfait comme ça.

Elle noua elle-même le ruban. L'arthrose de Nanou l'empêchait bien souvent de le faire, même si elle s'obstinait en ce sens. En revanche, Sophie ne prit pas la peine de défroisser ses vêtements d'homme, ni d'en changer. Il faudrait bien qu'elle ait une conversation avec sa famille – une vraie, cette fois, pas teintée d'amertume ni de rancœur –, et qu'ils prennent ensemble une décision sur le rôle qu'elle devait encore jouer.

— Ne serait-ce pas une odeur de tarte aux pommes ? gloussa Nanou en l'entraînant dans le salon.

Sa grand-mère avait raison. Dans un service en porcelaine qu'elle ne connaissait pas, des pâtisseries et une belle tarte trônaient, n'attendant apparemment qu'elles.

— Chaud devant !

Sophie s'écarta et la baronne de Kerdelec surgit, un linge et un plat entre les mains. Son contenu n'était pas très engageant, mais l'enthousiasme de sa mère et, surtout, ce tableau complètement incongru, la troublèrent.

— Tarte aux pruneaux ! Asseyez-vous.

Nanou s'exécuta en tapant dans ses mains, tandis que la baronne leur coupait à chacune une part.

— Gustave est allé chercher une tarte aux pommes spécialement pour vous, grand-maman. De mon côté, j'ai commencé à tester les cuisines. Tenez.

Elle leur tendit à chacune une assiette.

— Merci…, balbutia Sophie.

— Alors ? questionna l'apprentie cuisinière, les yeux grands ouverts.

— C'est très bon, mentit Sophie avec un sourire.

— Délicieux ! s'enthousiasma Nanou.

Satisfaite, sa belle-fille s'essuya les mains et, toute guillerette, retourna là d'où elle venait. Sophie l'observa trottiner avec une stupeur teintée d'admiration.

— Par tous les saints ! s'exclama une voix féminine. Elle a recommencé ?

Louise entra tout en vérifiant derrière elle. Puis, sans attendre, elle retira l'assiette de sa sœur.

— Ne t'empoisonne pas !

— Ce n'est rien, elle a juste confondu le sucre et le sel.

— Oh, ça va alors.

Sophie pinça les lèvres et d'un coup… éclata de rire. Nanou, les joues pleines à craquer de tarte, la dévisagea. La jeune femme essuya les larmes au coin de ses yeux, puis balbutia :

— Désolée… Je ne devrais pas…

— Je préfère te voir comme ça, la rassura Louise. Et d'ailleurs, pour tout à l'heure…

Elle baissa la tête. Sa sœur aînée avait toujours éprouvé le plus grand mal à exposer ses sentiments. Néanmoins, Sophie ne se sentait pas la force de l'aider.

— Je n'aurais pas dû…, poursuivit Louise.

Un coup à la porte la fit sursauter. Les deux jeunes femmes tournèrent en même temps la tête. Qui était-ce ? Elles n'attendaient personne.

Le cœur de Sophie battit plus vite et elle se redressa. Monsieur Lambert avait-il eu vent de sa visite ? Et dire qu'elle avait dormi au lieu de réfléchir à une solution ! Que lui dirait-elle ?

Gustave apparut alors et, en une révérence, déclara :

— Monsieur de Chevigné demande à entrer.

Louise se raidit aussitôt. Ses épaules se redressèrent, et elle tritura nerveusement ses cheveux. Sophie, elle, contempla le sol comme à la recherche d'une réponse sur la manière dont elle devait agir. Revoir le vicomte, maintenant qu'il connaissait la vérité à son égard, l'intimidait. Néanmoins, à lui aussi, elle avait des excuses à présenter.

Elle inspira profondément pour se donner du courage, embrassa les cheveux de sa grand-mère qui s'empiffrait encore, puis emboîta le pas de Louise qui se dirigeait vers le hall. Henriette de Kerdelec se trouvait déjà avec leur visiteur et discutait aimablement avec lui.

À leur arrivée, le regard de Mathieu de Chevigné se tourna vers les deux jeunes femmes, un regard de glace qui fit froid dans le dos à Sophie. Mathieu lui en voulait, cela ne faisait aucun doute.

— Madame de Kerdelec, pardonnez-moi de me montrer aussi cavalier. Puis-je m'entretenir seul à seul avec… avec…

Son regard dépassa Louise et se posa sur Sophie, habillée en homme. Son aînée s'écarta d'un mouvement raide, sans que le vicomte ne manifestât aucune émotion. Celui-ci soupira, ne sachant certainement pas comment nommer Sophie. Heureusement, la baronne vint à son secours.

— Allez dans la bibliothèque, et appelez-nous si vous avez besoin de quoi que ce soit.

Elle attrapa le bras de Louise, et l'entraîna dans la salle à manger.

— Je vous en prie…

Sophie toussota, elle ne reconnaissait même pas sa propre voix. La jeune femme lui fit signe de la suivre et se dirigea d'un pas qu'elle voulait sûr dans deux pièces en enfilade, avant d'atteindre une bibliothèque qui aurait eu besoin d'un bon dépoussiérage. Par chance, Gustave avait nettoyé deux fauteuils particulièrement accueillants.

— Asseyez-vous, mettez-vous à l'aise.

— Non.

La voix sèche du vicomte lui provoqua un frisson. Le jeune homme secoua la tête, nerveux, et reprit :

— Vous, asseyez-vous. Je suis trop nerveux et j'ai bien trop de choses à vous dire. Je préfère rester debout.

Pour ne pas le chagriner encore plus, Sophie obtempéra. Elle n'avait jamais vu Mathieu si troublé, même lorsqu'il lui avait avoué ses sentiments pour Louise.

— Mademoiselle de Kerdelec…

La simple prononciation de ces mots semblait lui coûter.

— Vous pouvez m'appeler Étienne, si c'est plus facile, tenta-t-elle de l'apaiser.

— Non, il en est hors de question.

Sa virulence eut l'effet d'une gifle, mais elle ne broncha pas. Elle l'avait bien mérité.

— Est-ce vous, vous depuis le début ?

Sophie essuya ses mains moites sur ses cuisses et avoua :

— Oui. L'Étienne que vous avez vu à Rennes… À chaque fois, c'était moi.

Mathieu de Chevigné laissa échapper une expression entre la plainte et l'énervement. Sa main passa sur son visage et il continua :

— C'était vous au Parlement, vous qui avez combattu messieurs de Lalanville et de Rougemont, vous qui avez tenu tête à Carnac pour obtenir l'héritage ?

— Oui.

— Vous que je mettais en garde pour qu'il ne vous courtise pas ?

— Aussi.

— Comme j'ai été stupide ! Comme vous avez dû me trouver ridicule !

— Absolument pas ! se récria Sophie. Je…

— Je me suis montré si familier avec vous ! Et vous m'avez laissé faire !

— Ne vous en voulez pas, s'affola Sophie. Vous avez été mon ami, vous…

— Non, mademoiselle de Kerdelec.

Mathieu lui fit face, le visage défait.

— L'amitié ne peut pas exister entre un homme et une femme. Vous rendez-vous compte des conséquences de votre travestissement ? Nous ne sommes plus des enfants ! Vous êtes restée seule avec moi, avec Carnac. Votre dignité et votre honneur ont été mis à mal. Il s'agit d'un véritable scandale ! Un scandale, qui, s'il venait à être su, vous plongerait dans le dénuement le plus total. Pas seulement vous, mais également toute votre famille !

Sophie baissa la tête.

— Je suis désolée de vous avoir menti, Mathieu.

— Monsieur le vicomte.

Son cœur se serra.

— Monsieur le vicomte. Mais je n'avais pas le choix. Ma famille avait besoin de moi.

— Non. Vous auriez pu me révéler la vérité, je vous aurais aidée. Je serais moi-même allé chercher l'original de cet acte à Saint-Malo. Et vous ne seriez pas allée jusqu'à vous déshonorer !

— Ce n'était pas à vous…

Sophie ferma les yeux très fort. Elle essayait de se contenir, mais les accusations de Mathieu la blessaient. N'y avait-il donc que ça d'important à ses yeux ? L'honneur, les apparences ?

— J'aurais pu régler tout cela sans heurt.

— Ce qui est fait est fait ! cingla-t-elle. À part mon identité, j'ai toujours été sincère avec vous. Je n'ai pas feint mon amitié, je n'ai pas feint les moments que nous avons partagés à Saint-Malo.

Les yeux écarquillés, Mathieu la fixait, surpris de la voir ainsi s'emporter.

— Et pourquoi un homme et une femme ne pourraient-ils pas être amis ? s'indigna Sophie en se relevant. Qui a édicté cette stupidité ? À moins qu'au fond, il ne s'agisse pas de ça. À moins que vous ne soyez simplement pas capable d'accepter qu'une femme ne puisse avoir d'autres aspirations que d'être une bonne épouse ? Que sa seule possibilité soit d'attendre qu'un homme règle tous les problèmes à sa place ?

Le vicomte soupira d'un air agacé, se détourna, puis fit volte-face.

— Vous n'êtes encore qu'une petite fille. Une petite fille qui vit dans un monde de chimères et qui croit que, si elle le désire fort, tout lui sera possible. Cependant ce n'est pas le cas. Ce monde... n'a aucune place pour les filles déshonorées.

Le regard de Mathieu se troubla et il se rapprocha, la dominant de toute sa hauteur.

— Soyez franche. Votre tante... disait-elle la vérité sur votre relation avec Carnac ?

Des sueurs froides envahirent Sophie. Cela ne le regardait absolument pas !

— Comment pouvez-vous me poser cette question...

— Vous avez raison. N'y répondez pas.

Sophie redressa la tête et son ventre se crispa. Mathieu la fixait avec une douceur pleine de regrets. Un sourire triste fendait son visage.

— La manière dont il a tenté de vous retenir, et comment vous avez réagi... Vous avez compris qui il était, mais trop tard. Mes avertissements n'auront servi à rien.

Il se détourna d'elle, si brutalement qu'elle eut l'impression de recevoir un soufflet. Mathieu lui dévoilait une part de sa personnalité qu'elle ignorait jusqu'à présent. Froid comme un glacier, l'honneur qui l'entourait et qui avait tant charmé Sophie n'était qu'un poison.

Aux yeux du vicomte, elle était perdue. Et elle comprit que rien ne lui ferait changer d'avis.

Dos à elle, il s'appuya contre le dossier d'un fauteuil.

— Monsieur de Chevigné...

Elle se rapprocha. Contre toute attente, le vicomte se retourna et posa un genou à terre.

— Mademoiselle de Kerdelec, prononça-t-il, les yeux brillants. Qu'importe ce qui s'est passé entre Carnac et vous à Saint-Malo. Autorisez-moi à faire taire les mauvaises langues. Je veux que mon bras soit le vôtre et que, désormais, vous puissiez vous reposer sur moi pour vaincre vos problèmes. Ne sortez plus votre épée, laissez-moi être la lame qui vous défendra et vous vengera.

Les yeux emplis d'une détermination sans faille, il ajouta :

— Sophie de Kerdelec… voulez-vous m'épouser ?

52

Sophie n'en revenait pas. Cette scène, qu'elle avait imaginée si souvent, prenait vie devant ses yeux. Mathieu de Chevigné lui demandait de devenir sa femme.

Pourtant, aucune joie ne se manifestait dans son cœur.

Ses raisons n'étaient pas les bonnes. Il aimait Louise, il le lui avait avoué lui-même. Il n'agissait ainsi que pour la protéger d'un destin désastreux. Mathieu lui offrait une échappatoire. Seulement, celle-ci ne reposait aucunement sur l'amour.

— Relevez-vous.

Avec douceur, elle posa les mains sur ses bras, et le força à se redresser. Les sourcils de Mathieu se froncèrent. Peu importe si ce contact n'était pas correct entre un homme et une femme.

— Mathieu, prononça-t-elle avec calme, malgré son interdiction de l'appeler par son prénom. Je ne peux pas accepter votre offre. Je vous libère de votre promesse de protéger ma famille.

Elle retira ses mains et sourit. Le vicomte la dévisageait, surpris et, semblait-il, dévasté.

— Sophie, vous n'avez pas conscience de l'enfer que vous allez vivre.

— Ce sont mes choix, annonça-t-elle avec un calme qu'elle ne se connaissait pas. Et pour tout vous avouer, je ne regrette rien. Ces moments à être Étienne... J'aurais préféré que vous sachiez mon identité, mais, à part ça, j'ai vécu des expériences extraordinaires, qui m'ont appris à savoir qui j'étais réellement.

— Non, vous ne comprenez pas. Bientôt, vous...

— C'est vous qui ne comprenez pas, l'interrompit Sophie d'un air apaisant. Vous n'avez pas à jouer les chevaliers servants. Je ne suis pas une demoiselle en détresse qu'il faut sauver. Je ne l'ai jamais voulu, et je ne voudrai jamais qu'on me considère comme telle. Voilà pourquoi vous et moi, c'est impossible.

Le visage de Mathieu se décomposait.

— Cessez de vous torturer et choisissez une épouse qui vous rendra heureux.

Sophie se dressa sur la pointe des pieds et déposa un baiser sur la joue du vicomte. Même si sa proposition lui laissait un sentiment amer, elle ne voulait pas que son refus le blessât. Elle imaginait ce que proposer le mariage à une fille qu'il croyait perdue avait dû lui coûter en fierté. Cette pensée lui faisait mal, mais elle ne pouvait lui en vouloir. Mathieu était ainsi fait, sa noblesse chevaleresque était sa plus belle qualité comme son pire défaut.

— Adieu, monsieur le vicomte. Oubliez-moi.

Elle esquissa une révérence féminine malgré ses vêtements masculins, et quitta la pièce.

*

— Pourquoi, pourquoi l'as-tu repoussé ? marmonna sa sœur, d'une voix accusatrice.

Sophie s'était attendue à être rejointe, mais pas si vite.

— Est-ce toi qui lui as soufflé une telle idée ? questionna Sophie.

Après tout, Louise avait été l'instigatrice du départ de Mathieu à Saint-Malo. Tout comme les cadeaux et les lettres envoyés à Constance, elle avait tissé une toile tout autour d'eux.

— Tu l'aimes ! l'accusa son aînée. Crois-tu que je n'ai pas vu tes regards et tes sourires lorsque nous sortions avec lui ? Alors, qu'importe ce que j'ai fait ou non !

Sa voix tremblait. Louise était sur le point de craquer. Sophie, assise sur son lit, la contempla. Sa sœur, les épaules voûtées, semblait supporter le poids du monde. Elle prit conscience que pas un seul instant elle ne lui avait demandé comment elle avait fait pour résister à leur tante durant ces dernières semaines. Pas un seul instant, elle ne s'était souciée de ses sentiments.

— Louise, murmura-t-elle, as-tu demandé à Mathieu de m'épouser… alors que tu es amoureuse de lui ?

Sa sœur releva brutalement la tête et, dans le mouvement, les larmes qu'elle retenait coulèrent sur ses joues. L'air paniqué de Louise ne laissait planer aucun doute.

— Pardon, Sophie. J'ai tout fait pour repousser mes sentiments pour lui. Je te le jure, pas un seul moment je n'ai tenté de le séduire. J'ai toujours vanté tes qualités, je…

Sophie l'enlaça contre elle, fort, si fort. Durant tout ce temps, trop centrée sur elle-même, elle n'avait pas vu sa sœur se languir de son amour d'enfance, et s'interdire le bonheur d'être aimée en retour.

— Non, c'est moi qui te demande pardon. J'ai été égoïste… (Elle la repoussa avec douceur et essuya les larmes sur ses joues.) Le vicomte t'aime, Louise. Il m'a même demandé la permission de te courtiser quand il me croyait être Étienne.

Les lèvres de Louise tremblèrent.

— Je ne voulais pas… Tes sentiments pour lui…

— Ce n'était qu'une amourette d'enfance.

Son aînée baissa la tête, sourcils froncés.

— Mais tu as parlé de ton cœur. De cette souffrance qui ressemblait tellement à la mienne ! Si ce n'était pas à Mathieu que tu pensais, alors qui…

Elle se tut, et Sophie ne parvint pas à soutenir son regard.

— Oh, non…

Les larmes gagnèrent Sophie, qui détourna la tête. Elle savait ce que Louise allait lui dire. Elle l'avait mise en garde, pourtant.

— Je t'aime.

Louise la serra très fort contre elle. Sa déclaration surprit tellement Sophie qu'elle en resta les bras ballants. Jamais encore, Louise ne lui avait dit ces mots. Au lieu de la repousser, de lui reprocher sa stupidité, elle l'acceptait. Elle l'acceptait et l'aimait…

La jeune femme l'enlaça à son tour. Elles se tinrent ainsi longtemps, l'une contre l'autre, incapables de calmer leur douleur, mais heureuses de ne pas être seules. Toutefois, Sophie ne pouvait pas laisser ainsi sa sœur. Louise pouvait encore accéder au bonheur.

— Dis-lui la vérité. Avoue-lui tes sentiments, l'encouragea-t-elle en lui caressant les cheveux.

— Je crains que ce ne soit trop tard (le regard de Louise foula le sol), ce n'est pas moi qui lui ai demandé de t'épouser. Il l'a décidé de lui-même. Je crains… que son opinion envers moi n'ait changé.

Après tout, je lui ai menti, et je l'ai également manipulé. Comment une relation saine pourrait naître après tant de mensonges ?

— Si tu ne lui en parles pas, tu te poseras toujours la question. Crois-moi (malgré ses efforts pour ne pas penser à lui, le visage d'Antoine revenait, comme inscrit au fer chaud, sur ses rétines), il vaut mieux dire ce qu'on a sur le cœur, plutôt que de laisser les regrets nous envahir.

Ces mots prirent une étrange résonance entre ses lèvres.

— Quand es-tu devenue si sage ? se moqua Louise en reniflant bruyamment.

Sophie replaça une mèche de cheveux brune derrière l'oreille de son aînée.

— J'essaie de m'inspirer de ma grande sœur.

Les deux jeunes femmes se sourirent, et Louise ouvrit soudain grand les yeux.

— Sophie, pardon, j'ai oublié... Mère souhaite te parler. J'ignore pourquoi... mais cela avait l'air important.

53

La conversation avec Louise avait laissé un sentiment doux-amer à Sophie. Elle aurait voulu tout lui avouer : sa nuit avec Carnac, ses sentiments qui l'étouffaient… Mais mettre des mots sur sa souffrance lui semblait encore impossible. Le temps viendrait apaiser sa douleur. Du moins, elle l'espérait.

Sophie se débarbouilla pour dissimuler ses larmes. Ses yeux étaient encore rouges, mais sa mère l'attribuerait à la fatigue. Ses vêtements d'homme glissèrent sur sa peau. Elle enfila une longue chemise, puis des vêtements de femme, les plus simples qu'elle trouva. Se débarrasser de la peau d'Étienne l'aiderait peut-être à apaiser ses tourments. Même si, au fond, elle en doutait fort.

Une fois au rez-de-chaussée, Sophie s'étonna de ne pas trouver la baronne. Celle-ci avait-elle renoncé à lui parler ?

— *Maman est encore aux cuisines*, signa Héloïse quand elle l'interrogea. *Je crois que Louise essaie de limiter les dégâts…*

Le petit sourire fripon de sa cadette lui fit chaud au cœur.

— *Sophie… Tu sais que tu peux compter sur moi, n'est-ce pas ?*

La jeune femme acquiesça et lui embrassa la joue. Oui, elle le savait. Toutefois, Héloïse possédait encore cette douce naïveté que Sophie lui enviait. Pour rien au monde elle ne voulait la voir s'envoler.

— *Tout va bien,* lui répondit-elle. *Continue à veiller sur Pilou et Nanou pour moi, s'il te plaît.*

Elle descendit l'escalier qui menait aux cuisines. Les voix de sa mère et de sa sœur lui parvinrent.

— Pourquoi veux-tu tout étiqueter ? ronchonna la baronne. Je sais différencier les ingrédients.

— C'est pour faciliter le travail de nos futures domestiques, ma chère maman.

Sophie sourit. Louise maniait l'art du mensonge avec brio. Pas qu'elle le cautionnât, mais si cela pouvait leur éviter d'être empoisonnés…

— Je suis là, mère.

— Ah, Sophie !

Madame de Kerdelec lui offrit une expression enjouée. De la farine recouvrait son tablier et sa joue droite.

— Je vous laisse, annonça Louise en s'éclipsant.

Son aînée lui offrit un sourire d'encouragement, puis ses chaussures claquèrent dans le petit escalier en pierre.

— Et voilà…

La baronne de Kerdelec engouffra un plat rond dans le four déjà chaud.

— Asseyez-vous, ma fille. J'aimerais vous parler.

Sophie s'exécuta. La simplicité des lieux contrastait avec la sophistication de sa mère. La cuisine, une pièce tout en bois, ne possédait aucune ornementation ou décoration, alors que la baronne de Kerdelec arborait une belle parure saumon et des pierres trop grosses pour ses lobes d'oreilles. Malgré cette constatation, Sophie observait sa mère avec beaucoup plus d'indulgence qu'auparavant.

La baronne s'assit en face d'elle. Une théière fumante et deux tasses propres reposaient sur la table, avec des petits biscuits… qui avaient l'air aussi durs que des cailloux.

— Vous êtes très en beauté, aujourd'hui, bredouilla Henriette de Kerdelec. Enfin, vous l'étiez aussi dans les vêtements de votre frère. Je ne dis pas… ô, misère !

Les épaules de madame de Kerdelec s'affaissèrent. Discuter avec sa cadette semblait représenter un véritable défi à surmonter. Sophie le comprenait… Jamais, dans ses souvenirs, elles n'étaient parvenues à avoir une véritable conversation.

— Vous pouvez parler sans détour, l'encouragea Sophie. Quoi que vous ayez à me dire, sachez juste que je ne regrette pas mes actions. Et je suis prête à en accepter les consé…

Les mains de sa mère se posèrent sur les siennes, l'empêchant de continuer.

— Je ne me suis pas bien comportée avec toi. J'en ai honte… et je t'en demande pardon.

Sophie cilla, incapable de répondre. Le soudain tutoiement avait instauré une proximité à laquelle elle ne s'attendait pas. Son pouls s'était affolé. La politesse aurait dû lui faire nier cette allégation, néanmoins elle n'en éprouvait pas la force. Surtout… qu'il s'agissait de la vérité.

— Voici ce qui m'a toujours tant déplu chez toi, ajouta la baronne sans pour autant lâcher ses mains. Tu as toujours été franche. Tes actions et ton comportement ne plaisaient pas aux autres ? Tant pis, ils n'avaient qu'à faire avec !

Sophie ne pouvait lui donner tort sur ce point.

— Tu as toujours été une petite fille intrépide et insolente. Souvent, je me suis dit que le Seigneur avait mis ton âme dans le mauvais corps à ta naissance. Tu aurais dû naître homme, et Étienne, femme. Mais pour tout avouer, cela n'aurait peut-être rien changé…

Sa mère serra ses doigts, et ne parvint plus à la regarder dans les yeux.

— Mon mariage avec ton père n'était pas un mariage d'amour. C'était une alliance, conseillée par ta grand-tante. Ton père voulait fonder une famille et, en tant que cadette, je ne pouvais pas espérer grand-chose… Avec lui, je conservais un titre et un domaine, mais j'ai vite déchanté. La vie à la campagne ne m'a jamais plu. Je m'ennuyais.

Sophie se mordit la lèvre. Elle n'était pas sûre de vouloir connaître les détails de la relation de ses parents. Néanmoins, la curiosité battait en elle. Sa mère poursuivit, comme plongée dans ses souvenirs :

— Charles souhaitait une grande famille et j'ai tout fait pour la lui offrir. Cela m'en a coûté. La grossesse de ton frère et de toi n'a pas été facile, encore moins l'accouchement. Je crois… que je vous en voulais, à vous, mes bébés, de toute la souffrance et la frustration que je vivais. J'ai alors pris la résolution de mettre un terme à ces grossesses. Du moins, j'ai presque réussi…

— Héloïse et Pilou…

Sa mère acquiesça. Elle n'avait pas besoin d'en dire plus. Héloïse et Pilou devaient constituer des « accidents de parcours ». Voilà pourquoi leur mère s'était autant détournée d'eux… Elle ne les avait jamais voulus. La tristesse emplit Sophie, confirmant ce dont elle se doutait depuis déjà bien des années.

— Pardon, Sophie. Je ne cherche pas à blâmer ton père ni à te faire souffrir. Je veux juste… que tu comprennes que les choses sont parfois plus compliquées qu'elles n'en ont l'air. Quoi qu'il en soit, sache qu'avec le temps, j'ai aimé ton père. Il a beaucoup de défauts, mais il reste un homme bon. Et il vous a toujours aimés. Même si rien ne peut se comparer à la douleur d'une mère, il a beaucoup souffert de la mort d'Henri et de Catherine. Peut-être est-ce à partir de là qu'il a tant changé…

La baronne soupira, et Sophie n'avait plus qu'une envie, s'enfuir. Tous ces propos ravivaient la blessure d'enfant en elle. Le sentiment de n'avoir jamais été aimée par sa mère, d'avoir été délaissée par son père… Henriette de Kerdelec poursuivit, d'une voix tremblotante :

— Tu es tout l'opposé de moi, Sophie. Et j'en suis fière.

La jeune femme releva le menton, stupéfaite. Sa mère la contemplait avec une tendresse qui lui serra le ventre.

— Tu es devenue quelqu'un de bien. Ce que tu as fait… jamais je n'aurais eu cette force. Tu ne la tiens pas de moi. À vrai dire, je t'admire beaucoup.

Elle reprit ses mains entre les siennes et lui sourit.

— Continue à être celle que tu es. Ne te laisse pas piétiner. Sois insolente, mords la vie à pleines dents ! N'aie aucun regret et sois heureuse, qu'importent les qu'en-dira-t-on.

Le cœur gros d'émotions, Sophie ne parvenait pas à parler. Sa mère… Même si tant de choses les séparaient, sa mère l'aimait. Elle l'aimait peut-être mal, mais elle l'aimait. Et, Sophie en prenait seulement conscience maintenant… Elle aussi aimait la baronne.

— Pardon, mère, de vous avoir mené la vie dure…

— Je crois que c'était un juste retour des choses.

La baronne lui tapota la main, avant d'inspirer profondément :

— Pardonne-moi encore une fois mes indiscrétions, mais j'ai entendu une partie de ta conversation avec Louise, dans le petit salon. J'ai compris que monsieur de Chevigné avait demandé ta main. Sache que je te soutiendrai, quelles que soient tes décisions. Vis-à-vis du vicomte, vis-à-vis de mademoiselle Lambert…

Sophie battit des cils. Vis-à-vis de mademoiselle Lambert ? Le visage de la baronne s'assombrit.

— Beaucoup de choses m'échappent. J'ignore où se trouve ton frère. Si seulement il va bien, et je ne te demande pas de le trahir. Néanmoins, tu nous as sauvés, Sophie. Et tu mérites la vie dont tu rêves. Si tu veux rester un homme, je te soutiendrai.

— Mais l'imposture…

— Notre tante ne révélera rien. (Les yeux de la baronne brillèrent.) Le scandale que cela déclencherait l'éclabousserait et elle ne le supporterait pas. Plus encore que sa soif de pouvoir, sa soif des apparences l'en empêchera. Crois-moi. Quant à mademoiselle Lambert… Je ne la connais pas assez bien, mais elle est une femme. Ce sera sa parole contre la tienne. Toutefois, j'aimerais que tu songes sérieusement à sa proposition.

Sophie faillit s'étrangler, mais sa mère ne lui laissa pas le temps d'objecter :

— Les femmes en ce monde n'ont pas souvent le choix. Ici, il t'est offert, ma chère fille. Réfléchis bien. Si tu veux cette vie d'homme, elle est à toi.

— Étienne…

— Étienne ne voudra jamais épouser mademoiselle Lambert. J'aurais dû arrêter cette mascarade au bal.

De plus, malgré toute l'affection que nous lui portons, nous savons qu'il n'a pas les épaules pour gérer cette famille. Alors que toi, ma fille, tu as la force de mille hommes.

— Mère, soupira Sophie, le cœur battant.

Henriette de Kerdelec l'empêchait de finir ses phrases, comme si elle redoutait de n'avoir plus ensuite la force de parler.

— Réfléchis. Je voulais juste que tu connaisses toutes tes options. Tu le mérites, et ta famille te soutiendra, quoi qu'il advienne.

La baronne se redressa et servit une tasse de thé bouillante.

— De la même façon, je te laisse décider pour ceci.

Elle poussa la coupelle et son thé fumant devant Sophie et baissa la voix tout en faisant le tour de la table.

— Ce breuvage te provoquera de vives douleurs, mais t'empêchera d'enfanter.

Les doigts de Sophie s'enfoncèrent dans les tissus de sa jupe.

— Non, ne réponds rien, lui sourit tristement son interlocutrice, désormais à côté d'elle. Je ne veux pas savoir si tu en as besoin ou non. Je te l'ai dit, pour une fois, laisse-moi être ta mère. Et quoi que tu aies fait, quoi que tu fasses, je continuerai à être fière de toi.

La baronne se pencha et embrassa ses cheveux, avant de rejoindre l'escalier. Ébranlée, Sophie fixa la coupelle face à elle. Les odeurs de plantes agressaient ses narines. Ses yeux s'embuèrent tandis qu'elle entendait les marches craquer sous les pas de sa mère. Sa mère… qui l'acceptait enfin pour ce qu'elle était. Et cette révélation lui provoqua une joie que rien ne pourrait jamais balayer.

54

Deux jours passèrent dans l'hôtel des Kerdelec. Deux jours durant lesquels Sophie put juste être Sophie. Elle ne sortit pas et se contenta de profiter de la présence de sa famille. Monsieur Delville gérait d'une main de maître la reprise de l'héritage. L'ombre de tante Rosaline, et aussi celle des Lambert, planait au-dessus de leurs têtes, mais Sophie avait besoin de temps. Elle savait que celui-ci lui manquerait tôt ou tard, qu'elle devrait prendre une décision, mais tant qu'elle le pouvait, elle voulait ignorer les menaces et vivre dans l'insouciance.

Les filles de Jeannette les avaient rejoints, et la baronne abandonna avec soulagement les fourneaux pour se consacrer exclusivement aux soins du baron. Ils ne recevaient personne et personne ne leur rendait visite, sans doute pour les laisser s'installer. Cette période de latence ne durerait pas. En attendant, Sophie savourait les rires d'Héloïse, de Pilou et de Nanou… et les sourires timides de Louise, qui osait enfin se détendre parmi eux. Même leur mère partagea une partie de cache-cache, au grand dam de Gustave qui replaçait les meubles et les tentures derrière eux.

Louise et Sophie ne reparlèrent pas de leur peine de cœur, mais éprouver le même sentiment les rapprochait. Le vicomte ne donnait pas signe de vie, tout comme le comte… Et elles s'étaient toutes les deux fait une raison. L'étrange sentiment qui avait bercé Sophie durant leur conversation avait mûri. Désormais loin de Saint-Malo et de la source de ses souffrances, elle comprenait mieux certaines choses.

Contre toute attente, elle ne regrettait pas la nuit passée avec Carnac. Il s'était agi d'un instant hors du temps, qu'elle avait aimé. C'était son choix, et elle ne pouvait le lui reprocher. Elle avait connu un puissant sentiment de bonheur et de félicité qu'elle chérirait longtemps. Un sentiment, elle le savait, que très peu de femmes connaîtraient dans leur vie, enchaînées à un mari qu'on choisissait pour elles.

Si Carnac décidait de réapparaître, il pouvait certes la ruiner en révélant cette nuit passée ensemble. Mais tout autant qu'elle le détestait, Sophie voulait croire qu'il y avait du bon en lui, de cette même bonté qui l'avait poussé à protéger l'enfant de Charlotte. Cette bonté qui avait fait naître chez elle des sentiments. Plus elle y pensait, plus elle était persuadée qu'Antoine ne s'était pas entièrement moqué d'elle. Non, elle ne regrettait pas. En revanche, jamais, ô grand jamais, elle ne voulait le revoir. Elle voulait conserver les beaux souvenirs comme des chimères et empêcher sa haine de les flétrir. Or, si elle le revoyait, elle savait que son ressentiment la pousserait à le blesser comme elle se sentait blessée depuis ce terrible instant où elle avait découvert sa tromperie.

De toute façon, pourquoi songeait-elle à tout cela, alors que leurs chemins ne se croiseraient plus jamais ?

— Sophie ! s'exclama Pilou, la tirant de ses pensées. Tu as vu Cannelle ? Il s'est encore enfui !

— Il me semble avoir entendu Marie dire qu'il y aurait du lapin pour le souper.

Les yeux de son petit frère s'élargirent puis il lui tira la langue.

— T'es pas drôle ! Vraiment pas drôle !

Sophie lui chatouilla les côtes.

— Et toi, tu ferais mieux de surveiller ton lapinou. Il pourrait tomber sur un reste de biscuit de mère et faire une indigestion !

— Oh, tu as raison ! Il pourrait s'empoisonner !

Pilou disparut vite de la bibliothèque, sous le rire de Sophie. Ah, son frère était si adorable ! Elle se tourna vers sa petite sœur, assise, ses pieds nus ramenés contre elle dans un des fauteuils. Sophie déposa avec délicatesse le troisième traité de physique qu'elle avait déniché dans la bibliothèque des Épiniac. Depuis leur installation, Héloïse dévorait les ouvrages, avec une préférence pour les sciences et les pièces de théâtre, soit deux sujets qui n'auraient pas dû convenir à son sexe. Raison de plus pour l'encourager dans son étude.

— *Les pommes sont vraiment fascinantes,* signa Héloïse, jetant des coups d'œil vers Nanou.

Leur grand-mère mangeait encore un fruit, séché cette fois-ci. Elle avait passé ces derniers jours à dévorer et à trôner sur son pot d'aisance. Malgré les coliques, leur grand-mère ne cessait de se faire plaisir et, après sa grève de la faim, personne n'osait l'en empêcher.

— Sophie ! s'exclama soudain une voix alarmée.

Louise déboula tel un courant d'air. Elle, d'habitude si retenue, semblait sous le choc.

— Que se passe-t-il ? s'affola aussitôt Sophie.

Héloïse referma son livre et s'empressa d'enfiler ses chaussons.

— Quelqu'un te demande.

Ses traits tirés ajoutèrent de l'inquiétude à la jeune femme. Louise ne savait visiblement pas comment lui annoncer la chose.

— De grâce, parle !

— Le comte de Carnac. Le comte de Carnac veut s'entretenir avec toi, Sophie.

Un seau d'eau glacée sembla se renverser sur sa tête. Antoine ? Antoine était rentré de Saint-Malo et voulait lui parler ? Son traître de cœur se mit à battre la chamade. Une boule obstrua sa gorge et elle secoua la tête.

— Je n'ai rien à lui dire. Dis-lui de s'en aller et de ne jamais revenir.

— Sophie !

Sa sœur lui attrapa le bras alors qu'elle retournait vers la bibliothèque.

— Je crois vraiment que tu devrais venir. Le mieux… c'est que tu le voies par toi-même.

Qu'elle le voie par elle-même ? Sophie ne comprenait rien à rien. En revanche, elle savait qu'elle ne voulait, qu'elle ne *pouvait* pas voir Antoine.

— Viens. Je resterai avec toi si tu le désires, mais viens s'il te plaît !

Louise lui prit la main et l'entraîna, chamboulée. Sophie eut juste le temps de voir le visage soucieux d'Héloïse qui les regardait s'éloigner.

La peur l'étreignait, mais aussi… un insidieux espoir qu'elle se détesta de ressentir.

*

Les voix d'un homme et d'une femme lui parvenaient du salon. Leur mère occupait sans doute Carnac le temps qu'elle arrive, et Sophie passa une main maladroite dans ses cheveux, avant de rire de sa bêtise. Qu'importe sa mise. Elle allait se débarrasser de Carnac au plus vite. Elle repensa à sa trahison, à ses odieux mensonges… et remplit son cœur de toute la haine dont elle était capable.

Louise poussa la porte et Sophie dut cligner des yeux à plusieurs reprises pour s'habituer à la différence de luminosité. Les fenêtres de la bibliothèque ne laissaient pas passer autant de lumière que dans le salon, la silhouette du comte se découpait à contre-jour.

— Monsieur le comte, je vous présente ma fille cadette, mademoiselle Sophie de Kerdelec.

L'intéressée fronça les sourcils. À quoi sa mère s'amusait-elle ? Il était hors de question qu'elle joue à la demoiselle courtoise avec Antoine. Et si celui-ci avait commencé ainsi la discussion, c'était sans doute pour mieux se moquer de la baronne…

Elle ouvrit la bouche, prête à lui asséner ses quatre vérités, lorsque le jeune homme s'inclina respectueusement. Dans son mouvement, ses traits émergèrent de l'obscurité. Ses cheveux étaient noirs, mais ses yeux, bien que bruns, ne ressemblaient pas à l'écorce humide des arbres un jour de pluie. Il s'agissait d'un brun plus clair, comme le caramel.

L'homme face à elle partageait une ressemblance avec Antoine, mais ce n'était pas lui.

— Sophie, voici le comte de Carnac.

Le comte de Carnac ? Sophie tombait complètement des nues. Qu'est-ce que cela signifiait ? Le comte de Carnac n'était pas cet individu !

— Je vous en prie, appelez-moi François.

Stupéfaite, Sophie demeurait debout, incapable de prononcer le moindre son.

L'homme plongea sur elle un regard plein de détermination qui lui rappelait de bien des façons celui d'Antoine.

— Mademoiselle… Je pense que vous et moi avons beaucoup à nous dire. Si votre mère le permet, j'aimerais m'entretenir seul à seule avec vous. Il est temps que vous sachiez la vérité.

« La vérité ». Ce mot lui donna des frissons. Si cet homme en face d'elle était le comte de Carnac… alors… qui était Antoine ?

55

Les doigts de Louise se refermèrent un peu plus fort sur son bras, aidant Sophie à reprendre prise avec la réalité. Sa sœur aînée et sa mère la fixaient, et Sophie sut, à cet instant, qu'elles la défendraient, même si elle décidait de renvoyer cet inconnu.

— Je vais m'entretenir seule avec monsieur de… (elle buta sur le mot) Carnac.

Ce nom, même s'il ne désignait pas Antoine, lui brûlait la langue.

La baronne se leva du canapé et décréta :

— Monsieur le comte, vous avez dix minutes.

— Je vous remercie, madame la baronne.

Il s'inclina bien poliment. Louise, hésitante, ne parvenait pas à se détacher de Sophie. Celle-ci lui tapota la main. À contrecœur, sa sœur sortit à la suite de leur mère, fermant la porte derrière elles.

— Veuillez me pardonner une telle effronterie alors que nous nous rencontrons à peine, commença François de Carnac. Néanmoins, les circonstances sont trop graves pour que j'en fasse fi. De plus, vous êtes personnellement concernée.

— Monsieur, articula difficilement Sophie, le cœur battant. Vous n'avez que dix minutes, pourriez-vous en venir aux faits ?

— Peut-être serait-il préférable de vous asseoir.

Il lui indiqua le canapé en face de son propre fauteuil.

La jeune femme soupira, et accéda à sa requête. Si seulement cela pouvait l'aider à enfin cracher le morceau !

— Je sais qu'Antoine vous a courtisée, lâcha-t-il à peine eut-elle posé ses fesses sur le coussin, et au nom de ma famille, je viens vous présenter nos excuses. Je l'aurais fait bien avant si j'avais su… Mais je n'ai appris qu'il y a peu qu'une autre famille venait d'obtenir l'héritage de monsieur d'Épiniac. Le bougre, il a vraiment bien joué !

Sophie se crispa. Alors, il connaissait Antoine…

— Vous n'étiez pas en mesure de le savoir, et j'ignore quels espoirs il a osé entretenir. Mais Antoine n'est pas le comte de Carnac, ponctua-t-il sur un ton plus dur. Mon cadet a toujours cherché à ridiculiser notre lignée par un libertinage de pensées et de mœurs, et voilà que, lorsque nous étions prêts à lui offrir une chance de rédemption, il nous a poignardés dans le dos ! Je l'avais bien envoyé ici, à Rennes, pour régler cette affaire d'héritage. Il avait l'argent et les papiers pour agir en mon nom, mais jamais je n'aurais pensé qu'il aurait eu l'outrecuidance de se faire passer pour l'aîné. Je n'aurais jamais dû croire en son repentir…

Sophie fixait le sol, ses ongles s'enfonçant dans ses paumes au fur et à mesure des révélations. Elle écoutait attentivement le discours de François de Carnac.

— J'ignore ce qu'il vous a dit, ce qu'il a pu vous promettre. Soyez seulement sûre d'une chose. S'il a tant différé le fait de réclamer l'héritage, c'était pour me provoquer, pour me nuire. Mon frère me déteste depuis toujours. Et je suis désolé que vous ayez pâti de nos querelles.

Le comte de Carnac – le vrai – cessa de parler. Il avait ravivé la blessure dans le cœur de Sophie. Ses yeux s'embrumaient et elle serrait les poings à s'en meurtrir les chairs. Désormais, tout s'expliquait.

Elle soupira, un grand sentiment de vide l'envahissait. Qu'est-ce qui avait mené Antoine à une telle extrémité ? Lui, si fidèle envers Kaerell, envers madame de La Pommeraye et Jean-Pierre…

— Pourquoi ? murmura-t-elle alors. À part votre colère, qu'avait-il à y gagner ?

Elle releva la tête. Même si les larmes voilaient son regard, elle voulait voir François de Carnac lui répondre. Celui-ci eut un instant l'air déstabilisé, puis souffla :

— Permettez-moi de vous poser une question d'abord : vous a-t-il demandé votre main ?

Les lèvres de Sophie tremblèrent et François de Carnac ricana avant de se frotter le visage.

— Il l'a fait ! Oh, l'impudent ! Si je ne lui en voulais pas tellement, j'admirerais son habileté !

— Son habileté ? répéta difficilement Sophie.

— Oui (le comte se mordit la lèvre), mademoiselle de Kerdelec, je vais être franc avec vous. Ma famille convoite depuis longtemps une possession bien particulière des Épiniac. Une possession maritime, pour être exact. Seule, elle ne vaut pas grand-chose. Cependant, si nous la possédions, elle nous ouvrirait des routes commerciales qui accentueraient encore notre fortune. Antoine le savait pertinemment. Et… je le sais assez fin stratège pour avoir échafaudé un plan qui lui permettrait de mettre la main dessus.

Sophie le dévisagea, retenant son souffle. Elle craignait ce qui allait suivre.

— Oui, mademoiselle. Je le soupçonne d'avoir fait en sorte que votre famille obtienne l'héritage, pour ensuite vous épouser et réclamer en dot cette possession maritime. Ainsi, il aurait eu les pleins pouvoirs pour nous nuire sur la mer. Détruire ma réputation ne lui suffisait pas, il voulait me ruiner.

Le cœur de la jeune femme partait en lambeaux. Alors, tout ce qu'Antoine et elle avaient partagé… Même ça, c'était faux ? Elle avait l'impression que les griffes d'un piège se refermaient sur elle. Le peu qu'elle chérissait des moments passés se flétrissait. La trahison d'Antoine lui semblait encore plus odieuse.

— Pourquoi, pourquoi me dire tout ça ?

François de Carnac pouvait dire toutes les horreurs qu'il souhaitait sur Antoine. Son discours était bien trop cohérent avec ce qu'elle avait vécu pour pouvoir, hélas, le remettre en cause. Néanmoins, jamais un gentilhomme ne se serait abaissé à annoncer les choses d'une telle façon.

Une lueur de surprise brilla dans les yeux du comte.

— Car vous méritez de savoir la vérité.

— Mais encore ?

Si ces derniers mois lui avaient appris quelque chose, c'était bien que peu de gens en ce monde agissaient par pure philanthropie.

— N'essayez pas de prétendre que vous venez par repentir, que vous êtes désolé des dégâts collatéraux causés par vos querelles intestines.

— Fascinant, murmura-t-il alors, la déstabilisant. Je comprends mieux pourquoi Antoine a jeté son dévolu sur vous, et non sur une de vos sœurs.

Sophie fronça les sourcils. À quoi jouait-il ? Le jeune homme meurtri et désolé avait disparu. À la place, elle eut l'impression de se retrouver face à une bête féroce, une bête ayant soif de revanche.

— Vous n'êtes pas comme la plupart de ces demoiselles. Je vois autre chose en vous, ajouta-t-il. Quelque chose qui fait écho à mes propres sentiments. Vengez-vous de lui, mademoiselle de Kerdelec. Inversez les rôles, et soyez la grande gagnante dans cette histoire.

L'appréhension la gagna. François de Carnac parlait avec une telle passion ! C'en était presque effrayant.

— Épousez-moi, mademoiselle de Kerdelec. Je vous offre mes biens ainsi que le titre de comtesse. Accordez-moi la possession maritime en dot, comme l'avait planifié Antoine pour lui. Le reste de l'héritage m'importe peu. Épousez-moi, mademoiselle. Et ensemble, forçons Antoine à se mettre à genoux. Forçons-le… à regretter de s'être joué de nous.

56

François de Carnac avait parlé avec tant d'emphase qu'il avait quitté son fauteuil pour s'agenouiller en face de Sophie. Ses propos ravivaient quelque chose de puissant. Un goût de revanche emplissait la bouche de la jeune femme. Elle détenait là un moyen de faire regretter à Antoine ses actes, de lui montrer qu'il avait eu tort de la trahir.

Et pourtant…

Pourtant, ce n'était pas elle. Sophie n'était pas comme ça. Aussi tentante que lui semblait la possibilité de se venger, elle refusait que le poison de la haine flétrisse le peu de bonté qui lui restait.

Tout ce qu'elle voulait, c'était oublier Antoine. Alimenter une spirale infernale de douleur et de rancune ne l'aiderait pas à trouver le bonheur.

— Non.

Sa réponse sortit, plus tranchante qu'elle ne le voulut. Au lieu de blesser le comte de Carnac, elle lui arracha un sourire.

— Prenez le temps d'y réfléchir.

— Non, répéta-t-elle, la gorge sèche. Votre frère (prononcer son nom était toujours au-dessus de ses forces) m'a peut-être manipulée, mais vous agissez de la même manière. Votre ressentiment vous aveugle, monsieur. Notre union vous accordera peut-être une satisfaction au début, mais rien de bon ne pourra en naître.

François de Carnac se leva tel un ressort. Ses yeux brillaient de menace.

— Je pourrais aussi faire cette proposition à une de vos sœurs…

— Faites donc, le provoqua Sophie en haussant le menton.

Il secoua la tête, puis se figea.

— Non, ne me dites pas que vous l'aimez ? Que vous l'aimez malgré toutes ses tromperies ?

— Mes sentiments ne regardent que moi, siffla Sophie.

Le sourire de François de Carnac devint carnassier.

— Je retire ce que j'ai dit. En définitive, vous ne vous distinguez pas des autres jeunes femmes. Vous ne m'inspirez désormais que de la pitié, mademoiselle.

— Ce que je vous inspire est bien le cadet de mes soucis. Sortez, monsieur.

— Vous…

Il se rapprocha de manière virulente lorsque soudain la porte s'ouvrit.

— Les dix minutes sont écoulées ! s'exclama la baronne de Kerdelec.

Le comte s'était immobilisé. Néanmoins, les deux jeunes gens s'affrontaient toujours du regard.

— Ma proposition vaut jusqu'à demain, midi.

Il s'écarta, et, arrivé au niveau de la baronne et de Louise, ponctua d'un ton dur :

— Raisonnez votre fille, madame. Croyez-moi, vous ne voulez pas m'avoir comme ennemi.

57

— Trois propositions de mariage, si on compte mademoiselle Lambert, ricana Louise en se laissant aller contre le dossier de son fauteuil. Si tante Rosaline savait ça… Elle tirerait une drôle de tête !

Les demandes s'élevaient en réalité à quatre si on comptait celle d'Antoine… La douleur palpita dans le corps de Sophie en repensant à lui. Son hypocrisie la faisait tomber des nues. Néanmoins, elle devait reconnaître la finesse de son jeu : repousser la contestation de l'héritage pour que Sophie éprouve de la reconnaissance, profiter du fait qu'il la savait déguisée en homme pour se rapprocher d'elle et susciter des sentiments… Et dire que son sombre dessein aurait fonctionné si elle n'avait pas découvert l'acte dans son manteau !

— Je ne veux pas vous influencer, mais devenir comtesse est une proposition qu'on voit peu souvent dans une vie…

— Mère ! objecta Louise, en posant une main sur l'épaule de Sophie.

Chassez le naturel, et il revient au galop. La jeune femme sourit. Elle n'en voulait pas à leur mère. Toute sa vie, elle n'avait vécu que pour des intrigues maritales. La baronne se rattrapa :

— Mais, bien sûr, un titre ne garantit pas le bonheur.

— Et nous avons assez d'argent pour établir à chacune une dot considérable, ponctua Louise. C'est fini de tenter de nous vendre à un beau parti. Désormais, ce sont eux qui devront…

— Louise, s'il te plaît…

Son aînée parlait avec une ardeur nouvelle. Sophie ne la reconnaissait pas. Durant combien de temps avait-elle dû ravaler sa frustration ? Elle avait été présentée à la société bien avant Sophie. Ces quelques mois lui étaient déjà insupportables, alors… elle n'osait même pas imaginer le calvaire de Louise.

— Je ne compte accepter aucune proposition de mariage, leur expliqua Sophie. Ma priorité est d'en informer monsieur Lambert. J'en profiterai pour le rembourser des dettes de père, et des miennes.

— Des tiennes ? s'étonna sa mère.

— Oui, il a donné de l'argent à Étienne pour qu'il puisse offrir des cadeaux à sa fille.

Le visage de la baronne devint cramoisi.

— Comme c'est indécent !

— Oui, avoua Louise, avec une moue gênée. Sophie, je suis désolée, mais la somme…

La jeune femme soupira. Alors, si elle n'avait pas trouvé les liquidités de monsieur Lambert dans ses effets, ce n'était pas à cause de leur tante.

— Ce n'est rien. Tu as agi comme il le fallait. Et j'ai tout l'argent qu'il faut.

La baronne les observait sans comprendre.

— Je vous expliquerai, maman, annonça Louise. Sophie, tu es bien sûre de toi ? Nous allons nous faire un ennemi de monsieur Lambert.

— Je sais.

Le regard sombre, Sophie se leva de son siège.

— Comme je te l'ai dit, il est temps de cesser de jouer avec les sentiments et les espoirs. Même si Étienne revenait, il n'épouserait pas Constance.

Oui, car Étienne était amoureux d'une autre femme. Il ne reviendrait pas de sitôt, et se laisserait bercer par le doux bonheur d'être aimé en retour. Sophie ne lui en voulait pas. Au contraire, elle l'enviait.

— Mère, êtes-vous d'accord ?

Celle-ci acquiesça.

— Quand avez-vous tellement grandi ?

La baronne toucha la joue de chacune de ses filles et sourit.

*

Trouver monsieur Lambert ne fut pas bien compliqué. Sophie, redevenue Étienne, pénétra dans sa banque. Dès son arrivée, les employés à l'accueil se redressèrent comme des piquets.

— Bonjour, monsieur.

S'ils s'inclinaient ainsi devant chaque visiteur, ils finiraient par se rompre le dos !

— Je suis Étienne de Kerdelec, je viens m'entretenir avec monsieur Lambert.

— Si vous voulez bien patienter…

Sophie obtempéra. L'horloge de la grande salle sonna onze heures, puis douze, sans que personne ne vînt à sa rencontre. Était-ce la façon de monsieur Lambert de lui faire comprendre qu'il lui en voulait ?

— Ah, mon cher monsieur de Kerdelec !

La voix, profonde et grave, lui fit relever la tête. Monsieur Lambert, dans un beau costume neuf, une perruque sans doute également nouvelle, le hélait depuis la porte de son bureau ouverte. Personne n'en sortit, mais tous les employés avaient cessé leur travail et avaient tourné la tête vers lui.

Sophie se releva et défroissa d'un geste sûr ses vêtements, avant de se déplacer avec une nonchalance et une décontraction qui l'étonnèrent elle-même. Pire, elle en eut un pincement au cœur : elle savait très bien qui elle imitait à cet instant.

Monsieur Lambert claqua presque la porte derrière elle, avant de faire de grands pas jusqu'à son bureau.

— Vous n'imaginez pas ma surprise lorsque, à mon retour de Paris, j'ai appris que vous étiez parti pour Saint-Malo.

Bien, il ouvrait déjà les hostilités. Elle gagna un fauteuil et s'assit.

— Je devais réclamer l'héritage de ma famille en toute urgence.

— Et ? Avez-vous *enfin* obtenu satisfaction ? questionna monsieur Lambert.

— Voyez plutôt par vous-même.

Sophie déposa l'argent qu'elle avait préparé face au banquier.

— Vous pouvez vérifier. Le compte est juste et j'y ai même ajouté des intérêts.

— Vous vous jouez de moi, Kerdelec ?

Monsieur Lambert frappa ses poings sur la table d'un air menaçant.

— Non, je vous rembourse, rétorqua Sophie sans même sursauter.

Son sang-froid la sidérait. Après tout ce qu'elle avait vécu, il lui en fallait désormais beaucoup pour être intimidée.

— Je rachète mon honneur et celui de mon père.

— Vous pensez que l'argent fera de vous un meilleur homme, Kerdelec ? ricana Lambert sans aucune chaleur. Maintenant que vous êtes riche, vous dédaignez mon aide ? Avouez-le, vous n'attendiez que l'héritage pour donner votre réponse sur les fiançailles, n'est-ce pas ?

Sophie contracta les mâchoires. Elle n'aimait pas la tournure de la conversation. Dans la bouche de monsieur Lambert, l'hypocrite, c'était elle. Mais pourquoi se voiler la face ? Elle avait bien cherché à le manipuler, après tout.

— Votre fille mérite mieux, annonça-t-elle tout de bloc. Les présents qu'elle a reçus seront ainsi complètement de mon fait, et non du vôtre.

— Elle n'en a jamais rien su, contra-t-il avec un sourire sombre.

— Moi, je sais.

— Vos mésaventures ne vous ont pas rendu moins idiot, soupira le banquier avec un défaitisme exagéré. À moins que les hommes censés vous ramener aient frappé un peu trop fort sur votre tête ?

Le sang de Sophie se figea dans ses veines.

— Vous ne vous étiez vraiment pas douté que j'en étais à l'origine ?

Sophie avait pensé à tante Rosaline et à cet odieux monsieur de Rougemont, mais absolument pas à monsieur Lambert… Bon sang ! Elle retint un frisson. Antoine lui avait assuré que les hommes chargés de la battre étaient morts sur la plage. Se pouvait-il qu'un seul ait survécu ? Et ait rapporté son vrai sexe à monsieur Lambert ?

— Il ne s'agissait que d'un avertissement, Kerdelec, susurra son adversaire. Vous ne m'avez pas encore vu, quand je suis vraiment en colère…

Une alarme s'activa en Sophie. Sous ses mots mielleux, Lambert lui faisait comprendre tout ce qu'elle risquait…

« Croyez-moi, vous ne voulez pas vous faire de monsieur Lambert un ennemi », lui avait dit le notaire de son père, à la lecture du testament. Sophie avait cru qu'il parlait d'argent, mais, désormais, un sombre doute la saisissait. Jusqu'où monsieur Lambert avait-il tissé sa toile ? Et surtout… jusqu'où était-il prêt à aller pour que sa fille épouse Étienne ?

De grands coups résonnèrent à la porte.

— Qu'est-ce que c'est ? rugit monsieur Lambert.

— Monsieur, toutes mes excuses, déclara un employé. Le sieur Delacroix vient d'arriver et il exige de vous rencontrer.

— Delacroix ?

L'inquiétude et la contrariété dans la voix de Lambert octroyèrent le déclic nécessaire à Sophie pour reprendre ses esprits.

— Monsieur de Kerdelec, nous reviendrons à cette discussion plus tard.

Sophie ne moufta pas. Au contraire, elle était bien trop heureuse de fuir ce lieu maudit. Au moment de passer la porte, Lambert la retint par le bras.

— Ne quittez pas la ville si vous ne voulez pas que d'autres payent pour vous.

Sophie écarquilla les yeux.

— Les lois de la finance, mon cher Kerdelec. Quand un accord est conclu, aucun des associés ne peut l'annuler quand bon lui chante. Son engagement… se répercute sur sa famille.

Un sourire carnassier sur les lèvres, monsieur Lambert la poussa hors de son bureau.

*

Elle qui avait pensé que l'héritage arrangerait tout… Comme elle s'était fourvoyée ! Défaite, Sophie déambulait dans les rues, incapable de se résoudre à prendre le chemin vers l'hôtel. Elle ne se sentait pas la force d'annoncer les terribles nouvelles à sa famille. Et tout ça, car elle avait mal joué.

Encore.

Sophie n'était pas aussi habile que le comte de Carnac. Non, pas le « comte ». Elle ferma fort les paupières. Pas aussi habile qu'Antoine.

Si elle voulait protéger sa famille, il lui fallait une solution. Épouser Constance serait une farce, et Sophie ne pourrait éternellement garder son masque. Mathieu avait promis de veiller sur eux, mais il ne s'agissait pas de son combat. D'autant plus qu'il aimait Louise… Et puis, il restait François… François qui avait bien montré que le seul désir qui l'animait était sa soif de vengeance et son appât pour le gain.

— Ne serait-ce pas ce cher monsieur de Kerdelec ?

Avant même d'identifier la voix, Sophie réagit par réflexe : sa main se posa sur la garde de son épée et elle se retourna.

— Eh bien, quel accueil !

Monsieur de Rougemont, une cicatrice barrant son front jusqu'à son menton, la fixait tout sourire. À ses côtés, de profil, se tenait monsieur de Lalanville, apparemment remis de ses blessures.

— Messieurs, les salua-t-elle d'un ton raide.

— Toutes mes félicitations pour l'héritage de votre famille, ajouta monsieur de Rougemont.

Son sourire ne prenait pas avec Sophie. Elle n'avait pas oublié comment ces deux hommes avaient tenté d'abuser d'une jeune femme dans la rue ni l'échauffourée qui avait suivi. Ils n'étaient peut-être pas responsables de son agression à Saint-Malo, mais ils n'en demeuraient pas moins dangereux.

— Veuillez m'excuser, j'ai à faire.

Toujours prête à dégainer, Sophie les salua d'un geste de main sur son chapeau, et s'écarta.

— Mes salutations à vos sœurs ! Et à très bientôt, Étienne !

Les épaules de Sophie se crispèrent. Elle n'aimait pas du tout le fiel dans la voix de Rougemont. N'avait-elle pas assez de Lambert comme ça ? Les problèmes ne cesseraient-ils donc jamais ?

Enfin, le fronton de l'hôtel particulier des Épiniac, non, des Kerdelec – même si cela lui semblait totalement irréel, cet immeuble leur appartenait bien – se dessina. Le soulagement l'envahit. Elle allait pouvoir se poser et réfléchir.

La porte de sa demeure s'ouvrit soudain et un jeune homme aux cheveux roux en émergea. Leurs regards se croisèrent alors et un sourire franc se dessina sur le visage du visiteur.

— Étienne !

Son ancien compagnon franchit les quelques mètres qui les séparaient d'un pas sautillant, puis la gratifia d'une chaleureuse accolade.

— J'ai appris votre récent retour et je me désolais de vous avoir raté ! Mais vous voilà !

Sophie demeurait crispée comme un bout de bois. Kaerell… Sous les traits d'Étienne, elle avait tellement partagé avec lui. Ses goûts pour le théâtre, une rixe à l'épée… Elle se sentait si proche et si loin de lui à la fois. Car avant d'être son ami, Kaerell était celui d'Antoine.

Un doute l'étrilla soudain : savait-il pour son imposture ? Est-ce qu'Antoine la lui avait apprise ? Pire… Savait-il qu'il jouait avec elle depuis le début ?

Sophie, incapable de faire semblant plus longtemps, s'écarta pour instaurer de la distance entre eux.

— Kaerell, heureux de constater que vous allez bien.

Le jeune homme parut surpris, mais ne se formalisa pas.

— Mes excuses. J'en oublie les convenances, mais je vous assure que… (il baissa la voix, tel un conspirateur), que vous n'appartenez pas à mes goûts en matière d'homme.

Il lui décocha un clin d'œil et elle rougit, gênée.

— Non, c'est moi qui vous présente mes excuses. Je suis un peu… déboussolé depuis mon retour.

— L'or et les pierres précieuses ont rendu fou plus d'un homme, commenta Kaerell avec un geste théâtral. Vous venez de passer de « ruiné » à « riche comme un prince ». Si vous n'étiez pas déboussolé, je m'inquiéterais pour votre santé mentale !

Sophie ne put s'empêcher de sourire. L'entrain et la bonne humeur du jeune homme étaient contagieux.

— Ah, enfin !

Kaerell tapa dans ses mains, tout heureux de la voir enfin se dérider. Il ajouta :

— Est-ce qu'Antoine vous a informé quant à la date de son retour ? Je n'ai plus de nouvelles de lui depuis un moment. Je suis d'ailleurs étonné de ne pas le voir avec vous…

— Nos chemins se sont séparés après la réclamation de l'héritage, le coupa presque Sophie d'une voix tranchante. Je suppose que des affaires le retenaient à Saint-Malo.

Par tous les saints ! Pourquoi n'arrivait-elle pas à soutenir le regard de Kaerell ? Une main se posa d'un coup sur son épaule et son estomac se contracta.

Son compagnon ne souriait plus. Sophie eut la désagréable impression que l'auteur de théâtre l'analysait comme une de ses pièces.

— Je crois... que nous devons absolument parler.

Sophie déglutit. Sa gorge, trop sèche, lui donna l'impression d'avaler un poignard.

— Il y a des sujets que je ne souhaite pas aborder.

Cette fois, Sophie s'écarta pour gagner la porte.

— Allez-vous n'écouter que la version de quelqu'un qui le déteste ? Ne voulez-vous pas entendre toutes les versions, avant de le condamner ?

Le poing de Sophie se contracta alors qu'elle s'apprêtait à frapper au battant de la demeure. Son bras trembla, et elle sentit sa volonté l'abandonner.

— Si ce n'est pour lui, alors faites-le pour moi, ajouta Kaerell. Au nom de notre amitié.

Sophie soupira et capitula.

*

Si Kaerell n'avait pas paru aussi surpris de l'absence de Carnac, la jeune femme ne l'aurait jamais suivi. Elle aurait trop craint de tomber dans un guet-apens, et de se retrouver en face du comte. Non, pas du comte... Combien de temps faudrait-il à son esprit troublé pour accepter que tout ce qu'elle croyait connaître d'Antoine était faux ?

Le rouquin l'entraîna au sein d'une arrière-boutique abandonnée, dont la pièce principale, ornée de tringles et de rideaux, devait sans doute servir à sa prochaine représentation.

— Je vous en prie, installez-vous.

Il désigna le seul fauteuil disponible parmi les caisses et le bazar destinés aux décors et aux costumes. Sophie secoua la tête et préféra demeurer debout.

Des rayons de lumière passaient à travers les fenêtres mal calfeutrées, conférant une atmosphère sombre et intimiste qui la mettait mal à l'aise.

Kaerell se saisit de deux coupes en métal doré et y servit du vin avant de lui en tendre une.

— *Yec'hed Mat !*

Sophie tendit son verre dans sa direction, mais y trempa à peine les lèvres. Elle avait hâte de partir et ne restait que par déférence pour Kaerell. Celui-ci, au contraire, but une bonne rasade du liquide rouge avant de soupirer :

— J'ai comme l'impression que vous n'allez pas me faciliter la tâche… Qu'a encore fait Antoine pour que vous lui en vouliez à ce point ?

Sophie se noya dans la contemplation du contenu de son verre.

— Qu'a-t-il fait ? articula-t-elle avec difficulté. Cela serait plus rapide de dire ce qu'il n'a pas fait. Mais soit : me mentir, me faire croire à son soutien alors qu'il se moquait de moi. Depuis le début, seul l'héritage l'intéressait.

— Antoine ne s'est jamais intéressé à la richesse.

Sophie ricana d'un air mauvais et se tourna vers l'acteur.

— La richesse, peut-être pas. Mais nuire à son frère ? Faire en sorte qu'il n'obtienne jamais les comptoirs commerciaux qu'il convoite ? Cela ne ressemble-t-il pas à Antoine ?

Kaerell pâlit, ce qui accentua la douleur dans le cœur de Sophie. Alors, le jeune homme le savait…

— Il a gagné ma confiance et mon amitié, tout cela pour obtenir cette possession ! aboya-t-elle presque.

— Étienne…

— J'ai failli lui accorder la main de ma sœur. (Sophie avait presque envie de vomir en prononçant ces mots.) Je ne veux plus rien avoir à faire avec lui. Il me dégoûte !

— Écoutez-moi.

La voix de Kaerell avait porté si fort que Sophie se retourna vers lui. La tristesse et une forme de colère marquaient ses traits.

— Au départ, se faire appeler « comte » n'était qu'une farce, commença-t-il.

— Tout comme se jouer de moi ? ricana-t-elle.

— Écoutez-moi jusqu'au bout, sans m'interrompre, je vous prie.

Tant d'autorité de la part de Kaerell, d'habitude si taquin, la déstabilisa.

— Il s'agissait d'une erreur dans la présentation, qu'il a trouvée très drôle et qu'il a conservée. Certes, il n'aurait pas dû entretenir ce mensonge, mais il n'en a jamais abusé. De plus, lorsque vous vous êtes battus en duel, vous saviez très bien qu'il était second fils.

— J'ai supposé que son frère aîné était décédé.

— Si seulement…, soupira Kaerell.

Quelques secondes de silence s'installèrent entre eux.

— Vous avez raison sur le fait qu'Antoine s'est fait un malin plaisir à différer l'obtention de l'héritage pour ennuyer son frère. Néanmoins, je le connais assez pour savoir qu'il est incapable de feindre une amitié. Tout ce que vous avez vécu avec lui était vrai.

— Vous êtes son ami. Bien sûr que vous cherchez à le défendre.

— Détrompez-vous. Je sais bien qui il est, protesta Kaerell. Antoine est orgueilleux, arrogant et narquois. Il peut être sans pitié également, mais il est loyal.

— Est-ce de la loyauté que de trahir son propre frère ?

— Vous ignorez leur passé. Vous ignorez tout ce que François lui a fait. Mais ce n'est pas une histoire qu'il m'appartient de vous révéler.

— La belle affaire.

Sophie se détourna de lui, prête à rejoindre la sortie. Il s'agissait d'un dialogue de sourds.

— De grâce, ajouta-t-il. Ne laissez pas François faire encore plus de mal à Antoine. Ne lui accordez pas la main de Sophie.

Ses propos eurent l'effet d'un coup de poing sur elle. Elle se détourna. Les yeux de Kaerell brillaient.

— Comment savez-vous... ?

Les rumeurs pouvaient se répandre comme une traînée de poudre, mais aussi vite... Le doute la saisit d'autant plus. Est-ce qu'Antoine était vraiment à Saint-Malo ? Est-ce que tout ceci n'était pas une énième tentative pour la manipuler ?

— Ce n'était jusque-là qu'une supposition de ma part car je sais de quoi François est capable, s'assombrit l'acteur. Vous venez de me le confirmer.

Sophie serra les mâchoires. Elle ignorait si elle devait le croire ou non.

— Les affaires de ma sœur ne vous concernent pas.

— Peut-être, concéda Kaerell. Mais je crois ce que mes yeux ont vu. Jamais, depuis que je connais Antoine, je ne l'ai vu si enjoué en compagnie d'une jeune femme.

— Cessez ! hurla presque Sophie. Cessez...

Son dernier mot n'avait été qu'un murmure. Elle n'arrivait plus à maîtriser ses émotions, il fallait qu'elle parte.

— Il vous a vraiment blessé, murmura Kaerell du bout des lèvres.

La jeune femme inspira, et ses yeux plongèrent dans ceux, brillants, de Kaerell.

— Ma sœur mérite le meilleur. Et ce meilleur, c'est elle qui le décidera. Bonne journée, Kaerell.

Sophie le salua et n'attendit pas sa réponse. Cette fois, elle quitta l'arrière-boutique, bien décidée à rentrer chez elle sans être de nouveau retardée.

Par chance, Kaerell ne la poursuivit pas. Ses nerfs ne l'auraient pas supporté. Cette conversation avait fait rejaillir toutes les émotions qu'elle essayait de conserver enfermées à double tour. Elle voulait croire en la sincérité du jeune homme. Peut-être, au fond, avait-il lui aussi été berné par Antoine ? Néanmoins, il en restait un acteur, et un très bon acteur à en juger par ses pièces de théâtre. Il savait beaucoup plus de choses qu'il ne le prétendait, la preuve avec cette demande en mariage.

Non, Sophie se sentait incapable de discerner le vrai du faux. Elle se sentait si lasse, si épuisée !

Quand Gustave lui ouvrit la porte de sa demeure, elle crut que le repos allait enfin lui être offert. Hélas, le domestique annonça :

— Un bouquet a été déposé pour Mademoiselle.

La jeune femme tourna la tête vers la table basse qu'il lui désignait. Un ensemble de fleurs blanches, bleues et roses débordait d'un vase. Lasse, elle s'en rapprocha et saisit le mot déposé entre les pétales.

Veuillez pardonner mon attitude grossière. Jamais une femme ne m'avait parlé sur ce ton avant vous. Je me suis laissé emporter, je vous promets que cela n'arrivera plus jamais. Je sais que nous ne nous connaissons pas, mais je promets de prendre soin de vous.

François, comte de Carnac

Sophie soupira. Quel homme obstiné ! Un petit raclement de gorge attira alors son attention. Héloïse se tenait à quelques mètres d'elle.

— *C'est dommage, tu as loupé Kaerell. Il est passé il y a moins d'une heure.*

Sophie remarqua alors les feuillets que sa cadette tenait dans ses bras et fronça les sourcils.

— *La nouvelle pièce de Kaerell,* expliqua Héloïse. *Il aimerait mon avis avant de la jouer.*

Sophie ne cacha pas sa surprise et le sourire de sa cadette redoubla.

— *Monsieur Kaerell est très talentueux. Je suis heureuse qu'il me demande conseil. Tu sais que, durant ton absence, il a pris régulièrement de nos nouvelles ? Lui et moi correspondons beaucoup. Tu crois que nous pourrions l'inviter à dîner un soir ?*

Héloïse avait signé avec passion, manquant de faire s'envoler les feuilles que son bras tenait plaquées contre sa poitrine. Sa petite sœur semblait pleinement épanouie, voire… Non, elle n'avait tout de même pas le béguin pour Kaerell ?

— *Sophie ? Sophie, tu vas bien ?*

— *Kaerell a vraiment fait tout ça durant mon absence ?*

— *Oui, il est notre ami.*

Héloïse lui offrit un grand sourire. Sa réaction attendrissait le cœur de Sophie. Tout paraissait si simple pour elle. Elle était si innocente… Jamais elle ne songerait qu'on puisse la manipuler. Sophie se mordit la lèvre. Héloïse ne voyait que le bien, mais Sophie, en revanche, voyait peut-être le mal partout…

— *Si tu veux mon avis, il est un peu trop protecteur. À plusieurs reprises, il a tenu à distance un des jeunes hommes qu'on a vus jouer au jeu de paume. Peut-être un prétendant de Louise ? C'était amusant de le voir intervenir à chaque fois que ce garçon tentait de nous approcher !*

Un sentiment de malaise avait envahi Sophie. Les seuls joueurs qu'elles avaient vus et qui étaient restés à Rennes étaient Rougemont et Lalanville. Son agression sur la plage lui revint avec force. Rougemont et Lalanville détestaient leur famille, cela ne pouvait être un hasard. Sa reconnaissance envers Kaerell s'accentua.

Sa sœur l'enveloppa soudain de son bras et la serra tout contre elle.

— *Tu vas bien, Sophie ?*

— *Merci Héloïse, merci de rester fidèle à toi-même.*

Elle embrassa sa petite sœur sur le front, puis rejoignit l'escalier, essayant de museler ses préoccupations.

Un grand cri s'éleva soudain de l'étage. Sophie, la première, gravit les marches quatre à quatre, suivie par Gustave et Héloïse

La porte de la chambre de son père était ouverte. Des lamentations de femme en émergeaient.

— Mère ?

La peur la saisit, et ses doigts demeurèrent crispés au chambranle.

— Mère, que se passe-t-il ? insista-t-elle.

L'angoisse pressant ses entrailles, elle osa enfin franchir le seuil et se figea.

Là, sur le lit, sa mère se répandait en pleurs.

Elle se répandait en pleurs sur le baron de Kerdelec.

Assis, le chef de famille avait les yeux grands ouverts. Des yeux… remplis de vie.

58

— Votre père est encore un peu confus, déclara le chirurgien. Toutefois, il semble avoir retrouvé toute sa raison. Il lui faudra un peu d'exercice quotidien, du repos, et bien sûr éviter les contrariétés dans un premier temps et j'ai bon espoir qu'il récupère complètement. C'est un véritable miracle !

Sophie, toujours habillée en Étienne, et Louise, échangèrent un regard plein de sous-entendus. Un miracle… Leurs doutes concernant leur tante prenaient encore plus de sens. Si elles avaient agi plus tôt, peut-être que leur père serait déjà rétabli.

— Merci, docteur Lagarde, le remercia la baronne.

— Henriette, puis-je vous toucher un mot ? parla plus bas le médecin. J'ai examiné votre tante hier et…

Ses propos devinrent inaudibles tandis qu'il s'éloignait avec leur mère. Louise leur accorda un regard inquiet, mais Sophie, elle, se moquait complètement de l'état de santé de tante Rosaline. Après tout ce qu'elle avait fait… Elle refusait de lui pardonner, et encore moins de se tracasser pour elle.

Son regard se tourna vers le baron, entouré de Nanou qui le coiffait, ainsi que de Pilou qui parlait avec entrain tout en lui montrant Cannelle. Quand Sophie l'avait découvert éveillé, elle n'avait pu s'empêcher de courir vers lui et de l'enlacer, oubliant qu'elle portait le costume d'Étienne. Heureusement, ses sœurs l'avaient vite imitée et l'esprit du baron était encore trop embrouillé pour qu'il prenne conscience de cette étrangeté.

Étienne n'avait jamais été proche de leur père. Jamais Sophie n'avait vu d'hommes plus opposés l'un de l'autre. Et elle ne se sentait pas de jouer la comédie. Pas avec le baron. Sans compter que son père finirait par découvrir la supercherie.

Trouver un plan d'urgence devenait essentiel.

— Peux-tu me rejoindre dans le petit salon avec mère, lorsqu'elle aura fini avec le médecin ? Nous devons absolument discuter.

— Tu me fais peur…

— Et amène Héloïse. Après tout… cela la concerne également.

Sophie avait trop longtemps voulu la protéger. Avec les menaces qui pesaient sur eux… Elle devait être tenue au courant.

*

Toutes les quatre réunies dans le petit salon, Sophie décréta :

— Écoutez-moi toutes attentivement. J'ai beaucoup à vous dire, et laissez-moi finir avant de poser vos questions.

Elle signa pour Héloïse, afin qu'elle saisisse pleinement toutes les informations. Alors, Sophie raconta tout, du moins, presque tout. Le marché que lui avait offert François, ce qu'il lui avait révélé sur les plans d'Antoine… Sa mère jura à plusieurs reprises, face aux grands yeux étonnés de Louise. Malgré tout, celle-ci conserva le silence, les mains crispées sur ses genoux.

Sophie poursuivit avec son détour chez monsieur Lambert et les sbires qu'il lui avait envoyés à Saint-Malo.

— Grand Dieu ! s'épouvanta Henriette de Kerdelec. Vous avez été attaquée ? Cet horrible énergumène s'en est pris à mon enfant !

— Mère…, l'implora Sophie. Je n'ai pas été blessée, et c'est du passé.

Puis elle évoqua sa rencontre avec messieurs de Lalanville et de Rougemont, obligée de raconter leur querelle à l'épée. Cette fois, ce fut de la fierté qu'elle lut dans les yeux de ses sœurs. Là où madame de Kerdelec, en sueur, s'éventait avec sa main.

— Et dire que j'ai accueilli ce gredin dans mon salon ! se morfondit-elle. Il prétendait vouloir des nouvelles d'Étienne. Que j'ai été naïve !

Louise lui serra la main avec compassion.

— Vous ignoriez la situation, maman.

— Vous n'avez pas à vous en vouloir, confirma Sophie. Et désormais, vous pourrez réagir en conséquence. Cependant, trop de personnes nous veulent du mal, ou veulent nous utiliser. Vous ne devez faire confiance à personne.

— Et le vicomte…, susurra Louise.

— Je ne pense pas qu'il trahira mon imposture. Il a trop d'honneur pour ça.

Louise acquiesça, la mort dans l'âme.

— Je ne pourrai plus continuer à faire semblant bien longtemps, maintenant que père est réveillé. Non seulement c'est dangereux, mais en plus… je ne m'en sens plus la force.

— Vous en avez assez fait comme ça, mon enfant, dit sa mère. Mais que proposez-vous ? Nous ignorons où se trouve votre jumeau. Et votre père est bien trop faible pour nous défendre actuellement. Quant à Philippe, c'est toujours un petit garçon.

— N'impliquons pas Pilou.

Sophie avait emprunté une voix grave, pleine d'autorité.

— J'y ai beaucoup réfléchi…

Elle ne put s'empêcher d'esquisser une grimace, choquée d'avance par ce qu'elle allait proposer.

— Je ne vois qu'une solution ou plutôt une demi-solution. Une demi-solution folle, mais qui clôturerait en beauté toute cette mascarade.

Les sourcils se froncèrent et Sophie inspira profondément.

— Offrons à la société de Rennes une dernière comédie. Mère, pensez-vous, moyennant finances, pouvoir organiser une grande fête en moins d'une semaine ?

— Oui, mais notre demeure ne s'y prête pas…

— Il est possible d'en louer aux environs de Rennes, commenta Louise. Les Choiseul l'ont fait, l'année dernière. Vous vous souvenez, maman ?

La baronne acquiesça.

— *Et je sais à qui demander pour assurer l'ambiance,* intervint Héloïse, toute contente de participer.

Sophie lui sourit et prit une profonde inspiration :

— Parfait. Organisons une fête splendide qui restera dans les annales. Une fête… où nous annoncerons mes fiançailles.

Les Kerdelec, mère et filles, se dévisagèrent, le visage blême. D'une même voix, Héloïse y compris, elles s'exclamèrent :

— Tes fiançailles ?

Dans les yeux de Sophie ne perçait plus la moindre hésitation.

— Oui, les fiançailles du personnage que je joue. Suivies… de ses funérailles.

59

Les Kerdelec avaient loué une vaste demeure en bordure de Rennes. Une allée de peupliers menait droit au long bâtiment rectangulaire, bordé d'une dépendance capable d'accueillir des dizaines de calèches et de chevaux. En peu de temps, Henriette de Kerdelec et sa fille aînée avaient fait des miracles : domestiques, lumières, décorations… L'espace de quelques minutes, Sophie eut l'impression de se retrouver dans la malouinière de madame de La Pommeraye.

Dans la nuit sombre, les premiers invités commençaient à arriver. Tous s'étaient mis sur leur trente-et-un. Sophie, habillée d'un costume doré très clinquant sur des bas blancs, les observait entrer de l'étage. Henriette de Kerdelec les accueillait avec un magnifique sourire. Elle était dans son élément. Le reste de ses filles aidait à peaufiner les derniers détails. Tout le monde était présent, et Héloïse frétillait d'impatience d'assister à son premier bal, tout comme Pilou.

— Il y aura vraiment tout le monde ?

Nanou aussi s'impatientait. Un manteau de robe prune sur un jupon pâle brodé de fleurs ravivait sa bonne mine. Ses cheveux blancs brillaient à la lumière des bougies. À l'aide d'une canne, elle faisait les cent pas autour de Sophie et touchait à tout ce qui lui venait sous la main.

— Madame, je vous en prie, calmez-vous, gémit la fille cadette de Jeannette.

Celle-ci devait veiller sur Nanou jusqu'à la fin du bal. Il n'avait pas commencé qu'elle devait déjà regretter la campagne à laquelle on l'avait arrachée.

— Je pourrai jouer à la paume avec eux ?

— Nanou…

Sophie vint à l'aide de la pauvre jeune fille et serra sa grand-mère dans les bras.

— Il faudra être sage, sinon vous irez au lit en même temps que Pilou. D'accord ?

Sa grand-mère pinça les lèvres d'un air enfantin.

— Oui, mais… est-ce qu'ils seront tous là ? Comme lors de ton premier bal ?

— Oui.

Sophie lui sourit. Nanou avait parfois d'étranges questions. D'autant plus qu'elle n'avait pas assisté à leur premier bal à Rennes, puisque Héloïse et elle avaient été isolées dans leur chambre.

— Et même plus encore.

Sa grand-mère lui offrit un large sourire et lissa sa robe.

— Est-ce que je suis jolie ?

— Tu es magnifique.

Sophie l'embrassa sur le front et sa grand-mère gloussa comme une jeune fille, avant de filer rejoindre la foule. La domestique laissa échapper un faible gémissement et courut à sa suite. La situation amusait Sophie, et elle les observa gagner le rez-de-chaussée, vers le baron de Kerdelec.

Celui-ci avait recouvré toute sa raison, mais éprouvait encore des difficultés à se déplacer. Des mois d'alitement avaient atrophié les muscles de ses jambes. On lui avait trouvé un fauteuil roulant, et il avait dû céder pour y rester le temps du bal. Ils n'avaient pas beaucoup parlé, la fatigue l'emportant vite. Néanmoins, le cœur de Sophie s'était serré lorsqu'il avait chaleureusement félicité celui qu'il prenait pour Étienne. Elle regrettait de lui mentir. Un jour, elle lui expliquerait tout.

Elle inspira profondément. Allez, tout se passerait bien et, dans quelque temps, elle n'aurait plus à faire semblant.

Un sourire plaqué sur les lèvres, elle rejoignit la foule.

— Très beau bal, la félicita une femme d'une cinquantaine d'années.

— Heureux que votre père soit rétabli.

— Félicitations pour votre nouvelle fortune !

Sophie les remerciait, alors qu'elle ignorait leurs noms. Les domestiques annonçaient les entrées une à une. Leur mère avait décidé que les convives apparaîtraient au-dessus du grand escalier qui dominait la salle de bal. Étroit en son sommet, il s'élargissait jusqu'à sa base et était assorti d'un gigantesque tapis rouge.

— Héloïse de Kerdelec.

L'estomac de Sophie se contracta. Elle aurait dû être là-haut, avec sa sœur pour la soutenir, mais, bien vite, elle constata que sa cadette n'en avait pas besoin. Dans une belle robe couleur d'argent, assortie de motifs de lunes blanches, Héloïse descendait les marches, la tête haute malgré ses joues rougies par l'appréhension. Elle se débrouillait bien mieux que Sophie, quelques mois auparavant. Au bas des marches, le baron de Kerdelec lui tendit la main, et elle l'accepta, avant de l'embrasser sur les deux joues.

— Monsieur Lambert et sa fille, mademoiselle Constance Lambert.

Certains sourires se crispèrent. Il n'était pas commun d'inviter des roturiers à des bals, surtout aussi fastes. Les muscles de Sophie se contractèrent sous son costume d'homme. Dans une tenue impeccable, une perruque flambant neuve sur le crâne, le banquier apparut, avec à son bras une Constance très raide.

Pour la première fois, Sophie la voyait dans une robe colorée, dans un mélange de rouge et d'or qui accentuait ses taches de rousseur. Sa belle chevelure rousse avait été poudrée et remontée dans un mélange sophistiqué qui ne correspondait pas du tout à son caractère. En revanche, elle avait conservé toute sa pudeur : sa robe, bien que très faste, lui remontait jusqu'à la gorge. Ses gants, blancs, cachaient sa peau jusqu'aux manches évasées au niveau du coude. À part son visage, on ne distinguait pas un millimètre de sa peau.

Sophie s'avança jusqu'à eux et se fendit d'une belle révérence devant tous les invités.

— Soyez les bienvenus.

Le son des violons commença à s'élever, annonçant le début du bal. Sophie tendit une main galante à Constance.

— Monsieur Lambert, me permettez-vous de danser avec votre fille ?

— Bien sûr, mon cher monsieur de Kerdelec, ricana de manière peu flatteuse le père de l'intéressée. Toutes les danses que vous voudrez.

Le ventre en avant, il fixait celle qu'il prenait pour Étienne avec toute l'arrogance d'un homme qui savait avoir gagné.

Dès les premiers pas à ses côtés, Sophie sentit Constance trembler contre son bras. Tous les yeux étaient tournés vers eux.

— Il est encore temps de changer d'avis, chuchota Sophie.

Elle sourit en passant devant ses parents. Le baron semblait très fier, ce qui lui pinça le cœur.

— Non, souffla Constance d'une voix faible.

Arrivés au centre de la pièce, ils s'inclinèrent et la musique s'éleva, plus forte. Plus d'une centaine d'invités les fixaient, ils ne pouvaient se permettre le moindre faux pas. Dans une musique lente, ils se rapprochèrent, et, main contre main, commencèrent à tourner l'un autour de l'autre.

— Je vous rappelle qu'il ne s'agit que d'une mascarade, précisa Sophie sous le masque d'Étienne. Vous n'aurez pas d'enfant de cette union et quand le temps viendra…

— Je sais, l'interrompit Constance.

Elle ne parvenait pas à sourire, mais ses yeux brillaient d'une détermination farouche. Sa volonté impressionnait Sophie. Même si les raisons de celle qui à la fin de ce bal serait sa fiancée, lui échappaient, elle savait qu'elle pouvait lui faire confiance. Leurs objectifs convergeaient.

Elles s'écartèrent au rythme de la musique, avant de se rejoindre. Sophie ajouta, nerveuse malgré tout :

— Je vous offre la liberté, madame. En échange, j'espère que vous ne retiendrez pas la mienne lorsque je vous la demanderai.

— Je vous le promets.

D'autres instruments se joignirent aux violons et des couples s'ajoutèrent à la danse. Deux mélodies passèrent ainsi sans que Sophie se détachât de Constance. Si certains invités avaient pu avoir encore des doutes sur les intentions d'Étienne, ceux-ci devaient être anéantis. Aucun jeune homme ne danserait autant d'affilée avec une même jeune femme s'il ne nourrissait pas d'intentions à son égard.

Sophie prit congé de la demoiselle Lambert, qui, très vite, attira l'attention des spectateurs. Pour la première fois, elle se trouvait au centre des regards et des ragots. Sophie s'en voulut de l'abandonner ainsi, mais elle ne pouvait se consacrer totalement à elle.

Elle gagna l'une des tables dressées de rafraîchissements, et se saisit d'un verre de vin. Sa gorge la tiraillait. Elle craignait le moment fatidique où, au plus fort du bal, elle annoncerait ses fiançailles avec Constance Lambert.

Non pas les siennes, celles d'Étienne.

Elle avait retourné le problème dans tous les sens, aucune autre solution ne se présentait. Monsieur Lambert était dangereux et elle devait protéger sa famille. De plus, son influence s'étendait bien au-delà de tout ce qu'elle avait cru. Non seulement il avait des contacts dans la roture, mais il gérait de nombreuses fortunes. Une fois que les Kerdelec seraient alliés à lui, des hommes comme Rougemont et Lalanville réfléchiraient à deux fois avant de s'en prendre à eux. Quant à François de Carnac… Cela lui laisserait un délai pour y réfléchir. La date de son ultimatum dépassée, il n'avait plus donné signe de vie. Même si elle l'avait invité au bal, elle ignorait s'il serait présent ou s'il séjournait toujours à Rennes.

Les doigts de Sophie se crispèrent sur son verre et elle choisit d'imiter sa tante qui fixait d'un air détaché la piste de danse. Son interlocutrice embraya :

— Et vous m'avez invitée pour que je sois témoin de votre victoire, n'est-ce pas ?

Cette fois, Sophie se tourna vers sa tante. Ses petits yeux mesquins brillaient. Étrangement, elle en conçut de la peine pour elle.

— Je ne tire aucune satisfaction de cette situation. Et non, si je vous ai invitée, c'est parce que vous appartenez toujours à notre famille. Même si vous nous avez manipulés, même si vous avez drogué mon père...

Sa tante cilla.

— Oui, ça aussi, je le sais.

Sophie sourit sans joie.

— Vous et moi ne nous sommes jamais appréciées. Néanmoins, je ne suis pas aveugle. Vous avez beaucoup fait pour ma mère et pour Louise. Malgré vos actes, elles ont toujours de l'affection pour vous. Alors, même si je ne suis pas sûre de pouvoir un jour vous pardonner, je souhaite vous laisser une chance.

Madame de Verteuil fit tourner son vin dans son verre. Était-ce sa manière de cacher la surprise que lui provoquait cette déclaration ? Sophie aussi s'étonnait de sa propre réaction. Néanmoins, elle y avait bien réfléchi. Elle ne voulait pas quitter ce monde avec des regrets.

L'attention de tante Rosaline se reporta vers la foule et une expression narquoise marqua son visage.

— Bien joué, mon enfant. J'ai failli vous croire. Mais je constate que vous vous entourez aussi bien de vos amis que de vos ennemis.

Ce soir, les Kerdelec étalaient leurs richesses. Ils montraient à ceux qui les menaçaient combien l'argent leur donnait du pouvoir. Un pouvoir que monsieur Lambert accentuerait dans la capitale de la Bretagne. Il s'agissait d'un coup d'éclat.

D'un coup d'éclat qui serait bientôt suivi de la mort du faux Étienne. Une fois le mariage célébré, cet épouvantail disparaîtrait. Sophie ignorait combien de temps cela prendrait. Elle devait attendre que son père soit tout à fait remis ou, à défaut, que son frère cadet soit assez grand pour gérer les affaires de la famille. Philippe hériterait du titre des Kerdelec, Sophie avait été suffisamment claire sur le sujet dans son accord avec Constance. Quelques mois ou des années… Après cela, elle s'effacerait. Elle regagnerait le domaine des Kerdelec, et ne saurait plus rien de la bonne société et de ses intrigues.

En l'espace d'une saison, elle avait eu l'impression de vivre mille ans. Telle une vieille femme, elle n'aspirait à présent qu'à du repos.

— *Courage.*

En déambulant parmi les invités, elle aperçut Louise à quelques mètres du vicomte de Chevigné. Celui-ci discutait avec deux hommes, sans lui prêter la moindre attention. Sa sœur aînée parviendrait-elle à faire le premier pas ? Si Mathieu avait accepté leur invitation, alors peut-être restait-il un espoir pour eux… Sophie espérait de tout cœur que la situation s'arrangerait.

Du mouvement attira son attention à un autre coin de la salle, où la fille de Jeannette tirait Nanou par le bras. Sa gentille grand-mère regardait derrière le buste d'une grande statue, et recommençait avec les suivantes, au niveau de chaque alcôve, comme si elle cherchait quelque chose. Sophie sourit pour elle. Oui, quand tout cela serait terminé, elle retournerait au domaine avec Nanou et lui ramasserait autant de pommes qu'elle le voudrait.

— Mon fils, je vous félicite, c'est une très belle soirée.

Le baron de Kerdelec roula jusqu'à lui et Sophie eut l'impression que du plomb lui tombait dans l'estomac. Elle s'inclina gracieusement.

— Tout le mérite revient à mère et à mes sœurs.

— Vous avez toujours été humble, mon fils, vous tenez de moi cette qualité.

Sophie ne put s'empêcher de sourire. C'est certain qu'elle ne la tenait pas de sa mère.

— Où est votre jumelle ? Je la cherche partout depuis tout à l'heure.

L'affection gagna le cœur de Sophie. Elle n'avait fait que quelques brèves apparitions dans la demeure des Épiniac pour donner le change. Mais son père ne l'oubliait pas pour autant.

— Vous êtes toujours collés l'un à l'autre. Est-ce qu'elle a… mal pris l'annonce qui va se faire ?

Les sourcils du baron se froncèrent. La maladie avait, semblait-il, réduit son masque à peau de chagrin. Déchiffrer ses émotions était devenu plus facile. À moins que Sophie, rompue désormais aux faux-semblants de la société, eût appris à mieux lire à travers les lignes ?

— Votre sens du devoir sauve notre famille. Elle…

Sophie posa une main sur l'épaule de son père :

— Sophie couve simplement un mauvais rhume. Elle était désolée de ne pas pouvoir apparaître.

Le baron observa d'une drôle de façon sa main posée sur son épaule, et Sophie la retira, confuse. Étienne n'avait jamais été tactile avec leur père. Oh, il fallait vraiment que cette mascarade cesse !

— Vous avez bien changé, mon fils. Sachez… que je suis fier de vous.

— Merci, père.

Sophie s'inclina derechef, son cœur saignant face au compliment. Elle avait tellement rêvé d'entendre un jour ces mots de sa bouche ! Mais ceux-ci ne lui étaient pas destinés. Ils étaient pour l'Étienne qu'elle avait joué. Pour un homme… qui n'existait pas.

— N'est-il pas temps d'annoncer la bonne nouvelle ?

— Oui, père. Vous avez raison.

Sophie s'efforça de sourire et gagna le grand escalier. Il essaya de calmer le rythme frénétique de son cœur. Le moment de vérité était venu.

Elle monta quelques marches et leva la main en direction de l'orchestre. Un musicien capta son geste et arrêta de jouer, bientôt imité par ses camarades. Les invités cessèrent de danser, puis se tournèrent dans sa direction.

La nervosité croissait en Sophie pendant que les regards se tournaient vers elle. Sa famille s'avançait. Tout le monde était là, tout le monde sauf Kaerell, qui lui en voulait certainement à la suite de leur dispute. Oui, à l'exception de lui, elle les voyait tous. Amis comme ennemis. Les Choiseul et leur fille, qui avaient tenté de lui tendre un piège. Monsieur de Harcourt, non loin de son jeune amant, qui tenait à son bras une de ses filles…

Tout Rennes l'observait.

Et voilà qu'une boule lui obstruait la gorge. Les forces lui manquaient pour faire l'annonce qui scellerait à tout jamais leur destin.

Son regard inquiet trouva écho avec celui de sa mère, puis de Louise et d'Héloïse. Cette dernière avait glissé un bras sous celui de Nanou. Seule sa grand-mère semblait inconsciente de ce qui allait se dérouler. Elle tournait la tête dans tous les sens, sauf dans la direction de Sophie.

— *Tu peux le faire*, signa alors Héloïse.

— *On est avec toi*, ajouta Louise, en signant elle aussi.

Sophie écarquilla les yeux, jamais elle ne l'avait vue signer auparavant.

— *On t'aime*, ajoutèrent les mains hésitantes de madame de Kerdelec.

L'émotion gagna avec force Sophie. Sa famille la soutenait. Oui, elle n'avait pas à affronter ça seule.

Un raclement de gorge lui fit tourner la tête. Monsieur Lambert, à quelques mètres d'elle, commençait à s'impatienter.

— Mesdames, mesdemoiselles, messieurs ! s'exclama alors le faux Étienne en levant haut les bras. Je vous remercie d'être réunis en ce jour si spécial. En effet, ce soir nous célébrons plusieurs événements importants. Tout d'abord, le retour en société de mon cher père, Charles de Kerdelec.

Sophie s'inclina en direction de son paternel qui balaya d'un revers de main sa déclaration.

— Ensuite, nous souhaitions fêter avec vous l'obtention de cet héritage qui signifie tellement pour nous, mais aussi pour notre belle société de Rennes. De nouveaux marchés, de nouvelles perspectives et surtout... de nouvelles alliances.

Le stress tordit le ventre de Sophie, elle y était presque. Elle se tourna vers monsieur Lambert et Constance, juste à côté d'elle.

— Mon fils, tonna alors la voix du baron de Kerdelec. Permettez...

Surprise, Sophie se tut. Son père s'appuya alors sur une canne qu'il sortait de Dieu sait où et se redressa avec difficulté. Sa canne tapota l'escalier tandis qu'il montait les cinq marches qui le menaient à celle qu'il prenait pour Étienne. Une fine sueur transpirait sur son visage : il marchait pour la première fois depuis longtemps. S'était-il entraîné en secret ? Ses jambes étaient si frêles et il tremblait tellement ! Son courage et sa détermination ébranlèrent Sophie.

Arrivé à son niveau, il se redressa et sourit à l'assemblée.

— Aujourd'hui, chers amis, j'ai le plaisir de vous annoncer l'union de mon fils, Étienne de Kerdelec, et de Mademoiselle Constance Lambert !

Des applaudissements s'élevèrent dans toute la foule et le baron appuya une main ferme sur l'épaule de Sophie. Son regard brillait de fierté. Il tendit la main vers sa future bru, que son père embrassa, avant de la conduire jusqu'à Sophie.

Celle-ci lut, dans le regard de la demoiselle, la même angoisse teintée d'espoir qu'elle ressentait elle-même. Les doigts de Constance se tendirent vers ceux de Sophie lorsqu'une voix éclata :

— Non-sens !

Sophie sursauta violemment, tout comme son père qu'elle soutint *in extremis* avant qu'il ne chancelle. La foule s'écartait pour laisser passer l'homme qui venait de parler.

Monsieur de Rougemont, accompagné de monsieur de Lalanville et d'autres jeunes hommes qu'elle ne connaissait pas, avança au-devant de l'assemblée.

— Comment osez-vous ? vociféra monsieur Lambert, devenu tout rouge.

— Ce mariage ne peut avoir lieu ! argua monsieur de Rougemont, avec un sourire qui fit frémir Sophie.

— Étienne de Kerdelec épousera ma fille, quoi que…

— Il ne peut avoir lieu, car cet individu n'est pas Étienne !

Les yeux de Sophie s'écarquillèrent. Le sourire de Rougemont ressemblait à celui d'un prédateur.

— N'est-ce pas, mademoiselle de Kerdelec ?

60

La chair de poule recouvrit la peau de Sophie. Comment… Comment savait-il ? Le regard de la jeune femme passa sur ses proches, que l'annonce avait apeurés. Elle distingua alors tante Rosaline, proche d'une des tables de buffet. Leurs regards se croisèrent et sa tante leva son verre dans sa direction avec un léger sourire. La traîtresse !

— Écoutez-moi ! s'exclama Rougemont. Depuis le début, Sophie de Kerdelec joue de sa ressemblance avec son jumeau pour le remplacer ! Étienne s'est enfui, incapable de soutenir les responsabilités qui lui incombaient ! Cet homme… n'est en vérité qu'une femme, et je peux le prouver.

Sophie descendit les marches, la main à la ceinture. Rougemont ne lui faisait pas peur.

— Cessez vos sottises !

Le vicomte de Chevigné apparut, se plaçant entre eux. Il poursuivit :

— Votre ressenti envers Étienne vous aveugle. Comment pouvez-vous agir ainsi le jour de ses fiançailles ?

Mathieu se tenait dos à Sophie, aussi elle ne voyait pas son visage. Toutefois, son intervention lui réchauffait le cœur.

— Non, vicomte, s'obstina Rougemont d'un ton doucereux. Après tout le temps que vous avez passé en sa compagnie, vous ne pouvez pas vous aussi y croire. Réfléchissez ! Depuis le premier bal des jumeaux Kerdelec, les avez-vous vus apparaître ensemble ?

Le jeune homme tourna sur lui-même pour s'adresser à l'assemblée.

— Est-ce qu'une seule personne, ici présente, les a vus réapparaître ne serait-ce qu'une fois ensemble ?

Les murmures s'élevèrent, et l'angoisse gagna Sophie.

— Ma fille prenait soin de son père ! objecta la baronne de Kerdelec.

— Et aujourd'hui, elle prend soin également de lui ? ricana-t-il.

— Cessez ! menaça le vicomte.

Le visage de son camarade se décomposa.

— Alors, vous le saviez ? Vous le saviez et vous continuez de la défendre ? Je nous croyais amis…

Sophie se ressaisit enfin et fit reculer le vicomte d'un pas.

— Cela n'est pas votre querelle.

Mathieu fronça les sourcils et lui lança un regard insistant. Elle lui sourit et l'expression du vicomte se troubla. Avait-il oublié qu'elle n'était pas une demoiselle en détresse ?

— Je peux prouver mes dires, argua alors leur adversaire. Qu'on isole cette jeune personne et qu'on la déshabille. Vous verrez s'il s'agit d'un homme… ou d'une garce !

Une foule de protestations indignées s'éleva, mais les amis de Rougemont, menés par Lalanville, sortirent leur épée et découragèrent les plus courageux.

— Comment osez-vous jeter l'opprobre sur ma famille ? siffla Sophie en dégainant à son tour.

— Je me porte garant ! s'exclama une nouvelle voix.

François de Carnac surgit de la foule, et d'un air solennel, ajouta :

— Garant de monsieur de Rougemont. Il s'agit de Sophie de Kerdelec. D'une femme qui, après s'être déshonorée avec mon frère, m'a supplié de l'épouser en m'avouant tout !

Il lui sourit, lui glaçant les sangs, avant de pivoter vers Rougemont et de déclarer :

— Chers amis, depuis le début, cette femme se joue de vous ! Elle s'est fait passer pour un autre ! Devant toute la bonne société de Rennes, mais également l'autorité de notre royaume. Moi, le comte de Carnac, vous l'assure devant Dieu : cette personne est Sophie de Kerdelec !

Le bras de celle-ci trembla tandis que des éclairs de lucidité s'emparaient d'elle. François avait retourné la situation à son avantage. S'il prouvait sa félonie… s'il prouvait qu'elle avait toujours été Étienne… alors tous les papiers qu'elle avait signés au nom de sa famille n'auraient plus aucune valeur. L'héritage des Épiniac – la peur la saisit –, il pourrait le récupérer en prétextant des actes de faux. Non, elle ne pouvait pas les laisser la démasquer !

— Je vous défie, chacun d'entre vous ! Pour vos mensonges éhontés et vos calomnies, j'en demande réparation, ici même !

Sophie pointa sa lame vers les deux félons. Son visage respirait la rage. Elle ne se laisserait pas faire.

— N'est-ce pas une preuve supplémentaire ? ricana Rougemont en se tournant vers le baron. Votre fils n'a jamais su se battre à l'épée, n'est-ce pas ?

— Étienne… (la voix vacillante de son père lui fit comprendre qu'elle devait le faire taire, au plus vite) est-ce vrai ?

— J'ai eu depuis un excellent professeur. En garde, Rougemont !

François de Carnac tira à son tour son arme :

— Vous parlez de mon frère ? Si je ne m'abuse, il n'y a pas qu'à cela qu'il vous a formée.

L'insulte suintait de son ton et de son visage moqueur. Les nobles autour d'eux n'intervenaient pas, mais leurs chuchotements et leurs remarques trahissaient leur excitation devant le spectacle qui se jouait.

Sophie entendit un tintement de lame sur sa droite. Mathieu de Chevigné avait lui aussi dégainé.

— Deux contre un, vous devriez avoir honte !

La jeune femme chargea, suivie de Mathieu de Chevigné. Les épées s'entrechoquèrent, une première, puis une seconde fois.

Du sang éclaboussa le costume en soie de Sophie, qui s'écarta de la lame de Rougemont en un bond en arrière. Mathieu se tenait le bras, face à un comte apparemment fier de lui. Était-il aussi fine lame qu'Antoine ? La peur saisit Sophie et elle se rapprocha de son ami avant qu'il ne reparte à la charge.

— Attention ! s'écria Louise.

Sophie esquiva la lame de Rougemont et feinta pour le toucher au flanc. Celui-ci grimaça, mais il ne perdit pas son sourire. Ils échangèrent leur place dans la foule et il s'écria alors :

— Maintenant !

Deux hommes enserrèrent Sophie par-derrière et l'immobilisèrent. D'autres firent de même avec Mathieu. Les yeux de Sophie s'écarquillèrent et Rougemont fondit sur elle. Elle tenta de le repousser en vain. Les cris de sa famille lui parvenaient en arrière-fond. Le regard haineux de Rougemont était effroyable. Il avait la ferme intention de la déshabiller devant tous.

— Il suffit, Rougemont ! Cessez de vous ridiculiser !

Une vive exclamation de surprise éclata dans la foule.

— Arrêtez, je vais vous prouver sa perfidie !

Toute l'assemblée, y compris Rougemont et Carnac, fixait l'escalier. Les sbires de ses ennemis lâchèrent les bras de Sophie.

La jeune femme se tourna à son tour et faillit défaillir.

Là, face à eux, se trouvait Kaerell dans un costume sombre, accompagné d'une belle jeune femme.

— Sophie de Kerdelec ! annonça le rouquin, d'une voix digne d'un théâtre.

Accrochée à son bras, sa cavalière commença à descendre les marches, la tête haute et les yeux étincelants. Elle ressemblait comme deux gouttes d'eau à Sophie. La vraie Sophie, elle, dut s'accrocher à Mathieu, lui aussi libéré, pour ne pas tomber. Elle n'en croyait pas ses yeux…

Étienne… Étienne était de retour ?

61

Les convives semblaient s'être transformés en statue de sel. Tous, excepté Rougemont, qui se tournait alternativement vers Sophie et la jeune femme qui descendait l'escalier d'un pas lent.

— Rougemont ? Qu'est-ce que cette comédie ? rugit François de Carnac. Vous m'aviez certifié de son imposture !

— J'ai tout vérifié, bredouilla son allié. Sophie n'est jamais allée chez la fameuse amie mentionnée et… (il pointa du doigt la demoiselle au bras de Kaerell) n'est-ce pas évident ? Cette personne est Étienne !

Il désigna ensuite le faux Étienne.

— Et celle-ci est Sophie !

— Non, mais vous entendez-vous ? vitupéra le baron.

— Charles, gronda monsieur Lambert, accordez-moi le plaisir de foutre moi-même cet impertinent dehors !

— À cœur joie, mon ami.

— Je vous accompagne, décréta le vicomte de Chevigné.

Le banquier acquiesça et ne se le fit pas dire deux fois. Il se rua presque sur Rougemont et personne ne s'interposa pour les séparer. Mieux : même François de Carnac en profita pour s'éclipser.

Sophie, elle, ne parvenait pas à détacher ses yeux du véritable Étienne. Bientôt, son frère atteindrait les dernières marches. Sa beauté lui coupait le souffle. Habillé d'une robe argentée aux reflets rubis, il avançait avec une grâce qu'elle ne lui connaissait pas. Il ressemblait en tout point à une jeune femme, et Sophie suspecta quelques rembourrages au niveau de la poitrine. Le col de son vêtement remontait assez haut, mais dévoilait sa gorge, juste ce qu'il fallait pour une demoiselle dont c'était la première saison. Son maquillage et sa coiffure étaient parfaits. Kaerell, toujours à côté de lui, ne devait pas être étranger à cette transformation. Sophie se rappelait comme il s'était métamorphosé avant sa représentation à *L'Étalon noir*, ce club réservé aux hommes où elle avait percé le secret de monsieur de Harcourt.

Héloïse et Louise s'étaient précipités aux côtés de Sophie, mais Pilou, lui, avait fondu sur son frère travesti et le serrait fort. Celui-ci posa une main apaisante sur sa tête, et déclara bien haut :

— Il est hors de question que cette fête soit gâchée par des mauvaises langues ! Mesdames, messieurs, amusez-vous en l'honneur de mon frère et de sa fiancée ! Musiciens !

Étienne se rapprocha de Sophie, adressant de douces paroles à ses parents au passage tandis que les violons et les flûtes reprenaient leur symphonie.

Parvenu face à Sophie, Kaerell s'inclina et la laissa seule avec son frère. Louise et Héloïse embrassèrent celui-ci, comme des sœurs le feraient entre elles.

Toutefois, Sophie ne parvenait pas à bouger. Elle continuait de fixer Étienne tel un ange tombé du ciel.

Celui-ci esquissa alors une révérence et lui tendit la main. Fébrile, Sophie l'accepta et il l'entraîna sur la piste de danse. Ils s'inclinèrent l'un face à l'autre et entreprirent un menuet. Malgré les jupons, Étienne se mouvait avec une habileté déconcertante. Il gardait le port droit. Il était… merveilleux. Sophie, qui ne parvenait toujours pas à détacher son regard de lui, se faisait l'effet d'une demoiselle amoureuse.

Leur danse donna le signal que tout le monde attendait. Les invités finirent par les rejoindre. La tension s'évaporait, comme si tout ce qui venait de se passer n'avait été qu'un songe. Sophie, elle-même, était engourdie. Elle avait encore du mal à concevoir qu'Étienne était bien là, à danser avec elle.

Elle profita d'un ralentissement de la musique pour lui souffler, en passant à côté de lui :

— Je suis désolée. Je peux tout t'expliquer…

Que devait-il penser ? Elle venait de le livrer en pâture à monsieur Lambert. De l'engager dans des fiançailles qu'il n'avait pas voulues !

— Chut, prononça-t-il tout bas tandis que les danseurs changeaient de cavalière. Le temps des explications viendra. Ce n'est pas la priorité.

— Tu as raison.

Leurs mains se touchèrent et ils tournèrent lentement.

— Tu devrais plutôt parler au jeune homme qui est venu me chercher, sourit son frère avec un air malicieux.

— Kaerell ? s'étonna Sophie.

Hélas, ils durent à nouveau se séparer. Son frère la frôla dans le mouvement suivant et murmura :

— Antoine.

Entendre ce nom immobilisa la jeune femme sur la piste de danse. Son cœur se mit à battre à vive allure. Antoine… Antoine était derrière tout ça ?

Les mains gantées d'Étienne rejoignirent les siennes et il l'encouragea à tourner.

— C'est grâce à lui que nous avons évité la catastrophe.

— Je n'avais pas besoin d'aide, grommela-t-elle, pleine de mauvaise foi.

— C'est étrange, il m'a dit quelque chose de semblable. (Il se rapprocha et passa ses bras autour de son cou, indifférent aux autres danseurs qui changeaient encore de partenaire.) Qu'il valait mieux que je taise son implication. Que tu ne voudrais pas le voir.

L'esprit de Sophie fut balayé par une tempête d'émotions. Des frissons l'envahirent et son frère s'écarta lentement, les yeux brillants.

— Tu es dure. Il t'aime.

Sophie, incapable de reprendre la danse malgré les coups d'œil curieux qui leur étaient lancés, serra les mâchoires.

— Non, il t'a menti…

— Il n'a rien dit du tout, poursuivit Étienne. Disons… que j'ai pu le constater lors de notre rencontre. Et aussi dans la manière dont il parlait de toi.

Les yeux de Sophie s'embrumèrent. La manière dont Antoine parlait d'elle ?

— File le retrouver, tu n'auras pas d'autre chance. À son retour à Saint-Malo, il embarquera sur le premier bateau pour les Indes.

La peur saisit les entrailles de Sophie. Pour les Indes ? Si loin ?

— Mais toi ?

— Je ne compte pas disparaître. Et puis, tu as supporté ce costume plusieurs mois. Je peux bien endurer celui-ci une soirée.

Il l'embrassa tendrement sur la joue, puis s'écarta avant d'attraper en un sourire la main d'un nouveau cavalier. Hébétée, Sophie l'observa virevolter. Son cœur continuait de cogner de toutes ses forces dans sa poitrine. Qu'attendait-elle ?

Elle resta digne jusqu'à la sortie, puis courut de toutes ses forces.

62

Antoine.

Antoine avait retrouvé Dieu sait comment Étienne. Qui l'avait retrouvé et l'avait fait revenir. Pour elle.

Elle ne savait si elle devait l'en remercier ou l'en blâmer. La jeune femme avait souhaité que son jumeau connaisse le bonheur, mais peut-être avait-elle mal agi en lui cachant la vérité. De plus, elle n'avait pas pardonné à Antoine ses mensonges, sa trahison.

Néanmoins, la perspective qu'il disparaisse aux Indes… Elle devait lui parler, une dernière fois.

Une fois les portes de la demeure franchies, un vent glacial lui fouetta le visage. La nuit avait complètement posé son voile sur la grande cour de gravier et les jardins. Heureusement, son costume d'homme la protégeait mieux du froid qu'une robe et son décolleté.

Elle tourna la tête dans tous les sens, sans apercevoir l'intéressé. Un domestique en livrée s'approcha et demanda :

— Monsieur, dois-je demander d'apporter…

— Le comte de... (elle se reprit) Antoine de Carnac, est-il déjà parti ?

— Pardonnez-moi, je ne connais pas tous les invités.

— Un homme jeune, très brun, qui est arrivé avec un camarade roux et une demoiselle.

— Oui, monsieur. Il est parti il y a un bon quart d'heure.

— Un bon quart d'heure ? s'étrangla-t-elle presque.

Elle ne le laissa pas répondre et courut vers la bâtisse annexe. Elle n'avait pas le temps d'aller chercher un manteau, il fallait qu'elle agisse maintenant !

Ses jambes la menèrent rapidement jusqu'à l'écurie. Un point de côté la lancinait déjà et elle se maudit de ne pas respirer normalement. Contre tout bon sens, elle paniquait à l'idée de ne plus jamais le revoir.

Tel un diable, elle fit irruption dans les écuries et chercha des yeux une monture déjà harnachée. Du plomb tomba alors dans son estomac. Là, à quelques mètres dans le fond et dos à elle, se trouvait un jeune homme en manteau, le visage enfoncé dans le poitrail d'un cheval. Des mèches brunes s'échappaient de sa chevelure rassemblée en arrière en catogan.

Sophie esquissa un pas, puis un autre. Sa propre respiration lui parvint, saccadée et bruyante. Toutefois le jeune homme ne semblait pas l'avoir remarquée. Il demeurait contre l'animal, comme si celui-ci pouvait le réconforter. Du moins, c'est ce que cette image évoquait à Sophie... Elle lui rappelait le domaine des Kerdelec, et sa propre jument, Électre.

Elle s'approcha encore, incapable de prononcer le moindre mot, lorsque le cheval hennit. Le jeune homme pivota alors. En un éclair, une épée se retrouva dirigée vers la gorge de Sophie. Néanmoins, elle ne recula pas. Au contraire, elle dévisageait le moindre trait du visage d'Antoine. La sévérité qui barrait son front disparut soudain. Ses yeux s'écarquillèrent et il abaissa son arme.

Ni l'un ni l'autre ne prononcèrent le moindre mot. Sophie et Antoine s'observaient, ne sachant comment se comporter. Le jeune homme rompit finalement le premier le silence :

— Pardonnez-moi, j'allais justement partir.

Il se détourna et gagna le côté gauche de son cheval.

— Attendez…

Sophie fit un pas, mais se figea, ne sachant quoi ajouter. Carnac, la main sur la selle, demeura immobile, guettant des mots qui ne venaient pas. Alors, il soupira, et posa son pied sur l'étrier.

— Comment avez-vous déniché mon frère ?

La jeune femme n'avait pas trouvé meilleur moyen de le retenir. Ses sentiments, si puissants, l'empêchaient de réfléchir convenablement. Tout ce qu'elle savait… c'est qu'elle ne voulait pas le voir disparaître. Pas maintenant.

Antoine reposa son pied au sol dans un soupir, mais ne se retourna pas.

— Je l'ai croisé par hasard en ville… Et j'ai vite compris qu'il n'était pas vous.

Sophie baissa la tête. Alors, il ne s'agissait que d'une rencontre fortuite ? Ses mâchoires se contractèrent. De quel droit avait-il pris la décision de tout lui raconter ?

— Puis j'ai reçu un message de votre tante. Elle m'expliquait que des hommes vous avaient démasquée et que si je… (Il se tut avant de reprendre d'une voix plus tendue.) En résumé, que je devais retrouver Étienne et l'avertir.

Les sourcils de Sophie se froncèrent et elle recula contre une poutre. Elle ne comprenait pas… Sa tante ? Une douleur aiguë traversa sa poitrine.

— Vous correspondiez avec Rosaline de Verteuil ?

Elle n'avait pas pu retenir l'accusation dans sa voix. Carnac se tourna vers elle et le tourment sur son visage la troubla.

— Non, c'était la première fois qu'elle me contactait.

Sophie tenta de déceler une trace de mensonge dans son regard, mais il n'y avait que de la tristesse et du désespoir. À moins que ce fût un excellent jeu d'acteur ?

— Pourquoi ma tante aurait-elle intercédé en ma faveur ?

— Je l'ignore, avoua Antoine. Dans ses explications, elle prétendait avoir fait croire à Rougemont être de son côté pour obtenir un maximum d'informations sur la manière dont il comptait vous dénoncer. Nous avons fait au plus vite…

Il baissa la tête, rompant leur regard. Sophie n'y comprenait rien. Elle avait été persuadée que sa tante l'avait dénoncée. Au fond, la jeune femme avait peut-être laissé trop d'indices sur son travestissement et, en enquêtant, Rougemont avait tout deviné par lui-même. Elle l'ignorait, mais… était-ce si important ? Antoine conservait le silence, à la fois patient et tendu. La jeune femme trouva alors la force de se rapprocher de lui. À moins d'un mètre, elle s'abaissa et chercha à voir son visage.

— Merci, murmura-t-elle.

Surpris, Carnac se redressa. Ses yeux se troublèrent et il recula d'un pas, comme si elle venait de le brûler.

— Je m'en vais. Nous n'étions pas censés nous croiser. Adieu, et soyez heureuse.

— Attendez !

Sophie attrapa la manche de son manteau alors qu'il s'écartait déjà.

— Restez encore un peu…

Sa propre contradiction la fatiguait. Elle détestait Antoine. Elle le détestait et, pourtant, elle voulait tellement qu'il demeure quelques instants supplémentaires avec elle.

— Non, je ne peux pas.

Antoine restait dos à elle. Ses épaules étaient crispées, comme s'il menait un combat contre lui-même.

— Pourquoi ?

— Car je ne veux pas vous blesser davantage.

Il bougea, mais Sophie tira un peu plus sur sa manche.

— De grâce, gémit-il. À chaque seconde qui passe, je me fais violence pour ne pas vous toucher.

Une vague de chaleur emplit Sophie, mais elle ne lâcha pas le tissu.

— Alors, continuez, car j'ai encore des questions à vous poser. Et soyez franc.

Les épaules de Carnac s'affaissèrent un peu plus et il acquiesça. Parler à son dos était étrange, mais aidait Sophie à regrouper ses mots.

— J'ai rencontré votre frère aîné, François. Je sais que c'est lui qui détient le titre de comte.

Antoine n'émit aucun commentaire. Kaerell le lui avait sans doute déjà expliqué.

— Est-ce vrai que vous avez différé la réclamation de l'héritage pour lui nuire ?

— Je le reconnais.

Le cœur de Sophie se serra, mais elle ne relâcha pas la manche de son vêtement. Elle craignait déjà les réponses suivantes.

— Vous vous livrez une guerre sans merci tous les deux. Vous le détestez à ce point ?

— Oui.

Elle inspira profondément.

— Depuis le début, votre plan était de m'épouser pour récupérer en dot ce que François convoitait ?

Cette fois, son bras trembla et elle le lâcha. Antoine se retourna, le visage tendu à l'extrême.

— Il a osé proférer de tels mensonges ?

Ébahie, Sophie détourna la tête pour qu'il ne puisse pas voir son trouble.

— Vous l'avez cru ?

Elle ne répondit pas.

— Vous l'avez cru ? répéta-t-il d'un ton plus haut où perçait l'indignation.

Sophie se détourna complètement, mais il tira sur son bras. Elle découvrit alors ses traits ravagés par une colère mal contenue. Elle lutta pour se libérer, mais il l'attira contre lui. La poitrine de Sophie percuta son torse, et elle en eut le souffle coupé. Son parfum et son contact bouleversaient ses sens. Elle le repoussa avec violence, paniquée, et recula jusqu'à percuter le mur de l'écurie. En l'espace de quelques secondes, Carnac fut sur elle. Ses paumes s'appuyèrent contre le mur, de chaque côté de la tête de Sophie, l'empêchant de fuir.

— Vous allez m'écouter. Jusqu'au bout.

Il la fixait avec une intensité si déconcertante que toute velléité de se battre la déserta.

— Dès le soir où vous m'avez renversé dans la fontaine, je me suis intéressé à vous. Alors oui, différer la réclamation de cet héritage m'arrangeait pour faire enrager mon frère. Au départ, je comptais bel et bien l'obtenir, mais, petit à petit, j'ai souhaité qu'il revienne à une famille qui en avait besoin et le méritait.

Sophie déglutit. Antoine parlait avec une conviction qui ne laissait place à aucun mensonge.

— Votre force, votre détermination… Jamais je n'avais rencontré quelqu'un prêt à tout pour ceux qu'il aimait. Malgré les obstacles, malgré les difficultés, vous n'avez jamais abandonné. Mieux, vous êtes restée fidèle à vous-même. Entre vos valeurs et la facilité, vous n'avez jamais hésité. Vous avez gagné mon admiration et j'ai commencé à éprouver des sentiments que je ne pensais plus jamais ressentir.

Le visage de Sophie s'empourpra. Son interlocuteur n'en avait pas fini avec elle.

— Lorsque j'ai découvert l'acte de votre famille dans mon manteau, à Saint-Malo, j'ai cru que j'allais mourir. Alors oui, j'ai été lâche. Je vous l'ai caché au lieu de vous le révéler immédiatement. J'ai été lâche, car j'avais peur de vous perdre. Et puis, vous êtes venue à moi et…

Il ferma les yeux et soupira :

— Et je me suis senti le plus heureux des hommes.

Ses traits s'étaient apaisés, comme si un instant, il caressait encore le bonheur qu'il avait ressenti. Lorsque ses paupières se rouvrirent, cette illusion avait disparu de son regard. Sa main droite se retira du mur et il la rapprocha de la joue de Sophie. Au dernier moment, il se figea.

— Je vous aime, Sophie. (Le cœur de celle-ci faillit s'arrêter.) Je vous aime au point d'être prêt à renoncer à tout pour vous. Sauf qu'à part mon cœur, je n'ai rien à vous offrir. Piétinez-le, je le mérite. Mais, de grâce, ne remettez pas en question ce que nous avons vécu. Chaque minute, chaque seconde que nous avons passée ensemble… Je n'ai jamais fait semblant.

Il abaissa sa main. Sophie allait défaillir. L'émotion se déversait en elle comme une mer déchaînée. Antoine l'aimait… Il l'aimait !

— Voilà, vous savez tout.

Son bras gauche retomba contre son flanc. Antoine avait l'air épuisé, dévasté… Des ombres dansaient sur son visage tandis que les remparts qu'il venait d'ouvrir se refermaient autour de son cœur. Sophie voulait réagir, mais ses propres émotions la terrassaient.

— Alors vous n'avez pas volé l'acte ? souffla-t-elle.

Tête basse, il soupira :

— Non, ce n'est pas moi.

— Et vous ne me direz pas non plus qui vous soupçonnez ?

— En effet…

Un goût amer emplit la bouche de Sophie. Elle ne comprenait pas son entêtement, surtout s'il disait la vérité. Toutefois, à cet instant, elle prit conscience d'autre chose.

— Touchez-moi.

Antoine se redressa vivement. Ses yeux brillaient et il la dévisagea d'un air interrogateur.

— Touchez-moi, redemanda-t-elle, le cœur au bord du précipice.

— Je ne crois pas…

Sophie attrapa la main de Carnac et la posa sur sa joue. Surpris, celui-ci ne termina pas sa phrase. La peau du jeune homme était brûlante, mais tellement délicieuse. Les paupières de Sophie se fermèrent tandis qu'elle savourait ce contact. Ce contact qu'elle avait tellement rêvé et détesté ces derniers jours…

— Sophie…

La voix d'Antoine résonna telle une supplique. Il ne bougeait pas. Il n'osait ni se rapprocher, ni se retirer.

— Je suis peut-être folle… Mais je choisis de vous croire.

Les yeux d'Antoine s'agrandirent. Cette fois, il s'avança, sa seconde main se lovant sur le visage de Sophie.

— Qu'avez-vous dit ?

Sa voix tremblait sous le coup de l'émotion. Avec un sourire timide, Sophie répéta :

— Qu'importe que vous ne me disiez pas tout. Je choisis de vous croire, Antoine. Je vous fais confiance.

Elle ferma les yeux et, doucement, bougea la tête de façon à pouvoir embrasser sa paume. Un brasier incandescent se répandait en elle, elle ne pouvait plus faire machine arrière. Il fallait qu'elle le dise. Maintenant, et qu'importe si ces mots ne laissaient d'elle que des cendres.

— Moi aussi, je vous aime.

Fébrile, elle tourna enfin son regard vers lui. Antoine la dévisageait, les yeux grands ouverts, comme paralysé par sa confession. Alors, doucement, Sophie rapprocha son visage du sien et répéta :

— Je vous aime, Antoine.

Ses lèvres se déposèrent avec douceur sur les siennes, comme si elle pouvait l'éveiller de sa léthargie. Un baiser à la fois timide et tendre, et qui pourtant lui fit l'effet d'un tremblement de terre. Les bras puissants du jeune homme se refermèrent d'un coup sur elle et ses lèvres s'écrasèrent sur les siennes. Sa bouche était à la fois douce et avide, il l'embrassait comme un noyé qui aurait besoin de son oxygène. Une joie sans nom éclatait dans le cœur de Sophie, une joie teintée d'espoir.

Un goût salé s'ajouta à leurs baisers. Surprise, elle le repoussa doucement et découvrit les larmes qui coulaient sur les joues du jeune homme. Jamais encore de sa vie, elle n'avait vu un homme pleurer. Du bout des doigts, elle cueillit une larme, et Antoine pressa sa bouche dessus.

Des applaudissements éclatèrent alors à quelques mètres d'eux et ils sursautèrent de conserve. François de Carnac, un sourire moqueur sur les lèvres, les fixait d'un air mauvais.

Le sang de Sophie se glaça. Depuis combien de temps les épiait-il ?

— Comme c'est touchant ! ricana l'importun. Je cherchais mon cocher et sur qui je tombe ? Le pire des scélérats ! Ton charme irrésistible fait encore ses preuves, Antoine. Mais le bal des révélations n'est pas terminé ! Iras-tu au bout des choses, ou bien est-ce moi qui vais devoir le faire à ta place ?

63

Sophie lança un regard inquiet à Antoine. De quoi François de Carnac parlait-il ?

— N'en as-tu pas assez fait ? Va-t'en, et laisse-nous en paix !

François ricana.

— Pas tant qu'elle ne saura pas toute la vérité sur toi.

— Je vais la lui dire !

L'expression d'Antoine avait perdu toute sa douceur, pour une rage teintée de tristesse. Sophie se mordit la lèvre, presque jusqu'au sang. Réussir à lui faire confiance malgré les mensonges et les non-dits lui avait demandé un trésor de courage, et voilà… Non. Non ! Elle lui avait donné sa confiance, elle devait l'écouter. Pas la lui reprendre dès le premier obstacle rencontré.

Les doigts d'Antoine enlacèrent les siens avec plus de vigueur et Sophie le contempla. Son amant s'humecta les lèvres et commença :

— J'allais vous le révéler, mais je n'ai pas eu le temps. Je suis… Je ne suis pas…

— Est-ce que je dois t'aider ? le provoqua son frère.

Antoine inspira profondément, comme soumis à la torture.

— Je ne suis pas vraiment un Carnac.

Pas vraiment un Carnac ? Sophie ne comprenait pas.

— De qui te fous-tu ? éclata François. Votre cher et tendre est un bâtard ! Le bâtard de mon oncle que mon père a pris en pitié et a fait passer pour l'un des siens.

Les doigts d'Antoine se contractèrent sur ceux de Sophie.

— Je suis bien ce qu'il dit. Un bâtard.

Il les relâcha et se tourna vers son cousin. Sophie, elle, les observait tous les deux, l'esprit vide.

— Voilà, es-tu satisfait ? Elle sait tout à présent. Disparais !

— Ma demande en mariage tient toujours, ricana François de Carnac. Vengez-vous de lui et choisissez-moi.

— François…

— Quoi ? se moqua-t-il. Tu as peur qu'elle prenne la même décision qu'Émilie ? Qu'elle choisisse la fortune plutôt que ton être insignifiant ?

Les yeux de Sophie s'écarquillèrent et le vent des souvenirs lui fouetta le visage. Elle se revit, avec Antoine, sur l'îlot de Saint-Malo, quand il avait essayé de la réconforter. Il lui avait avoué avoir lui aussi essuyé un chagrin d'amour, que la femme qu'il aimait ne l'avait pas choisi, lui.

Son regard se transforma et elle les dévisagea tour à tour. François conservait un sourire narquois, de ceux qui se savent déjà gagnants. Tandis qu'Antoine… il gardait la tête haute, mais il lui faisait l'effet d'un capitaine lors d'un naufrage. Un capitaine qui savait que son navire était en train de couler, mais qui ne l'abandonnerait pas. Sophie comprenait mieux cette haine qu'il éprouvait pour son cousin. Ils l'entretenaient chacun de leur côté depuis des années, si ce n'était toute leur vie.

— Penses-tu vraiment que la fille d'un baron va choisir de se condamner pour toi ? Tu es pathétique…

Alors, Sophie ne réfléchit plus. Sa main vint rejoindre la sienne. Un ébahissement sans nom souffla sur le visage d'Antoine, et elle chuchota :

— Un jour, un homme que j'admire beaucoup m'a dit : qu'importe notre sexe, notre couleur de peau ou notre naissance. L'important est ce que nous voulons être et ce que nous faisons. Je vous vois, Antoine. Je vous vois, et je ne veux personne d'autre à mes côtés.

Tendrement, elle embrassa ses doigts et lui sourit. Jamais elle n'avait été aussi sûre d'elle. Son amour pour Antoine dépassait toutes les frontières qu'on pouvait leur imposer.

— Ridicule ! vociféra alors François.

Antoine tourna la tête vers son cousin et, aussitôt, poussa Sophie sans ménagement derrière lui. Sous la force du coup, elle faillit chanceler et, quand elle se rééquilibra, son sang se figea.

— Baisse cette arme ! ordonna Antoine.

François de Carnac le tenait en joue, un revolver à la main.

— Voilà bien longtemps que j'aurais dû régler ton compte !

— Arrêtez ! s'écria-t-elle.

Antoine l'empêcha toutefois d'intervenir en se décalant pour la protéger de son corps.

— Laisse-la. Elle n'a rien à voir avec notre querelle.

— Au contraire. Elle aurait dû m'épouser quand je le lui ai proposé. Il ne peut y avoir de témoin.

François de Carnac ne tremblait pas. Une résolution monstrueuse brûlait dans son regard. Il allait le faire, il allait tirer ! Sophie était morte de panique.

— Adieu, siffla le comte de Carnac. Tu n'aurais jamais dû venir au monde. Ne t'en fais pas, ta bien-aimée te rejoindra bientôt !

— Non ! hurla Sophie.

Elle parvint à franchir la barrière formée par Antoine et pivota son propre corps pour protéger le sien. La détonation lui explosa les tympans et elle tomba contre lui, les yeux écarquillés d'effroi.

64

— Sophie ! cria Antoine en l'entourant de ses bras.

Paniqué, il la serra tout contre lui, et elle le dévisagea. Aucune douleur n'avait éclaté dans son corps. Est-ce que la balle… avait touché Antoine ?

— Vous allez bien ? gémit-elle, inquiète.

— Ô Dieu merci !

Il l'enlaça plus fort et, se souvenant tous deux de la menace, ils se séparèrent pour affronter leur ennemi. Le mécanisme de son pistolet s'était-il grippé ? Non… même dans ses rêves les plus fous, Sophie n'aurait pu s'attendre à ça…

Se tenant le poignet avec une grimace, François de Carnac demeurait courbé en deux, son regard fusillant son attaquant.

— Personne ne touche à mes petits-enfants !

Nanou éleva sa canne et l'abattit avec force sur le dos de leur agresseur. Une première fois, puis une deuxième et une troisième, avec une frénésie qui laissa les deux jeunes gens pantois. François de Carnac se redressa et attrapa le morceau de bois. Tout se déroula alors en un éclair : Antoine bondit sur lui, et Sophie se jeta sur le pistolet qui était tombé à terre. Le comte n'eut pas le temps de toucher à Nanou que le poing d'Antoine s'abattit sur son visage. Sophie gagna les côtés de sa grand-mère, arme pointée vers eux, mais elle n'en eut pas besoin.

Antoine maîtrisait son cousin et, bien vite, des domestiques apparurent dans l'écurie.

— Nous avons entendu un coup de feu !

Mathieu et Kaerell surgirent à leur tour.

— François de Carnac a tenté de nous tuer, déclara Sophie, avec un aplomb qui la surprit elle-même.

— Appelez la maréchaussée, ordonna alors Kaerell. Monsieur le vicomte, voulez-vous bien m'assister ?

Le regard de Mathieu glissa de Sophie à Antoine, puis il acquiesça. Les domestiques les aidèrent, lorsque la grand-mère vacilla.

— Nanou !

— Personne ne touche à mes petits-enfants, répéta-t-elle tandis que Sophie l'empêchait de tomber.

— Venez, ramenons-la au chaud.

Antoine avait retiré son manteau et le passait autour des épaules de Nanou. Il la souleva comme s'il s'agissait d'une plume et le vicomte leur lança :

— Occupez-vous d'elle.

Sophie acquiesça, et elle suivit au petit trot Antoine qui gagnait la demeure. Sa main serrait celle de Nanou, glacée. Elle était sortie sans même un châle sur les épaules ! Nanou, sa Nanou…

À l'intérieur, elle ignora les cris alarmés de ses sœurs et désigna à Antoine une petite pièce à l'écart des convives. Leur grand-mère avait besoin de chaleur et de calme. Il la déposa sur un sofa, et Sophie commença à l'examiner. Elle ne semblait pas blessée, mais sa grand-mère conservait sa main crispée contre son cœur… comme le baron lors de son malaise.

— Nanou, Nanou, regarde-moi…

Sophie posa les mains autour de ses joues. Les traits ridés de sa grand-mère demeuraient contractés. Son si beau visage exprimait une souffrance qui était insupportable à Sophie.

— Un médecin, n'y a-t-il donc pas un médecin ?

La main d'Antoine sur son épaule la fit sursauter. Il la fixait d'un air triste.

— Il n'y en a pas parmi les convives, j'ai demandé qu'on aille en chercher un au village le plus proche.

— Que se passe-t-il ? gronda le baron qui arrivait avec sa chaise roulante. Mère !

— Nanou ! s'écria Pilou.

— Je suis désolée…, gémit la domestique qui était censée surveiller leur grand-mère.

— Dehors ! rugit Charles de Kerdelec.

La pauvre jeune fille s'exécuta, tandis que Pilou était déjà auprès de leur grand-mère, avec Louise et Héloïse. À défaut d'un médecin, chacun y allait de son petit mot gentil et de ses encouragements.

— Ouvrez les yeux, grand-maman, gémit Henriette de Kerdelec.

— Nanou, je te laisserai câliner Cannelle toute la journée, je te le promets !

— Pitié, ne nous abandonnez pas…

— Nanou, on a besoin de toi, la supplia le véritable Étienne.

Un gémissement échappa soudain à leur gentille grand-mère, et ses lèvres bougèrent. Sophie, la première, se pencha pour l'entendre.

— Des pommes… J'ai faim…

La joie et le soulagement la frappèrent tel un coup de poing.

— Je peux avoir des pommes ? réclama Nanou plus fort.

Tous les Kerdelec s'apaisèrent d'un même mouvement. Héloïse et Pilou se mirent à pleurer, Louise et leur mère à rire nerveusement, et le baron répondit :

— Oui, mère. Autant que vous voudrez.

Les doigts de Nanou se refermèrent dans les cheveux de Sophie et celle-ci releva la tête. Leur grand-mère caressait ses mèches, ainsi que celles d'Étienne, agenouillé lui aussi à ses côtés.

— Mes bébés… Mes bébés sont enfin réunis…

Nanou leur souriait avec une bienveillance infinie.

— Les pommes, grommela le baron d'une voix tremblante. Je vais en chercher.

Il était sur le point de pleurer, et Henriette aida à écarter son fauteuil roulant pour lui offrir un peu d'intimité.

— Ne nous faites jamais plus une peur pareille, lui intima Sophie.

Le sourire de Nanou s'élargit et, d'un air canaille, elle déclara :

— Si c'est le seul moyen d'obtenir des câlins, je compte bien recommencer.

Les jeunes Kerdelec se sourirent et, d'un même mouvement, l'enlacèrent, le cœur léger.

*

Tout s'arrangeait enfin. Nanou n'avait pas voulu regagner la salle de bal et se reposait au calme, du moins, dans un calme relatif puisque le son des instruments de musique passait à travers les portes fermées du salon. Elle avait insisté pour que ses petits-enfants retournent s'amuser, et Sophie l'avait aidée à les convaincre. Mathieu leur avait annoncé que des domestiques surveillaient François le temps que la police arrive, et le regard que Louise lui avait lancé indiquait à Sophie qu'il était temps pour les deux jeunes gens de se parler.

Quant à Héloïse et Pilou, il s'agissait de leur premier bal et elle voulait qu'ils en profitent. Le baron, malgré ses œillades interrogatives à Antoine, se devait de retrouver ses invités. Le temps des explications viendrait tôt ou tard. Avec son épouse, ils regagnèrent la salle de bal.

Antoine demeurait respectueusement à l'écart, tourné vers la fenêtre, afin de laisser à Sophie toute l'intimité nécessaire avec sa grand-mère.

Silencieuse, elle gardait les doigts de sa Nanou entre les siens, tandis que celle-ci se reposait. La porte du petit salon s'ouvrit alors, dévoilant Étienne. Étienne… habillé en homme, excepté qu'il ne portait comme haut qu'une chemise. Une bouffée d'amour gonfla le cœur de la jeune femme. Comme son frère était beau !

Celui-ci lui sourit, mais au lieu de les rejoindre, avança jusqu'à Carnac. Ce dernier se crispa à son approche, et la jeune femme eut l'impression que son jumeau rougissait. Elle les fixa, frustrée de ne pas entendre les propos qu'ils échangeaient si bas. Et puis Antoine s'inclina, de même qu'Étienne.

Son jumeau se dirigea alors vers Sophie, et l'invita à se mettre un peu à l'écart de leur grand-mère.

— Je reviens, assura-t-elle à celle-ci.

— Fais vite, je crois que je vais tomber dans les pommes. Je vois double.

Son sourire moqueur contrastait avec ses paroles. Ah, sacré Nanou ! Rassurée, Sophie rejoignit son jumeau.

— Tu portes bien l'habit masculin, commenta-t-il avec un sourire espiègle.

Il semblait tout à fait à l'aise, ce qui rassura grandement Sophie. Il ajouta :

— Donne-moi tes vêtements. Je prends le relais. Après tout, n'est-ce pas ma soirée ?

Le visage de la jeune femme s'assombrit. Étienne se tourna vers Carnac.

— Tu as fait ce qu'il fallait. Je ne t'en veux pour rien, Sophie. Ne t'inquiète plus pour notre famille. Désormais, je prendrai tout en main.

Il lui serra les doigts.

— Désormais, pense à toi.

Il désigna Antoine de la tête et elle se mordit la lèvre. Quand son jumeau avait-il ainsi mûri ? Saint-Malo avait transformé Sophie, mais également Étienne. Elle avait tant de questions à lui poser… Elle retira sa veste puis son gilet, et les lui tendit.

— Je l'ai averti qu'il le regretterait s'il venait à te faire souffrir, précisa son frère avec un fin sourire tandis qu'il enfilait les vêtements.

— Fais attention à ce que tu dis, le taquina Sophie, c'est un fin escrimeur…

— Oh, je ne parlais pas de moi. Mais de la canne de Nanou.

Étienne lui décocha un clin d'œil et Sophie pouffa. Il lui baisa alors la main et ajouta, reprenant son sérieux :

— Ne laisse pas fuir un homme qui embrasse si bien.

La jeune femme s'empourpra soudain. Étienne les avait-il vus dans l'écurie ? Il se pencha à son oreille et conclut :

— Sois heureuse, ma chanceuse petite sœur.

Il se détourna sans lui laisser le temps de répondre et quitta la pièce. Le cœur de Sophie cognait dans sa poitrine.

Elle se tourna vers Antoine, qui fixait toujours l'extérieur, et Nanou. Leur grand-mère s'était rassise et jouait avec les pans du manteau d'Antoine, toujours sur ses épaules. Ses doigts calleux lissaient les manches, elle semblait heureuse. La vieille dame lança alors un regard en biais au jeune homme, puis ouvrit le manteau et attrapa un biscuit sur la table basse avant de le glisser dans une poche intérieure.

Sophie eut l'impression qu'un gouffre s'ouvrait une fois encore sous ses pieds. Nanou releva la tête dans sa direction et lui sourit d'un air enfantin. La tension se répandit dans les muscles de Sophie, et elle se rapprocha lentement.

Son regard ne quittait pas sa grand-mère, qui recommença à épier Antoine, avant de cacher une seconde gourmandise dans sa doublure.

— Que fais-tu ? lui murmura Sophie, les cordes vocales tendues.

— Je le remercie.

Sophie s'humidifia les lèvres.

— Est-ce… que tu l'as déjà remercié, par le passé ?

Sa grand-mère attrapa un nouveau biscuit et, cette fois, le porta à sa bouche… avant de le laisser retomber.

— Non.

Sophie laissa échapper l'air qu'elle avait retenu dans ses poumons.

— Je lui ai donné un cafard, enchaîna Nanou. Un cafard immonde et visqueux, alors que ce gentil jeune homme m'avait aidée.

Un cafard ? Aidée ? Sophie n'y comprenait rien. Nanou commençait à s'agiter. Ses paupières s'ouvraient et se fermaient de plus en plus vite. Elle regardait autour d'elle comme si elle avait du mal à reconnaître les lieux.

— Désolée, ma Nanou, mais essaie de te souvenir. Quel cafard ? Comment t'a-t-il aidée ?

— Le bal, grommela-t-elle, le visage fermé. Il m'a aidée. Et j'en ai profité pour glisser cet horrible insecte dans son manteau.

Ses yeux clairs plongèrent dans ceux de Sophie et elle pesta :

— Vous vous disputiez tous à cause de lui ! Étienne était malheureux, toi aussi. Il valait mieux qu'il disparaisse. Heureusement (elle regarda la petite poche intérieure), cette vermine a disparu. J'espère qu'elle ne s'est pas reproduite chez lui. Je devrais peut-être lui en parler…

Nanou se mordit la lèvre, soudain soucieuse, mais Sophie la rassura :

— Non, tout va bien. Il s'en est occupé.

— Tu es sûre ? s'inquiéta-t-elle.

— Certaine.

La jeune femme lui sourit. Tant de choses s'éclairaient désormais de la folie de Nanou ! Pourquoi elle avait eu l'impression d'être responsable du départ d'Étienne, de la maladie du baron… Était-il possible que ce qu'elle avait pris pour un cafard durant ses délires fût le papier de l'héritage ?

— Je t'aime, ma Nanou.

Elle embrassa la joue de sa grand-mère, et lui caressa les cheveux.

— Tu ne m'en veux pas ?

— Absolument pas. (Sophie fit semblant de frissonner.) Je déteste les cafards ! Mais la prochaine fois, ne le mets pas dans un vêtement, s'il te plaît. Préviens-moi.

Nanou acquiesça, puis bâilla à pleine gorge. Sophie l'aida à s'allonger et la contempla. L'amour qu'elle ressentait pour elle ne connaissait aucune limite.

Ce petit bout de femme avait tant fait ! Elle comprit mieux pourquoi Nanou lui avait demandé si tout le monde serait là ce soir, comme au premier bal, et pourquoi elle ne cessait de chercher partout. Elle guettait Antoine et son manteau, ce qui l'avait sûrement conduite dans l'écurie. Tout prenait désormais sens. La jeune femme caressa doucement les cheveux blancs de sa grand-mère. Apaisée, celle-ci sombrait dans les bras de Morphée.

Alors, avec précaution, Sophie se releva et gagna la fenêtre. Antoine, patient, continuait d'observer l'extérieur.

— Vous le saviez, n'est-ce pas ?

Elle inspira profondément et se lança :

— Vous aviez des doutes au sujet de ma grand-mère. C'est elle qui a glissé l'acte dans la poche intérieure de votre manteau.

Le regard d'Antoine dévia du sien, et il se contenta d'acquiescer.

— Le soir où nous nous sommes rencontrés, j'ai croisé votre grand-mère, dans les jardins. Elle divaguait, en chemise de nuit, les pieds nus. Je l'ai ramenée à l'intérieur, et ai déposé mon manteau sur ses épaules, le seul vêtement que vous ne m'aviez pas trempé.

Sophie n'en croyait pas ses oreilles.

— Ne vous inquiétez pas, personne ne nous a vus. Pas même un domestique. Nous sommes passés par l'arrière.

Par l'arrière… Ils avaient failli se croiser de peu ! Si elle n'avait pas dû se cacher derrière la haie, attendre que sa mère et Louise finissent leur conversation… Sophie s'appuya contre le mur. Les pièces du puzzle s'articulaient enfin entre elles.

Sophie laissa tomber son visage entre ses mains.

— Je ne pouvais pas vous en parler, articula d'une voix bancale Antoine. Je craignais votre réaction…

Elle redressa la tête.

— Vous n'avez rien dit par peur que je la rejette ? Me connaissez-vous si mal ?

— Je sais à quel point vous aimez votre grand-mère. Et elle n'avait pas toute sa tête. Le savoir n'aurait rien changé…

— Bien sûr que ça aurait changé quelque chose !

Elle se décala du mur et se rapprocha de lui, furieuse. S'il lui avait fait part de ses soupçons, elle n'aurait jamais ainsi douté de lui ! Il haussa les sourcils, de cet air impertinent qu'il avait affiché lors de leur première rencontre. Le cœur de Sophie manqua un bond et elle pointa un index rageur contre son torse.

Un fin sourire naquit sur le visage d'Antoine. Est-ce qu'il se moquait d'elle ? Ils parlaient de choses importantes ! Comment pouvait-il… ?

— Quand vos yeux jettent ainsi des éclairs, je n'ai qu'une envie… vous embrasser.

La bouche de Sophie s'ouvrit sous l'effet de la surprise et elle devint écarlate. Il rapprocha son corps du sien. Près, bien trop près. Toutes les pensées de Sophie s'envolèrent et le sourire d'Antoine s'élargit.

— Je déteste quand vous faites ça.

— Quand je fais quoi ?

Son doigt s'enroula autour d'une mèche de Sophie, frôlant sa tempe. Un frisson la saisit et elle lutta contre elle-même pour l'incendier du regard.

— Ciel, souffla-t-il, comme soumis lui aussi à la torture. Sophie… Dans l'écurie, vous m'avez dit…

Ses doigts se posèrent complètement sur ses cheveux. Antoine avait perdu toute trace de malice et il ne semblait pas réussir à formuler sa pensée.

— Je pensais chaque mot que j'ai prononcé, affirma-t-elle.

Le doute dans ses yeux lui était insupportable.

— Je veux être avec vous, ajouta Sophie. Mais plus aucun secret ne doit se mettre entre nous. Ne me cachez plus rien, même si vous pensez que c'est pour mon bien. Promettez-le-moi.

Ses doigts s'agrippèrent à son costume et Antoine grimaça.

— Qu'y a-t-il ? s'alarma-t-elle.

— Il y a encore une chose que vous ignorez.

Antoine faisait tout pour ne pas soutenir son regard.

— Misère..., grommela-t-il.

— Dites-le-moi.

— J'ai embrassé quelqu'un d'autre que vous, après votre départ de Saint-Malo.

Sophie le relâcha, comme giflée. Est-ce qu'Antoine avait rejoint un bordel pour noyer son chagrin ? Un grand froid s'empara d'elle. Le jeune homme s'agita :

— Je sais que c'est horrible, mais le chagrin me dévorait et… (il s'étrangla) j'ai embrassé votre frère.

Les paupières de Carnac se fermèrent très fort tandis que Sophie écarquillait les yeux. Le teint de son amant avait viré au cramoisi. Elle ne l'avait jamais vu aussi gêné !

— Comprenez… Je ne cessais de penser à vous, et voilà que vous apparaissiez en pleine rue, juste devant moi ! Je lui ai littéralement sauté dessus !

Il se cacha le visage d'une main. Sophie éclata de rire. D'un rire nerveux et frénétique, qui la plia en deux.

— Vous… vous avez… embrassé Étienne ?

— Oui, avoua penaud Antoine, qui ne semblait pas partager son amusement.

Quel soulagement ! Oh oui, quel soulagement ! Sophie ne parvenait plus à se reprendre. Il le fallait pourtant, ou elle allait réveiller Nanou. Les propos de son jumeau prenaient tout leur sens.

— Voilà pourquoi… Il m'a dit que vous embrassiez si bien…

— Je vais faire comme si je n'avais pas entendu cette phrase, toussota Antoine.

Il se rapprocha d'elle et la serra contre lui.

— Votre rire est magnifique.

Cette déclaration eut l'effet de lui couper toute envie de poursuivre. Sophie le contempla. Antoine la fixait avec tant d'amour que ses jambes flageolèrent.

— J'ai vite compris mon erreur, chuchota-t-il. Ses lèvres ne sont pas les vôtres.

Un bras refermé sur sa taille, son autre main caressa sa bouche. La respiration de Sophie devint saccadée.

— J'ai un autre aveu à vous faire, poursuivit Antoine. J'ai terriblement envie de vous embrasser.

La jeune femme déglutit.

— Qu'attendez-vous ?

— Votre grand-mère est dans cette pièce.

Sophie sourit.

— Je ne vous savais pas si prude.

Le sourire d'Antoine s'élargit.

— Comprenez-vous que si je commence, je ne pense pas pouvoir m'arrêter ?

Son bras se referma un peu plus sèchement dans son dos et leurs corps se percutèrent. La poitrine de Sophie s'écrasa contre son torse, elle avait désormais conscience de toute la tension qui l'habitait. Les lèvres d'Antoine se posèrent alors sur les siennes, doucement, puis avec plus de force. Sophie glissa ses bras autour de son cou et se pressa contre lui. Ses sentiments explosaient dans son cœur, lui faisant perdre toute raison. Les doigts de son amant glissaient dans son dos et dans ses cheveux.

— Je vous laisse le canapé ! caqueta alors Nanou.

Sophie sursauta violemment et ils s'écartèrent comme deux enfants pris en faute. Leur grand-mère souriait de toutes ses dents et s'étirait.

— J'ai l'impression d'avoir vingt ans ! J'ai envie de danser !

Et, comme si elle venait de rajeunir de plusieurs décennies, elle trottina jusqu'à la sortie, sans même avoir besoin d'une canne. Elle leur offrit un clin d'œil, puis referma la porte derrière elle. Les deux jeunes gens se permirent alors de respirer et Antoine récupéra ses mains.

— Sophie… Voulez-vous…

Celle-ci posa un doigt sur ses lèvres pour l'empêcher de continuer.

— De grâce, qu'on ne me parle plus ni de fiançailles ni de mariage.

Antoine papillonna des cils, confus.

— Je n'ai pas besoin d'un mariage pour être heureuse, expliqua-t-elle en repassant ses bras autour de son cou. Et si nous restions l'un près de l'autre, sans aucune obligation ? Vivons l'instant présent, tel qu'il viendra à nous.

— Mmmhhh… C'est affreusement indécent, commenta Antoine en fronçant les sourcils.

Sophie le dévisagea avec un faux air incrédule. Il se fendit alors d'un immense sourire :

— J'adore cette idée.

Il la souleva d'un coup, lui arrachant un cri de surprise, et la transporta vers le centre de la pièce.

— Que faites-vous ? s'amusa-t-elle.

— À votre avis ?

Il la posa sur le sofa et la recouvrit de son corps. Sophie souriait tellement qu'elle en avait mal à la mâchoire.

— Vous vous montrez indécent, répondit-elle en levant les yeux au ciel.

— Non, obéissant. Nanou nous a laissé sa place, il serait dommage de ne pas en profiter.

Il commença à butiner son cou de milliers de baisers qui la chatouillèrent.

— Antoine ! rit-elle. Antoine…

Elle inspira sous l'effet de la surprise. Le baiser dans son cou s'était approfondi et lui provoquait la chair de poule. Content de son petit effet, il se redressa et posa ses bras autour de son visage.

— Soyons indécents puisque tel est votre désir, mon amour.

Sophie rougit.

— Je vous cède, aujourd'hui. Mais un jour, c'est vous qui me céderez, et vous deviendrez mon épouse.

— Vous pouvez toujours courir.

— Vous oubliez que je dispose d'une arme infaillible, décréta-t-il avec un air de gamin. Mon charme est irrésistible.

Sophie pouffa et Carnac s'empara de ses lèvres, la prenant au dépourvu. Dans un gémissement de plaisir, les bras de Sophie se refermèrent autour de son cou. Au prix d'un gros effort, Antoine s'écarta et la contempla avec de grands yeux voilés.

— Je vous aime, Sophie. Et j'emploierai chaque jour de mon existence à vous le prouver.

La jeune femme inspira profondément. Elle n'arrivait pas à se détacher de son regard. Plus que ses mots, ses yeux lui promettaient un bonheur qu'elle n'aurait même pas pu caresser en rêve. Un bonheur… qu'elle ressentait déjà dans toute sa force.

— Moi aussi, je vous aime, Antoine.

Le jeune homme lui offrit un merveilleux sourire et vint frotter son nez contre le sien, avant de l'embrasser, et plus encore… Mais cela serait bien trop indécent de le raconter.

ÉPILOGUE

— Je ne comprends pas pourquoi vous avez laissé cette affaire aller si loin, grommela Étienne en fixant la pluie battante à travers la fenêtre.

Malgré la tension qui habitait chacun de ses muscles, il s'efforçait de se tenir droit et sûr de lui.

— Tout ne se termine-t-il pas pour le mieux ?

Le ricanement de son interlocutrice l'agaça, et il se retourna vivement :

— Depuis le début, vous saviez que j'étais à Saint-Malo. C'est vous qui m'avez donné l'argent quand vous m'avez vu partir. Vous saviez parfaitement comment me contacter !

Madame de Verteuil posa sa main sur la tête de son fidèle chien, assis sur le tabouret rembourré jouxtant son fauteuil. Ses yeux brillèrent d'un éclat doré.

— Vous n'étiez pas prêt à affronter cette tempête, et votre peste de sœur ne m'a pas laissé le temps de me retourner.

— Je vous interdis de parler de Sophie de cette façon !

— Voilà que vous montrez les dents, intéressant.

Son buste pivota vers l'avant et Étienne déglutit, sans reculer.

— Vous avez tenté de l'interner ! Je ne suis pas près de l'oublier…

Tante Rosaline balaya d'un revers de main sa remarque.

— Cela n'aurait été qu'une solution provisoire, le temps de tuer dans l'œuf le plan de monsieur de Rougemont consistant à dévoiler son imposture. Toutefois, je n'ai aucun compte à vous rendre. En revanche… Qu'est-il arrivé à Saint-Malo, pour que vous deveniez un homme ?

— Cela ne vous concerne pas, n'en démordit pas Étienne, quoiqu'un peu déstabilisé par cette réponse. Quant à Sophie…

— Quoi « Sophie » ?

— Elle parcourt les villes d'Europe, déguisée en homme, avec Carnac. Et sans être mariée ! Si cela s'apprend, elle sera perdue…

— Sophie n'est pas faite pour rester à la maison, le coupa madame de Verteuil avec impatience. Même si j'étais loin de me douter qu'elle choisirait Antoine de Carnac, je dois reconnaître qu'ils vont bien ensemble.

— C'est pourquoi vous lui avez écrit à lui, et non directement à moi ?

Étienne la dévisagea.

— Cela aussi faisait partie de vos plans ? Ne l'auriez-vous pas préférée mariée à un comte ?

Tante Rosaline sourit.

— Son prétendant n'est que deuxième dans la succession, un accident est si vite arrivé…

Étienne s'horrifia de sa réponse et elle éclata d'un rire sinistre.

— Détendez-vous, mon cher neveu. Certes, Sophie a contrarié mes plans, mais tant que la sécurité et l'honneur de notre famille sont saufs, je m'estime satisfaite. Cette petite insolente sait que sa supercherie ne doit pas être éventée. Toutefois, son prétendant et elle ont besoin de folâtrer avant de prendre leurs responsabilités. Et en parlant de responsabilités… Je maintiens que ces fiançailles sont une mauvaise idée. N'épousez pas Constance Lambert. Sa famille ne vous apportera que des ennuis.

— C'est ma décision, grommela Étienne en se retournant vers la fenêtre.

— En êtes-vous certain ?

Il avait voulu prononcer sa phrase d'un ton sûr, mais sa tante appuyait là où cela faisait mal. Non, c'était bien Sophie qui s'était engagée pour lui. Cependant, elle n'avait pas eu le choix. Certes, l'union n'avait pas encore été célébrée, mais il ne pouvait revenir dessus.

La main de tante Rosaline se posa sur son épaule, et il sursauta.

— Étienne…, reprit d'un ton plus doux sa tante.

Un ton que très peu de personnes lui connaissaient.

— Mademoiselle Lambert et son père cachent de sombres secrets. J'en suis convaincue. C'est tout à votre honneur de vouloir la sauver, mais ne vous condamnez pas pour une inconnue…

Étienne la contempla quelques instants. Les yeux de sa tante brillaient d'une véritable inquiétude. Pourquoi ne montrait-elle pas plus souvent cet aspect de sa personne ? Si le jeune homme ne l'avait pas surprise à cracher du sang, peut-être que, lui non plus, n'aurait jamais vu la femme qui se cachait sous ce masque de froideur. Même s'il désapprouvait ses actions, il comprenait ses tentatives de mettre chacun des membres de leur famille à l'abri du besoin, quitte à être détestée par eux.

À moins qu'il ne s'agisse encore d'une autre de ses habiles manipulations ? Même lui ne savait qu'en penser. Néanmoins, le cœur bon, il voulait lui accorder le bénéfice du doute. Ses doigts se posèrent sur les siens, et il lui offrit un sourire triste.

— J'ai goûté à la liberté, elle n'est pas faite pour moi. Cette union ne m'effraie plus. Il est temps que je me range et que j'affronte mes responsabilités. Quant aux secrets éventuels des Lambert… Eh bien, l'avenir nous le dira.

Tante Rosaline acquiesça. Elle respectait sa décision, même si elle ne l'approuvait pas. Elle tapota son épaule, puis se dirigea vers la sortie, accompagnée du bruit des griffes de son chien sur le sol. Au moment de franchir la porte, elle s'immobilisa :

— Votre père ne vous l'a peut-être jamais dit, mais sachez que, moi, je suis fière de vous, Étienne.

Le jeune homme lui offrit un pâle sourire et elle quitta la pièce. Ces mots auraient dû lui réchauffer le cœur, et pourtant, le jeune homme se sentait glacé.

Il allait bientôt se marier, et cela de sa propre décision. Prendre enfin son destin en main aurait dû le rendre heureux… Alors, pourquoi avait-il la terrible impression que les mâchoires d'un piège se refermaient lentement sur lui ?

REMERCIEMENTS

Merci, chère lectrice, cher lecteur, d'avoir suivi les aventures de Sophie ! Cette fois, je commence mes remerciements par vous. J'aime écrire, mais j'aime aussi partager. Que ce récit ait pu vous toucher est pour moi le plus beau des cadeaux.

Bien sûr, je ne peux pas oublier les personnes présentes à la genèse de ce tome 2.

Mes sincères remerciements vont à Ellie S. Green pour avoir partagé son expérience de sage-femme et pour avoir répondu à mes nombreuses questions. Merci à Marie-Renée qui n'a pas hésité à remuer sa bibliothèque et à solliciter l'aide de pêcheurs (que je remercie aussi !) pour m'aider à bien cerner le fonctionnement des marées de Saint-Malo. De la même façon, monsieur Philippe Petout, ancien conservateur du musée d'histoire de Saint-Malo, a été d'une aide plus que précieuse.

Charlotte Letourneur a également été pour moi une alliée magique. Elle n'a cessé de m'encourager et de m'aider à résoudre mes problèmes de scénario. Elle a été une alliée de taille dans ce grand projet ! Et je la remercie du fond du cœur !

Merci également à Sonia pour son oreille attentive, à mes bêtalecteurs aussi enthousiastes que critiques : Carrie, Isa, Stéphane, Elvyne, Marie, Bénédicte ! Ils ont tous soulevé des points spécifiques, chacun avec leur sensibilité, et je mesure ma chance de les avoir.

Merci à Caroline Lépée pour sa confiance renouvelée sur ce tome 2. Merci d'avoir permis à ces aventures de vivre et de m'avoir ainsi chaleureusement accueillie dans son équipe. Et quelle équipe ! Merci à Mélanie Trapateau pour son travail sur mon texte, et aux membres de la maison d'édition pour toutes les étapes qui ont permis que ce livre soit entre vos mains !

Enfin, comme toujours, je remercie mon mari et notre fils pour leur soutien indéfectible. Écrire ne serait pas possible sans eux.

Une autrice pleine de reconnaissance.

Envie d'en découvrir plus sur l'autrice et ses œuvres ?

Vous retrouverez sa saga médiévale et ses comédies romantiques sous le pseudonyme « A.D. Martel ».

Rendez-vous sur www.admartel.com pour y lire les premiers chapitres gratuitement et inscrivez-vous à sa newsletter pour obtenir des bonus et communiquer avec elle : www.admartel.com/inscription